Qアノンの正体

陰謀論が世界を揺るがす

Trust the Plan

The Rise of QAnon and the Conspiracy That Unhinged America

ウィル・ソマー
西川美樹＝訳

河出書房新社

Qアノンの正体　陰謀論が世界を揺るがす

目次

ジュリアナへ

秘密というのは昂揚した気分、いわば夢に近い気分なんだ。それは動きを停止させ、世界を止めてくれるから、人はその中にいる自分自身を見ることができるのさ。

——ドン・デリーロ『リブラ』

本文についての註

Q、すなわちQアノンの背後にいる匿名の人物について書くのは簡単ではない。理由は、Qの正体についてわかっていることがあまりにも少ないからだ。Qは男性なのか、あるいは女性なのか、また一人の人間なのか、あるいは大勢いるのかもわかっていない。本書では便宜上、そしてQの正体についてのめぼしい調査がすべて男性に注目していることから、Qを指すのに一貫して男性代名詞を用いている。

Qアノンにかかわった家族の話をしてくれた人たちについては、プライバシーを保護するため、またQアノンが自らの人生にどれほどの影響を及ぼしたかを自由に語ってもらうために名前を変更している。訴訟に関与した未成年についても偽名を使用した。

Qアノンの正体　陰謀論が世界を揺るがす

はじめに／嵐《ストーム》

二〇二一年一月六日の朝、米大統領選におけるジョー・バイデンの勝利を確定すべく採決がなされるほんの数時間前に、ドナルド・トランプのとりわけ熱烈な支持者数百人が連邦議会議事堂を取り囲んだ。抗議に集まった人々の中には、「盗まれた」選挙を支持した議員を吊るすための絞首台を組み立てる者までいた。また軍用の防弾ベストを着て、結束バンドを手に持ちながら歩き回る者もいた[1]。そこから少し離れたホワイトハウスの近くでは、トランプが演説を行ない、数万人もの支持者に向けて、議事堂前に集まった群衆に加わり「強さを見せろ」とけしかけていた。

議事堂の外では怒りが波のごとく広がり、トランプが大統領の座にあと四年留まらないかぎり暴力に訴えるとの誓いの言葉が口々に叫ばれた。赤の野球帽や、筋骨逞《たくま》しい武装したランボー風のトランプを描いた旗があちこちで目についた。だが膨らんでゆく群衆の中に、もう一つ目を引くシンボルがあった。旗に描かれていたのは、たった一文字、「Ｑ」である。

オハイオから来た中年の熱狂的なトランプ支持者、テレーズ・ボーガーディングは、道具一式を携えて首都ワシントンまでやってきた。Ｑと描かれた巨大な青いボードを自分の背丈の二倍はあるポールに掲げ、ネックゲイターの口の部分にも大きな赤いＱの文字。彼女は私に伝えたいことがあると言ったが、それはバイデンのことでもなければ、トランプのことでもなく、トンネルの中の子どもたちの話だった。

ボーガーディングの話では、世界で最も力を持つ人間——ハリウッドや民主党、大企業の大物たち——が率いる極悪組織が、何千マイルも続く地下トンネルに子どもたちを閉じこめているという。人目につかぬよう隠されたこの「地下トンネルの子どもたち（mole children）」を小児性愛者らが虐待することで子どもたちの体内からアドレノクロムを抽出し、この垂涎の液体をセレブや世界で最も裕福な金融界の人間が若さを保つために飲むという。トランプと米軍は子どもたちを救出するためにコロナの世界的流行を隠れ蓑に使っている。このウイルスに対処すべく配備された海軍の病院船は、実は救出された子どもたちを密かに治療していた。ついでに言えば、地震もその大半は本物の地震などではない——陸軍が小児性愛者の地下の隠れ家を破壊した際に生じる地震的事象なのだ。

こうした情報は「Ｑ」と呼ばれる軍の秘密諜報員から得ているのだとボーガーディングが私に語る。このＱなる人物によれば、トンネル内の企みの一部始終を仕切るのは、銀行家や政治家、ハリウッドスターから成る世界的な秘密結社で、彼らを止められるのは、ドナルド・トランプただ一人だという。ボーガーディングや彼女の何千人もの同胞がワシントンに集結したわけは、トランプが、神から与えられたその使命、要はこの秘密結社を破壊し、アメリカを戦争や病気のない新たなキリスト紀元に導く使命をまっとうするまで大統領の座に留まれるようにするためだ。子どもたちの救出は計画のほんの一部で、トランプだけが救うことのできるこの末期的に病んだ世界の一症状を治療するにすぎない。

「逮捕しなきゃならない犯罪者たちがあそこにいるのさ」ボーガーディングが通りの向こうの議事堂を指差す。「民主党の連中は子どもたちに悪魔崇拝の儀式をしてるんだ」。ボーガーディングや、あの日議事堂にいた大勢の人間にとって、議会での開票結果は誰が大統領になるかというだけの問題ではなかった。それはまさに悪魔そのものとの戦い、この世界の魂を救うための戦いだった。議事堂は来たる戦争の直近の戦場で、彼らはその前線にいたのだ。

トランプ政権末期には陰謀論が溢れんばかりに生まれていた。共和党は、二〇二〇年の大統領選は投票集計機が不正に操作されたか、もしくはＣＩＡのスーパーコンピュータが悪さをしたせいでトランプから盗まれたとの嘘をでっちあげた。(2) リベラル派の方も、トランプが売春婦に金を払い、バラク・オバマが泊まったことのある部屋のベッドに放尿させたといった、「スティール文書」〔英国の元諜報員がまとめたトランプとロシアの関係を調査した文書〕の中の空想話《ファンタジー》を持ちだした。

トランプはオバマの生誕地にまつわる陰謀論を喧伝することで突如政界に参入し、その後は同胞の共和党のライバルにまつわる同じくらい突飛な話を次々に繰りだし自身の選挙活動を勢いづけた。たとえばマルコ・ルビオ上院議員は大統領になる資格がないだとか、テッド・クルーズ上院議員の父親はジョン・Ｆ・ケネディの殺害に関与したなどとほのめかした。かくしてトランプは世界で最も力を持つ男、そして陰謀論の最高司令官となった。大統領時代にトランプが荒唐無稽な嘘を始終触れ回っていたことは、トランプ支持者に自分たちも陰謀論に突っ走ってかまわないとのお墨付きを与えた。クルーズの父親がケネディを撃ったと大統領が本気で信じているなら、彼の信奉者たちにとって、もはやご法度《はっと》の話など何もなかった。

陰謀論の流行は、政治家とネットで金儲けする人間《ハックスター》のどちらにも都合が良かった。民主党員が子どもたちの血を飲んでいるとか、ヒラリー・クリントンが首都ワシントンで自分の仇敵を射殺する暗殺団の指揮をとっていると信じる人々は、共和党員の目に意欲溢れる草の根の活動家や有権者として映りはじめた。共和党内で芽吹いたこの陰謀論者の一派は、世界の終末に備えてシェルターに溜め込む亜鉛の錠剤や保存食を買うのに財布の紐を緩めたが、それだけでなく、自分たちが贔屓にする政治家を現職に留めておくための原料も提供し、トランプ派の選挙活動や弁護費用に資金を出した。この過激な少数派がすでに少数派とは言えなくなったことを危惧し、共和党議員の大半が彼らへの攻撃を差し控えることにした。

オバマが大統領に選ばれて以来、共和党内で種々の陰謀論が次第に影響力を増していた。なかでも一つだけ、その支持者をオフラインに駆り出すことのできるもの、オンラインでのいつもの軽口に飽き足らず何千人もをその信念のために街中で行進させ、ときにはもっとタチの悪いことを進んでさせる力を持つものがあった。それは他のすべての陰謀論を合わせたよりも豊富な資源と粘り強さを備えていた。ボーガーディングを含め数百万人ものアメリカ人はこの最大の陰謀論にはまっていた。それがQアノンだ。

二〇一七年一〇月、「Q」と名乗る人物が匿名のアナーキーな掲示板「4ちゃん（4chan）」に現れ、ヒラリー・クリントンが今月末には逮捕されるとの謎めいたメッセージを幾つか投稿した。

さらにメッセージは続いたが、それはとくに説明のない頭字語と、秘密の軍事作戦がまもなく開始されるとの新たな警告で溢れていた。この初期の投稿を読んだ人の大半はこれを笑い飛ばした。とはいえ別の諸々の陰謀論に長年はまっていた4ちゃんの少数のユーザーたちがQの投稿にひどく興味を持った。そしてこの一文字だけのハンドルネームは、米エネルギー省で国家機密情報にアクセスできる権限「Qクリアランス」のことだと解釈し、このメッセージがトランプ政権内部から出ている証拠だと考えた。

クリントンはいつまでたっても逮捕されなかったが、Qのメッセージが止《や》むことはなかった。4ちゃんの一握りの侍者たちは、こうしたヒントをもっと体裁よく作り変え、世間の目に広くとまるユーチューブの動画やフェイスブックの投稿を作成した。そこでの解説がさらに多くの人間を引きつけることになる。Qアノンの信者は、新たなメンバーを過激化することを指す言葉を思いついた。「レッドピリング」だ。これは映画『マトリックス』に由来する言葉で、幻想世界に迷い込んだキアヌ・リーブスは、赤い錠剤《レッドピル》を飲み、この世界と自らの真の姿を見ることになる。

最初に入ってきた顔ぶれは、大統領の敵をいかに倒すかといった話を聞きたがるトランプ支持者だった。ところが物議を醸すコンテンツを積極的に後押しするソーシャルメディアのおかげで、Qの語りはトランプの支持基盤を超え、それまで自分をトランプ支持者だなどと思ったこともない人間まで引き寄せた。彼らは性的搾取にまつわるQアノンの話に衝撃を受け、混乱した世界をQが説明してくれるとの約束に釣られたのだ。

Qアノンは今も活動を続けている。何千人もの人間を親しい人たちから遠ざけ、友情や結婚を壊している。Qアノンにレッドピリングされた人々は、秘密結社との戦いに子どもや親やパートナーがなぜ加わってくれないのかがさっぱり理解できないのだ。さらにQアノンは合衆国から飛び出し、カナダやヨーロッパ、日本にも広がっている。二〇一七年に初めて現れて以来、Qアノンは進化を続け、分派を生み、なかにはQアノンのヨガ団体とか、トランプはどんな病気でも治せる医療技術を持っていると信じる団体まである。Qアノンは数十のもっとマイナーな陰謀論を取り込み、現実世界で幾つかの殺人事件すら引き起こした。そのためニュースを見た世間一般の人々は、Qアノン信者がそもそも何を信じているのか理解に苦しむことになる。他の惑星から来たトカゲがこの秘密結社を運営しているというのか？あるいはジョン・F・ケネディ・ジュニアの死は自作自演で、彼自身がQだというのか？　それとこれの一体どっちを信じているの？

とはいえQアノンのメッセージそのものは単純明快だ。この世界を動かしているのは、民主党やハリウッド、世界の金融界の人間から成る人喰いの小児性愛者の悪魔的秘密結社で、連中は児童を性的に虐待し、儀式でその血を飲みさえする。このあらゆるものを仲間に引き入れた秘密結社に、米軍だけは加わることを拒否し、この邪悪なエリート組織に対抗すべくトランプを大統領にしようと白羽の矢を立てた。そして近いうちに訪れる「嵐《ストーム》」と呼ばれる暴力的な浄化《カタルシス》の瞬間に、トランプがありとあらゆる敵を一掃してくれるだろう。反対する者はグアンタナモ収容所に送られるか、軍事裁判にかけられ処刑される。そしてこの世界――ならびにあなた自身――を悩ます問題はすべて永久に解決されるのだ。Qアノンが抱くこの「嵐」の夢は、トランプが粛清を達成することなく退陣した後も消えずに残った。選挙に負けたことも、Qの予言がどう見ても当たらなかったことも、Qの信奉者は認めようとしなかった。おそらく「闇の政府《ディープステート》」〔Qアノンによればアメリカは一部のエリートからなる「闇の政府《ディープステート》」に操られており、トランプこそがこれと戦う救世主だという〕は今回トランプが倒すには手強すぎたのだ。だがいつだって彼はまた挑戦するだろう。Qとその支持者の手を借りて。

QとQを支持する陰謀論者は、敵を意のままにできる力をトランプが手にすればユートピア的世界が訪れると信者に約束してきた。秘密結社は病気の治療法を密かに握っているから、トランプが「嵐」を起こしたあかつきには末期の患者でさえも回復するだろう。秘密結社はありとあらゆる戦争を引き起こしているから、首謀者らが逮捕されれば世界にあまねく平和が訪れるだろう。また秘密結社は金融システムを支配しているから、結社が滅んだ世界ではクレジットカードや学生ローンの負債も消滅する。これは政策論争でもなければ、文化戦争ですらなかった――Qアノンに染まったトランプ支持者は、聖書級の善と悪との戦いに加わっていた。彼らは自分たちを、この地上で彼らが悪魔とみなす特定の人物――オバマや民主党に多額の献金をする億万長者のジョージ・ソロスなど――を攻撃する任務を神から与えられた「聖なる戦士」だと説明した。

Qアノンに関連した理論やコミュニティは今や多くのものを取り込んでいる。セックス、宗教、政治、テロリズム、さらには――信者がワクチン接種やマスクの装着を拒否するよう互いに呼びかけるにつれて――健康までもだ。それは私たちの暮らす世界が示す兆候であり、いわば野放しのソーシャルメディア・プラットフォームや機能不全の教育制度、苛烈な政治的二極化、オフラインでのコミュニティの弱体化がもたらした産物なのだ。Qの信奉者は現実世界と並行して存在する暴力的な空想世界《ファンタジー》に逃げ込むことで現代の生活に反応した。Qアノンは一時的な現象などではなく、むしろこの先に来る陰謀論の熾烈なムーブメントの始まりにすぎない。何かが変わらないかぎり、Qアノンとは仄見《ほのみ》える私たちの未来なのだ。

Qアノンの信奉者でまず目を引くのは、その出で立ちだ。服装もポスターも、Qの文字、トランプの写真や絵、謎めいた頭字語だらけだ。彼らの掲げる旗には、誇らしげな顔で戦車の上に立つトランプが描かれ、彼らの着ている服は、燃え立つような赤や黄色、あるいは白や青のQの文字をあしらったTシャツや、Qのワッペンつきのライダージャケット。それからマーベルのダークヒーロー、私刑執行人《ヴィジランテ》「パニッシャー」への執着も見てとれる。[3] Qアノンお気に入りのTシャツは、Qの文字に似たパニッシャーのトレードマークの骸骨がトランプの金髪のバーコードヘアをなびかせているもので、「冷静にQアノンせよ（Keep Calm and QAnon）」〔第二次大戦の直前、ナチ上陸に備え国民の士気を高めるべく英政府が作成した宣伝ポスターの文句「冷静に戦い続けよ（Keep Calm and Carry On）」より。当時はほとんど使用されなかったが、のちに再発見され英国だけでなく他の英語圏にも広まり、多くの商品に使用されている〕のメッセージが添えてある。

一月六日に議事堂の外でQアノン支持者から話を聞いて驚いたのは、その日「嵐」がすぐそこに来ていると信じる人があまりにも多かったことだ。とはいえ、それが何を意味するかについては、おのおの意見が違った。ひょっとしたらトランプが群衆の先頭を切って議事堂に向かい、マイク・ペンス副大統領がバイデンの勝利を確定させてこの国を秘密結社に売らんとする瞬間に上院に突入するのかもしれない。いやいやおそらくペンス自身が「チーム・Qアノン」の一員で、選挙を不正操作した民主党議員らを警察が逮捕する間、「嵐」を見届けるのだろう。

信者たちが首都ワシントンに来たのは、この新たな時代の幕開けの瞬間に立ち会うため、もしくはトランプから頼まれれば自分たちの手でそれを実行するためだった。彼らはまるで贔屓のスポーツチームの話をするみたいに、節度はあるも熱い口調で、ヒラリー・クリントンが子どもたちを食べているとか、自分たちが新たな内戦をどれほど待ち焦がれているかを語るのだった。選挙結果の確定を見届けるためにペンスが議事堂に到着すると、群衆のうち数十人がQアノンのモットーを叫びはじめた。「我々は一致団結して進んでゆく!」。ここ何年も彼らは「嵐」という夢物語《ファンタジー》のために準備をし、敵の政治家を残虐に処刑しトランプの独裁国家を築くことを誓ってきた。ところが今、まさにペンスが議事堂に入ろうとする瞬間、すべてが水泡に帰しつつあった。

「嵐がもうじき来るよ」ボーガーディィングが私に言った。

そのとき、暴動が始まった。

二〇一六年五月、私は当時大統領候補だったドナルド・トランプがいかに共和党を乗っ取ったかをリベラルな読者に説明しようと考え、ニュースレターの配信を始めた。そして、スティーヴン・バノンの右派系オンラインメディア「ブライトバート・ニュース」の台頭から、人種差別主義者《レイシスト》の「オルトライト(オルタナ右翼)」の影響力がますます強まっていることまで、極右の動向やその奇異な性質を報じてきた。

この仕事は、膨大な数にのぼる右派メディアを読み尽くしたいという、私のただならぬ情熱から生まれたものだ。そもそも私はテキサスの保守的な家庭で育ち、一家でドライブに行くときは、決まってラジオでラッシュ・リンボー〔米保守派の人気ラジオ司会者〕のトーク番組やアイン・ランド〔リバタリアニズム運動に多大な影響を与えた作家で思想家〕のオーディオブックを聴いたものだ。私はロナルド・レーガンの葬儀で涙を流し、喫煙や婚前交渉などのジレンマへの対処法を知りたくてビル・オライリー〔FOXニュースの看板キャスターで作家〕のティーン向けの本をむさぼるように読んだ。この党に別れを告げた後も、共和党のメディアパーソナリティや米右派の思想上の葛藤についての興味を私はどうにも捨てきれずにいた。そして何年もの間、地元紙で働きながら、仕事中によくさぼっては保守派のコラムニストの記事やブログを読んだり、オバマ政権時に保守ムーブメントの支配権をめぐって争う奇っ怪な面々を追跡したりしていた。

トランプが共和党大統領候補の最前線に浮上したことは、陰謀論や極右の過激主義者を追跡していた人々の好奇心に火をつけたが、私もその一人だった。何時間もかけて私が追跡した保守派のお偉がた全員の話を延々と聞かされて、いいかげんうんざりした妻が、あることを思いついた。毎晩夕食のテーブルで、その手の人物や陰謀論の話題を持ちだすかわりに、もっとたくさんの読者に向けて記事を書いてみたらどう？　と。

こうして私はトランプの支持基盤のなかでもとりわけ奇妙なものについてニュースレターに書きはじめたのだが、それから五カ月経った二〇一六年一〇月、いつも自分が取り上げているネタが至極まともに思えるほどのものに出くわした。ある晩オンライン上で、私の人生とアメリカの政治のどちらも永久に変えることになる話題が目にとまったのだ。ピザゲートである。

ふと見ると「ピザ・パーティ・ベン」と名乗る、さほど目立たぬオルトライトの人間が、自身のツイッターのフィードに首都ワシントンのピザ店「コメット・ピンポン」の動画や写真を大量に載せ、店のメニューや内装にやけにしつこく触れていた。ベンだけではない。右派のネット界のあちこちでコメットに関する動画が投稿されている。動画そのものはとくに悪意あるものではなかった。大半は、ピザを食べているか店の卓球台で遊ぶ子どもたちが映っているだけだ。私もこの店に出かけて楽しい時間を過ごしたことがある。だから、彼らもこの店を気に入っているなら、とりあえずその点では話が合うな、などと思っていた。

私はベンにメッセージを送り、どうしてコメットにそんなに興味があるのかと訊いてみた。彼は、このピザ店には「奇妙な多くの偶然の一致」が見られるからだ、とだけ返してきた。

これがピザだけの話ではないとわかるのに、さほど時間はかからなかった。ベンの話がどうにもひっかかったので、私は右派の人間がコメットに興味を持ったそもそもの発端を探ってみることにした。するとその数日前にレディット（Reddit）や4ちゃんなどの掲示板で匿名の投稿者たちが、ウィキリークスに流出したクリントンの選挙対策本部長ジョン・ポデスタのハッキングされたメールについて話題にしていた。メールには、政界関係者に人気のワシントンの高級住宅街にある「コメット・ピンポン」の名が何度か挙がっていた。

するとネットの素人探偵団がこのピザにまつわるメールに飛びつき、(4)小児性愛者が「チーズピザ」という言葉を「児童《チャイルド》ポルノ」を示す暗号に使っているのだと言いだした。そこから発想をちょっとばかり飛躍させ、彼らは世にもおぞましい結論に達した——ポデスタが友人たちとピザを注文するとき、実際はこの店で性的虐待をするための子どもを注文しているのだ。いかにも突飛な話だが、この「ピザゲート」と名付けられた陰謀論が、大統領選挙の終盤に極右のネットコミュニティで一気に拡散した。

そこで私はコメット・ピンポンの経営者であるジェームズ・アレファンティスにメールを送り、彼の店がレディットで児童強姦の地下牢だと噂になっているのを見たかと訊いてみた。

「レディットって何かね？」とアレファンティスが書いてきた。

まもなくアレファンティスは、このオンラインのフォーラム、さらにはインターネットのそこかしこでその名を広く知られることになり、店の客や従業員ともども底知れぬ悪の中枢とみなされた。殺害予告が殺到した。ピザゲートの素人探偵たちがレストランの周囲をうろついて、悪魔の巣窟を一目見たがる視聴者のために、自分たちの調査結果をライブ配信しはじめた。陰謀論者らは周辺の店まで脅迫するようになったが、それはどの店も地下トンネルでコメットとつながっていて、人身売買に手を染める民主党幹部が頻繁に訪れていると思い込んだからだ。

そしてとうとう二〇一六年一二月、ピザゲートの話を真に受けたエドガー・マディソン・ウェルチが、半自動ライフル銃AR15を携えてコメット・ピンポンに押し入った。店の地下室で虐待されている子どもを自分が助けにいかなくてはと思ったからだ。客が慌てて逃げ出すなか、ウェルチは地下牢に侵入しようとドアに数回発砲した。ところが店中を探しても、拷問された子どもは一人も見つからなかった。地下室すらも見つからなかった。そもそもこの店には地下室などなかったのだ。意気消沈したウェルチが両手を頭の後ろに当てて店から出てくると、その場で身柄を拘束された。

「この情報は一〇〇パーセントじゃなかったんだ」後からウェルチはそうこぼした[5]。

この発砲事件後、ウェルチの働いた暴力行為や、アレファンティスが名誉毀損で訴えると警告したことでピザゲートの信用は失墜し、この話題は衆目の前からほぼ消えた。ところがオンライン上ではピザゲートは終わってなどいなかった——ただ地下に潜っただけだったのだ。

二〇一七年の冬、ウェルチがコメットに侵入してから一年後、私は4ちゃんを再び覗いてみた。するとスレッドが繰り返し立っていて、そこには決まって夕日を見つめるライオンが描かれていた。この4ちゃんのちっぽけなコミュニティは「嵐の前の静けさ《カーム・ビフォア・ザ・ストーム》」と呼ばれ、Qという名の人物が送ってくるメッセージについて話し合う場だと称していた。とはいえ4ちゃんは、このサイトから外に出ることなどまずないナンセンスなもので溢れているから、しばらくの間、私はこの手のスレッドを気にもとめていなかった。Qが誰であろうと、どうせすぐに耳にしなくなるだろうと思っていたのだ。

ところがそれは間違いだった。4ちゃんのこうしたスレッドは、ピザゲートがいまだ終わっていないことを示す初期の兆候だったのだ。それどころか、この訪れる者もほとんどいないネットの片隅で、それは他の諸々の陰謀論やインターネット現象を取り込んで、ついにはQアノンという、ピザゲートよりはるかに牽引力があり、はるかに危険なメガ陰謀論を生むことになる。

この「Q」なる人物や「嵐」に触れた発言を4ちゃんでさらに目にしたものの、私にはまだそれが何を意味するのかわからなかった。そのうちに、こうしたフレーズは4ちゃんから飛び出し、レディットやフェイスブックなどにも現れた。私がフォローしていた右派のツイッターユーザーたちも、Qが彼らに語っていることをあれこれ噂するようになっていた。そこで二〇一八年の春、私は彼らが話題にしていること、すなわちQアノンについての記事を書きはじめた。それからすぐの二〇一八年四月、数百人ものQアノン信者が首都ワシントンの通りを行進し、トランプの選挙活動に関する司法省の捜査を中止するよう要求し、「我々は一致団結して進んでゆく!」と一斉に叫んでいた。目の前でこの行進を見ていた私は、信者たちにとってQアノンがネット上の奇妙な噂よりはるかに大きな意味を持つことをはっきりと悟った。その場で会った男性は末期癌《がん》にかかっていて治療に必要な健康保険に入っていないが、それでも病気のことは心配していないと私に語った。Qのいう「嵐」の予言がすぐにも現実になり、秘密結社がずっと隠していた癌の特効薬を誰もが入手できるようになるからだ。また子どもが自閉症であるために学校でいじめに遭っているという母親も、息子について心配はしていないという。秘密結社が握っている自閉症の治療法をまもなくトランプが公開してくれるからだ。

当時、Qアノンは冴えないカルトで、政治的に大きな影響力を持つことなどまずないかに見えた。ところが月日が経ち、ますます凝った語りの中にQのヒントが織り込まれるようになると、私がQアノンの記事を書くことも増えてきた。Qアノンは、騙されやすくて混乱した人たちをカモにして儲けようとする輩の餌場になっていた――だからこそ記事にするネタが山ほどあった。そこで最初は自分のニュースレターに、その後は二〇一八年から私が働くことになったインターネットのニュースサイト「デイリー・ビースト」に記事を書き、アノンの主張の嘘を暴き、これを広める連中は詐欺師や大ボラ吹きだと訴えた。それでも二〇一八年の首都ワシントンでの行進がQアノン最大のイベントで、Qに惑わされた信者も今に自分たちが騙されていたと気づくだろうと思っていた。ところがその数カ月後、ヒラリー・クリントンが逮捕されるとのQの予言がまたもはずれると、正気を失った一人のQアノン信者が装甲トラックに乗ってフーバーダム近くの橋を封鎖した。Qは消えてなどいなかった。それどころか数十人の信者が巨大なQのサインを掲げてトランプの選挙集会に現れるようになった。さらにはQアノン支持者が連邦議員選挙に立候補までしはじめた。

　Qアノンの記事をますます書くようになると、ついに私は彼らの攻撃対象になった。主要な陰謀論者たちが私のことを、小児性愛者の秘密結社をかばう闇の政府の諜報員だと非難した。Qが投稿の中で私のツイートにリンクを貼り、私に嫌がらせのメッセージを送りつけるよう怒《いか》れる信者たちに指示を出した。二〇一九年の九月に開かれたQアノンの集会で、私は最前列に座って陰謀論者のダスティン・ニモスがステージに上がるのを眺めていた。ニモスはどうやら私が目の前にいることに気づかずに、私に少しばかり外見の似ていた聴衆の一人を、おまえが本物のウィル・ソマーだろうと言ってなじりはじめた。聴衆がこの仲間のQ信者を一斉に睨みつけ、ブーイングや罵声を浴びせる間、男は人違いだと必死に訴えたが無駄だった。集団の怒りが突如自分に向かってきてQアノン信者が仰天するとはいかにも皮肉な話だが、私こそ彼らの怒りの対象なのだと思うと気が滅入った。外の世界に対するQアノンの反応は、日増しに穏やかならぬものになっていた。

メールの受信箱に殺害予告が届くようになると、私はQアノンの熱狂的支持者を怒らせた自分以外の人たちの運命がどうにも気になりだした。あるQアノン信者はニューヨークのマフィアのボスを殺害したが、それは彼を想像上の法廷に引っ張り出す計画に失敗してのことだった。別のQアノン支持者は自分の兄弟を殺害したが、それはQアノンの中でも傍流《フリンジ》の陰謀論にはまって、彼がトカゲ人間だと思い込んだからだった。

私は自分のソーシャルメディアのアカウントをすべて閉鎖した。とくにどうということもない写真でもQの支持者が攻撃材料にしかねないとわかっていたからだ。友人たちが別荘にいかにもインスタ映えしそうなピザの形のプールのおもちゃを持ってきたときも、私はよくわきまえて皆から遠く離れていた。Qアノンのせいで自分が二人の人間に分かれてしまったみたいな気がした。本物の、ごく平凡なほうの私は、途方もない時間を費やして陰謀論に目を通し、Qアノンにはまった人たちとメッセージを交わし、Qアノンのポッドキャストを聴いている。かたやQアノン信者から見た私は、それよりはるかに刺激的で邪悪な人間で、かつ憎悪の標的にして異論のない存在だった。そういうわけで、私はQアノン界のちょっとした有名人《マイクロセレブ》という居心地の悪いものになった。多くのQアノン信者は、直《じか》に接すると、処刑や小児性愛者の話を控えてくれさえすれば、こちらが拍子抜けするほどフレンドリーだった。セルフィーを撮るからポーズをとってと頼んでくる者までいた。私が彼らの味方で、Qアノンの記事を書くのはQのメッセージを広めるためだと信じているのだ。そうかと思うと、彼らはライブ配信される対決の場に私を引き摺り出そうとしたり、Qアノンはフェイクだと本心から思っているのかと詰問してきたりした。Qが暴力行為をますますけしかけるようになると、トランプを支持するイベントに出かけるとき、私は正体がばれぬよう精一杯変装するようになった。

インターネットの奥底で生まれたこの発想は、何千人もの人々を彼らの身近な人たちから遠ざけ、友情や結婚を壊していた。あなたがQアノンのことを知っていても知らなくても、どのみちこの陰謀論はあなたにも影響を及ぼしかねない――あなたの町のワクチン接種率を下げるか、あるいは銃を手にした一人の血迷った男に、おまえはただQの命令を遂行しているだけだと説くことで。

二〇二〇年の大統領選挙の時期が来ると、私とQアノンとのかかわりはいっそう厄介なものになっていた。彼らのことを気がかりだが大した力はないネットの変り種《ダネ》だと思っていた当初の考えを捨て、私は彼らを米右派の成長する一勢力とみなすようになっていた。Qアノンはもはや幕間の余興どころか、メインのイベントになったのだ。

しかも選挙が近づく頃には、Qアノンは数々のヒントや奇妙なメッセージに含まれる単なるシンボルをはるかに超えたものになっていた。Q信者にとって、それは自分がどう生きるか、この世界を、政治をどう見るかという手段であり、同時に一つのコミュニティになっていた。Qのとりわけ熱烈な支持者は、それまでの人生を捨てて「嵐」という自らの夢を追っていた。

議事堂の外に立ち、私は成長するQアノンを追ううちに浮かんできた切羽詰まった問いの答えを探していた。国民の一部が集団で妄想にはまり込んだら、いったい何が起きるのか。

Qアノン支持者のダグラス・ジェンセンが首都ワシントンに来たのは、Qからここに来るよう直接頼まれたと信じて疑わなかったからだ。彼は故郷アイオワ州の友人たちに、自分はQと直接やりとりし、予言はどれも当たると思うと話していた。さらに自分のことを「デジタルソルジャー」と名乗ったが、これはトランプ大統領の国家安全保障担当補佐官、マイケル・フリンがスピーチで使った言葉を、Qの信者が自分たちのスローガンの一つにしたものだ。巨大なQの文字にこちらを睨むハクトウワシ、さらにQのスローガン「計画を信じろ（Trust the Plan）」が書かれたTシャツを着たジェンセンは、暴徒の最前列になんとしても立ちたかった。そうすれば自分のシャツがカメラに映って、Qにもっと注目が集まるだろうから。

ジェンセンは割れた窓から議事堂の中に入った。トランプの命令で議会警察がペンスの身柄を拘束するのを手伝いたかったからだ。彼はとりわけ攻撃的な暴徒の一人として警察隊に向き合い、警官を襲撃するよう同胞にけしかけ、周囲で爆発が起きてもひるむことなく前進した。いざ議事堂内に入ると、暴徒の先頭に立ち、包囲されて階段を駆けあがる警官一人を追いかけた。

「なんだってこのクソ野郎どもを守るんだよ！」ジェンセンは警官たちにそう叫ぶと、バイデンの勝利を確定する予定の議員たちを引きとめるよう要求した。「あいつらの身柄を拘束しろ！」

カリフォルニアからやってきて議事堂に突入した連邦航空局職員のケヴィン・ストロングは、これでまた一歩、Qアノンの虚構の世界に突き進んだ。FBIはこの暴動の一週間前からすでに彼を追跡していた。ストロングがQアノンにますますのめり込んでいると彼の知人から通報を受けていたのだ。首都ワシントンに向かう前にストロングは家の外にQの旗を掲げ、「嵐」がすぐにも自分を借金から解放してくれるだろうと言って新車のトラックを購入した。[6] さらに一月六日が第三次世界大戦の始まる日になるだろうと知人に語っていた。

ところがいざ議事堂に入ってみると、戦争が始まる気配すらなかった。ストロングはトランプの二期目の実現を手伝うかわりに、議事堂の大広間をあてもなく右往左往しているところをニュース専門のケーブルテレビ局MSNBCのカメラに撮られた。数日後、FBIが彼の自宅に踏み込み、Qアノンの旗を押収した。

Qアノン信者のハンク・ミュンツァーはこの陰謀論にすっかり心酔し、モンタナ州にある自分の家電用品店の外壁にそのスローガンや「嵐」の雷の絵を描いていた。彼もまた議事堂に侵入した一人だった。ストロングやジェンセンと同様に、ミュンツァーもQアノンに焚きつけられて行動を起こし、QがヒントをDropsを与えてアメリカ人を感化し「眠れる巨人を目覚めさせた」と確信していた。ミュンツァーは殺到する暴徒が警察の包囲網を突破するのを助け、顔に催涙スプレーを浴びながらも前に進んだ。そして自らも襲撃に加わり、自分たちが「議事堂を襲った」とフェイスブックに投稿していた。ところが、その後ワシントンの通りで撮影されたインタビューでは、メディアで流れた破壊行為はすべて暴徒の印象を悪くしようと「闇の政府」が偽造した内部犯行なのだとうそぶいた。本書の執筆時、ミュンツァーはこの暴動に関連した五つの容疑で裁判にかけられるのを待っている。

ジョージア州に住むロザンヌ・ボイランドは、新型コロナウイルスによるロックダウンの最中にQアノンに傾倒し、秘密結社や地下トンネルの子どもたちのことを友人たちに話していた。友人の一人がのちに語るに、かつて麻薬常用者だったボイランドがQアノンに「洗脳」されたのは、子どもたちに犯罪行為がなされているとの話を聞いて自身の幼少期の体験が甦ったからだという。ボイランドは、警官を襲いにいくトランプ支持者の暴徒に踏みつけられた後に死亡した。(7)

米空軍退役軍人のアシュリー・バビットが首都ワシントンに来たのは、彼女いわく「嵐」となるもののためだった。バビットは二〇二〇年二月からQアノンを信奉し、QのTシャツを着た自撮り写真をツイートし、自分は新人をレッドピリングするのが得意だと自慢していた。トランプの旗をはおったバビットは、下院議場に通じるロビーに侵入しようとしたところを議会警察官に銃で撃たれて死亡した。

だがおそらく暴徒の中でも、アメリカでQアノンが火をつけたこの混乱を象徴するのに、ジェイコブ・チャンスリー、自称「Qシャーマン」ほどふさわしい人物はいないだろう。

報道によれば炭疽菌《たんそきん》ワクチンの接種を拒否し米海軍から追い出された売れない俳優のチャンスリーは、Qアノンに出会ったことで変身し、動物の毛皮と角で自らを飾り、顔を赤白青に塗り、米国旗をつけた槍を握った。最も突飛な形でQアノンを信奉することで、チャンスリーは新たなアイデンティティを獲得し、母親と暮らす無職の俳優からQシャーマンへと変貌を遂げた。

このシャーマンはアリゾナ州のQアノンの温床でお馴染みの顔となり、Qアノン信者が保釈される際に裁判所の外で雄叫びをあげ、不正投票だと言いがかりをつけて投票所の外の怒れる群衆を煽り立てた。Qの支持者の多くが自分たちを戦士だと説明するが、チャンスリーは本当にQアノンの戦闘用の衣装をまとい、「宗教的な意味を持つ戦争」を行なうべく出陣化粧と自ら呼ぶものを施していた。コヨーテをトリックスター的な神とする先住民族の信仰に倣《なら》ってコヨーテの毛皮でできた帽子をかぶり、上にバッファローの角をつけた。チャンスリーの説明だと、角にはそれほど深い意味はなかった。「雄牛《ブル》を怒らせたら、角《ホーン》をくらうだろう〔「触らぬ神に祟りなし」の意味〕」

一月六日、チャンスリーは議事堂に押し入り、議員らと対決するよう拡声器《ブルホーン》を使って暴徒たちをけしかけた。[8] さらに上院議場にまで突入し、ペンスが明け渡したばかりの席で槍を掲げたポーズで写真に収まった。

チャンスリーは副大統領にメモまで残した。[9]「時間の問題だ」と紙に書き、続けてQアノンのスローガンを記したが、これは脅しの意味にもなった。「審判のときがそこまで来ている《ジャスティス・イズ・カミング》」

テロ鎮圧用の閃光弾が爆発し、議事堂の外の群衆が催涙ガスに包まれるなか、私は再びボーガーディングと鉢合わせした。ちょうどそのとき、男が一人、巨大なQの旗を振り回しながら、議事堂の割れた扉の前をスクーターに乗って通り過ぎた。

「まあ起きちゃったもんはしかたないよ」と彼女が言った。「あたしたちは自分の国を取り戻そうとしてるだけなんだから」

第1章／起源

二〇一七年一〇月の後半、「4ちゃん」と呼ばれる活気あるカオスな掲示板に匿名で書き込まれた一件の投稿が、世界に向けてあることを発信した。4ちゃんの数千万人にのぼるユーザーの大半は、このサイトに来て、インターネットのこのとりわけダークな、あるいはとりわけくだらない片隅を探検し、ビデオゲームについて論じ合い、人種差別的なミームを送り合い、他のサイトを一致団結して荒らしたりして過ごしていた。ところがこのユーザーが投稿したメッセージは、もっとはるかにシリアスなものだった。元大統領候補のヒラリー・クリントンが、まもなく刑務所に送られるというのだ。

《二〇一七年一〇月三〇日の月曜の朝、東部標準時間午前七時四五分から午前八時三〇分の間に、ヒラリー・クリントンが逮捕されるだろう》

それに続く投稿でこのユーザーは、トランプ政権が同盟国と協力し、クリントンが国外に逃亡するのを阻止していると説明した。彼女の逮捕が内乱の引き金となり、暴動が各地で発生し、反トランプ派のエリートたちまで逃亡を図るだろう。何か大きなことが近々起きるのを疑う者は、一〇月三〇日に招集がかかっていないかどうか州兵に直接訊いてみるとよい。

のちにＱの名で知られることになるこの人物からの二件の投稿は、Ｑアノン信者にとって彼らの聖典の始まり、すなわちこの世界の真の姿を明かす「Ｑドロップ」の第一号となるのだが、当時４ちゃんの多くのユーザーはただ不快に思っただけだった。匿名が基本のこのサイトの文化につけ込んで匿名の政府当局者になりすます者が、Ｑの前にも大勢いたからだ。二〇一六年以降、４ちゃんには法執行機関や情報機関の内部告発者と称する者が年を跨いで次々に登場し、国家の最高機密をこっそり教えようと申し出ていた。彼らは自分のことを「アノニマス（匿名）」を縮めて「アノン」と呼ぶことが多かった。「まったくいいかげんにしてくれよ」ある４ちゃんのユーザーはＱが初めて投稿すると、そう書き込んだ。

二〇一七年だけで、すでに「ＣＩＡアノン」や「ＷＨ《ホワイトハウス》インサイダーアノン」なる者が登場し、それぞれクリントンの驚くべき新事実がまもなく発覚すると請け合った。「アノニマス５」と名乗る投稿者は、クリントン家にまつわるさらなる疑惑を明かしながら、自分は秘密のテクノロジーのおかげで一二〇歳になってもまだ生きているとうそぶいた。「高位《ハイレベル》のインサイダーアノン」を名乗る人物は、クリントンが私的メールのサーバーを使ってアメリカの国家機密を中国政府に売っているとトランプ支持者に知らせた。４ちゃんのユーザーを胸躍らせたのは「ＦＢＩアノン」が語る話で、このＦＢＩのインサイダーなる人物は、政府によるクリントンの調査に関する機密の「スキャンダル」を握っているという。ときには匿名のこうした人物が質疑応答のスレッドを立てて、宇宙人や、ビットコイン投資の有望性について長々と語ることもあった。

だが次々に現れるこの情報漏洩者は、４ちゃんですらフォロワーをほとんど獲得できなかったようだ。

このサイトの大半のユーザーにすれば、内部告発ゲームは一種の暇潰しにすぎないし、ただクリントンに集中してヘイトを浴びせ、トランプにいっそう肩入れするためのものだった。一人の投稿者が、とある告発者をどう見ても「嘘も嘘、大嘘だ」と非難すると、他の者たちが割って入って、この疑ぐり深い投稿者を黙らせた。

「かまうもんか」4ちゃんのある投稿者が書き込んだ。「おまえが失《う》せろ！」

とはいえ当初4ちゃんでは、のちにQとして知られることになる人物に一目置く者はほとんどおらず、一〇月三〇日の期限が来てもクリントンがいっこうに逮捕されなかった後はなおさらだった。

ポール・ファーバーという南アフリカのコンピュータプログラマーは、早いうちからQの熱心なフォロワーになったが、彼も最初にQが突拍子もない話をするのを目にしたときはやはり怪しく感じていた。所詮ここは4ちゃんだからな、とファーバーは思った。誰もがなんだって言える場所だ。ヒラリー・クリントンが逮捕されるなど「まったくのでたらめだ」とファーバーは思った。ところがQの投稿が増え、新たなメッセージが日に三〇件も発信されると考えも変わってきた。Qアノンのフォロワーが「Qの証拠《プルーフ》」と呼ぶ一連の投稿にファーバーの目がとまった――それはQも、彼のする話も本当だという異の唱えようもない証拠だった。

こうした証拠は、Qより前に現れた密告者には叶わなかった形でQに信憑性を与えた。これまでの密告者にはUFOや永遠の生命について語る者もいたが、この手の話はそう簡単に信じられるものではない。ところがQのヒントは、少なくとも最初のうちは何らかの真実に基づいているかに見えた。そのうえQは物事を正しているようにも見えた。まずQはサウジアラビアでのパワープレイヤーの動きについて謎めいたことを語った。すると二日後、現実にサウジアラビアの王室を揺るがす内部粛清が起きたのだ。

またQが投稿した一枚の航空写真を、4ちゃんのユーザーは大統領専用機《エアフォースワン》からしか撮影できないものだと考えたが、それはQが大統領の代わりに投稿するトランプ政権内部の者であることの証拠だった。懐疑的な人間がQのもとに集まってくるようになった。掲示板ではQへの悪態が減り、むしろQの発言を一緒に調査しようとユーザーに呼びかける声が増えてきた。

エアフォースワンの写真が出て以来、「僕らは彼の話を真面目に信じるようになったんだ」とファーバーが振り返る。

ファーバーをはじめとする初期の信者はユーチューブの陰謀論者に声をかけ、彼らにQアノンを推進する動画をつくることを熱心に勧めるようになった。まもなくQのヒントは、何百件もの匿名の投稿に目を通すほど根気のある人々だけのものではなくなった。Qアノンはその生誕の地からいよいよ飛び出すことになる。

Qが最初に現れて数年経つと、Qの話に騙されるのは4ちゃんユーザーだけではなくなった。Qアノンやその教えを信じることは、むしろ主流に近くなってきた。二〇二一年三月に公共宗教研究所（PPRI）が五一四九人の成人を対象に行なった意識調査によれば[1]、回答者の一五パーセントが、世界の主要な機関を牛耳るのは「世界的な児童性売買組織を運営する悪魔崇拝の小児性愛者」だというQアノンの核となる考えを信じていた。「嵐」という発想を容認する回答者はさらに多く、二〇パーセントが「まもなく嵐が来て、権力を握るエリート層を一掃し、しかるべき指導者を復権させる」と信じていると語った。二〇二一年一月、議会議事堂襲撃事件後にアメリカンエンタープライズ公共政策研究所（AEI）が二〇〇〇人以上に実施した意識調査によれば、回答者の一五パーセントがトランプはハリウッドや民主党の小児性愛者との隠れた戦争に携わっていると信じていた[2]。

もっと保守的な集団だとQアノンの支持率はさらに高くなる。たとえばAEIの調査では、白人の福音派キリスト教徒のうち二七パーセントが、Qアノンの主張はおおむね正しいと答えた。

ただしQアノンの語る説ではなくQアノンそのものを支持するかどうかをずばり尋ねた幾つかの調査では、支持率はもっと低くなる。調査会社シビックス（Civiqs）がオンラインで現在も実施中の意識調査では、二〇二〇年九月から二〇二二年四月にかけて五万五〇〇〇件を超える回答を得たが、自らをQアノン支持者だと答えた回答者は四から七パーセントにすぎなかった。[3] この数字はほかの調査より低いものだが、それでも数百万人ものアメリカ人がクレイジーな暴力的イデオロギーを是認していることになる。

この調査からわかるのは、Qアノン信者とは、目に狂気を漂わせた議事堂の暴徒のごとく見えるとは限らないということだ。彼らはあなたと天気の話をし、それから突如、政府がこの天気を支配しているのだと語るかもしれない。彼らはあなたの子どもの同級生の親かもしれないし、同じスーパーマーケットの常連客、あるいは政治家ということもありうる――彼ら全員が、4ちゃんで散々コケにされていたほんのわずかな投稿で始まった陰謀論によって現実世界から引き離されているのだ。

Qアノンには、自分を陰謀論者だなどと思ったこともない人間を取り込む類い稀なる力がある。Qアノンのヒントを理解する旅に人々を誘《いざな》うことで、彼らが互いを急進化させる――もしくはQいわくウサギの穴《ラビットホール》がどれだけ深いか知るための――コミュニティを築く。この陰謀論の宗教的かつ政治的な計画とは、トランプとその支持者の邪魔をするすべての者が一掃された世界を求めることだ。

Qアノンとは、政治的および文化的な敵への暴力を是認する闇深い夢想《ダークドリーム》である。Qアノンは民主主義の土台を脅かし、独裁による乗っ取りのお膳立てをするが、それは民主党員や他のリベラル派が子どもを食べる小児性愛者だという理由からだ。そんな人間たちとどうして共存などできようか、そうQアノン信者たちは考える。

Qアノンはこれからどこに向かうのか。それを理解するには、まずこれがどこで始まったかを理解しなければならない。それは「4ちゃん」、すなわちQが最初にその信徒を見出した無秩序のネット掲示板だ。


4ちゃんは遡ること二〇〇三年、ニューヨークに住むクリストファー・プールという孤独なティーンエイジャーが、アニメのポルノをもっと見たいと思ったときに始まった。[4] オンラインで「moot」と名乗っていたプールは、日本の巨大なネット掲示板「ふたば☆ちゃんねる」でアニメの宝庫をすでに見つけていたが、彼は日本語が話せなかった。

プールはふたば☆ちゃんねるのコードをコピーして4ちゃんを立ち上げた。これは日本のサイトのいわば英語版クローンで、もとは友人たちとアニメを交換し合う場にするつもりだった。4ちゃんはたった二つのサブフォーラムから始まった。プールのアニメへの興味をもっぱら満たすための「/a/」、そしてこのサイトの「ランダム」なセクション「/b/」である。

とはいえプールがふたば☆ちゃんねるから拝借したのはコードだけではなかった。日本語のサイトではユーザーは匿名で、誰もが日本語で「名無し」と自らを称していた。[5] 4ちゃんを立ち上げたとき、プールがこの日本語をオンラインの翻訳機にかけると、英語で「Anonymous（アノニマス）」と変換された。そこでプールはすべてのユーザーがデフォルトで「アノニマス」というハンドルネームで登場するよう4ちゃんのコードを書いた。彼の選択が、それから一四年経ってQのフォロワーが用いる名称「アノン（Anons）」になる。

4ちゃんのアニメ部門は勢いを得たが、かたや /b/ も桁外れに大きくなり、広いネットの世界で最も名の知られたこのサイトのセクションになった。このフォーラムの匿名のユーザーは大ヒットするミームを次々に生みだし、オンライン上でそれがあまねく拡散された。こうして生まれたのが「LOLcats」――「チーズバーガー」を食べたいとねだるお腹をすかせたネコのミーム――それから「リックローリング」という、ネットユーザーを一九八七年のリック・アストリーのヒット曲「ギヴ・ユー・アップ」への釣りリンクで引っ掛けるというものだ。

それからまもなく/b/の匿名の集団がこのサイトの外へと腕試しに乗りだし、子ども向けのオンラインゲームに侵入して人種差別的なメッセージを送りつけたり、アップルの創業者スティーブ・ジョブズが死んだというデマを広めて同社の株価を落としたりしはじめた。二〇〇八年には、政治にとくに関心のあるユーザーが集まって、「ハクティビズム」を土台として緩くつながる「アノニマス」というオンラインのムーブメントが生まれた。ハクティビズムとは、インターネットの活動家がオンライン上でアクションやハッキングを集団で行なうことで世界を永久に変えることができるという発想だ。「アノニマス」の支持者は映画『Vフォー・ヴェンデッタ』に触発されてガイ・フォークスのマスクをつけ、サイエントロジー教会の支部の前で抗議し、「アラブの春」の最中に中東諸国の政府関連サイトを攻撃した。

ネットの人間が4ちゃんの存在に気づきはじめると、ネオナチもまたこれに気づくことになる。4ちゃんの「アノン」たちが人種差別主義のサイト「ストームフロント」[6]に暴力的で卑猥な画像を大量に送りつけてこれを荒らすと、今度はネオナチが4ちゃんに押し寄せた。この白人至上主義者の新たな顔ぶれは、ここ4ちゃんに理解ある聴衆を見出した。すでに4ちゃんでは、エイズに罹患《りかん》した黒人にまつわる人種差別的な中傷やジョークが人気を得ていた。そこでプールは白人至上主義者に4ちゃんを自由に徘徊させておくかわりに、二〇一〇年に新たなフォーラム「政治的に正しくない」、すなわち「/pol/」

をつくることで、ネオナチの影響をサイト内の一箇所に閉じ込めておくことにした。

著述家で4ちゃんの専門家デール・ベランによれば、[7] /pol/ は4ちゃん内でネオナチを隔離するどころか、このサイトの最も悪しきありとあらゆる分子を引き寄せるようになり、彼らが誘われる場所でネオナチがその虜《とりこ》になった聴衆に長広舌《ちょうこうぜつ》を揮《ふる》った。こうした白人至上主義者には、4ちゃんユーザーの他の陰湿な集団と混じり合う根城《ホーム》がすでに用意されていた。自分とセックスしてくれないことで女性に怒りをたぎらせる「不本意な禁欲主義《インヴォランタリー・セリバシー》」の「インセルたち」、さらにネットの「ワイルドウエスト〔開拓時代の米国西部〕」との4ちゃんの評判に釣られて入ってきた、どこにでもいる陰謀論者たちだ。

/pol/ ではこうしたあらゆる集団が自説を唱えて互いを急進化し、それからそれを他の4ちゃんユーザーに説き聞かせることができた。フォーラムの参加者が匿名であるため、どのユーザーも同じに見えて、おかげで彼らはその過激思想を、ネオナチの集会が現実世界で決してできないほどノーマルなものとして語る機会を得た。このフォーラムの力がよくわかる早期の例に「ゲーマーゲート騒動」がある〔第4章を参照〕。これは /pol/ の怒れるユーザーたちが4ちゃんのビデオゲームのフォーラムのメンバーと徒党を組んで起こしたもので、ゲーム業界におけるフェミニズムや他の社会的正義《ソーシャルジャスティス》ムーブメントの台頭への強い反発《バックラッシュ》が招いたものだった。

ドナルド・トランプは /pol/ にとってまさに夢の候補者だった。討論の場でトランプは、オンライン上で彼らが敵対者にするのと同じくらい容赦なく論敵を嘲笑し挑発した。トランプと /pol/ のユーザーたちは関心事を同じくし、メキシコ系移民を「強姦魔《レイピスト》」と呼び、合衆国には衰退を食い止める強いリーダーが必要だとの共通認識を持っていた。彼らはトランプを「GEOTUS」すなわち「合衆国の神皇帝（God-Emperor of the United States）」と呼んだだが、これは戦略ボードゲーム『ウォーハンマー40000』に出てくる情け容赦ない古代の銀河系支配者にちなんだあだ名だ。/pol/ はそのユーザーたちの票が選挙を左右するほどの規模はなかったが、それでも彼らはトランプを後押しするオンラインのエンジンとなり、彼の選挙運動を支援すべくバイラルなミーム画像を次々に提供した。二〇一六年の選挙当夜、望み薄だったトランプの勝利が現実のものになると、フォーラムは沸きに沸いた。トランプがフロリダ州を制すると、/pol/ のあるユーザーがクリントンの逮捕が迫っていると予想した。「ビッチは牢屋行きだ」

二〇一七年一〇月二八日にQが初めてこのフォーラムに現れたとき、トランプは /pol/ の支持者の期待に応えられずにいた。国境の壁の建設は始まっておらず、メキシコはその費用を払ってもいなかった。特別検察官ロバート・マラーがトランプの選挙運動とロシアのつながりを五カ月にわたり調査していた。何よりヒラリー・クリントンはまだ牢屋に入っていなかった。

Qの投稿はトランプの熱狂的な支持者に、大統領のありとあらゆる苦難に対する説明を差しだした。この世界の問題は、要は彼らが想像していたよりはるかにひどいのだ。中国から仕事を取り戻すとか、オバマケアを無効にするなど忘れてしまえ――これはトランプとその支持者が、子どもたちの血を飲む退廃的なエリートたちを相手にした、生きるか死ぬかの戦いなのだ。壁はひとまず待たねばならない。

Qが初めて4ちゃんに現れる三週間前、トランプは突如、記者を集めてホワイトハウスで記者会見を開き、その場で軍幹部たちとともに写真に収まった。

「これが何を意味するかわかるかな」トランプが記者たちに質問した。「おそらく嵐の前の静けさだ」

「嵐とはなんですか?」一人の記者が尋ねた。

「嵐の前の静けさになるだろう」トランプはただそう繰り返した。

二〇一七年の一一月には4ちゃんでかなりの数のユーザーがQアノンに興味を持っていたので、/pol/ は「嵐の前の静けさ」と称するQアノン専用の定期スレッドをつくり、同月初めの投稿で、来たる軍事作戦についてのQの発言を引用した。こうした初期のQのスレッドは、Qアノンの活動にとって最初の拠点《ハブ》になった。Qはときおりこのスレッドにひょっこり現れては、さらなるヒントを出し、それをますます膨らむQアノン信者の軍団が即座に分析した。

「あなたは偉大な愛国者だ。俺たちがついている」と新参の支持者が書き込んだ。

とはいえQのフォロワーには、自分たちの新たなヒーローが誰なのかさっぱりわからなかった。4ちゃんをはじめとする「ちゃんサイト」のユーザーは大半がデフォルトで匿名なので、身分を明かすかどうかを自分で選択できる。他のサイトはどこも、アカウント名とパスワードでログインすることになるが、4ちゃんはそういったアカウント制を採用していない。それはプールがこのサイトをつくったときにデータコストを抑えるために決めたことだった。よって自分の投稿の連続性を確保したいと思うユーザーは、何か別のものに頼らなければならない。それが「トリップ」と呼ばれる、ちゃんサイトでよく使われるパスワード式のシステムで、他のユーザーはそれによって一連の投稿がすべて同一人物からのものだとわかるのだ。Qとして投稿するには、そのアカウントをコントロールする者が誰であれ、パスワードを入力し、それが4ちゃんのコードによって、公《おおやけ》に表示される文字や数字、記号が不規則に並んだハッシュ値に変換される。このトリップがQの投稿すべてについているのを目にした者は誰でも、これはQだと——あるいは少なくともこのパスワードにアクセスできる誰かだと——わかるというわけだ。

このフォーラムでQのメッセージをフォローできることから、信者たちはこうしたヒントをもとに一つの言語体系をつくりあげた。そしてクロスワードパズルにはまった人間がたくさんの母音から短い単語を予想できるように、彼らには頻出するフレーズや頭字語の意味が瞬時にわかるようになった。彼らはQアノンの「パンくず」と睨めっこし、数年前のヒントに立ち戻っては新たな出来事を思い浮かべ、Qアノンの初期のヒントが現時点で何か秘密の情報を明かしているはずだと考えた。たとえばQアノンのフォロワーなら誰でも「MB」は「ムスリム同胞団《ブラザーフッド》」のことで、「AW」はスキャンダルが発覚して辞職した元民主党下院議員アンソニー・ウィーナーのことだと承知している。
二〇一七年一〇月二八日付で4ちゃんに投稿された、Qからの二つ目のメッセージを見てみよう。

モッキンバード
HRCは勾留されたが、逮捕は（まだ）されない。
フーマはどこだ？　フーマを追え。
これはロシアとは（まだ）関係ない。
合衆国大統領《ポータス》が将軍たちに囲まれているのはなぜか？
軍の機密情報とは何か？
なぜ三文字の機関を回避するのか？
……
連中は自分たち（民主党員と共和党員）が支配権を失うとは一瞬も思っていなかった。
これはR対Dの戦いではない。
ソロスが最近すべての金を寄付したのはなぜか？
彼がすべての資金をRCに託すのはなぜか？
モッキンバード10・30・17
同胞の愛国者たちに神のご加護を

門外漢から見れば、この投稿はまったくちんぷんかんぷんだ。だが信者から見れば、これはQアノンの世界観を伝える基本の教科書で、トランプが仇敵を今にも打ち負かすとの希望に満ちたメッセージなのだ。投稿の冒頭でQは「モッキンバード作戦」についてほのめかすが、これは冷戦時に実際にあったとされる、CIAが報道機関の操作を図った計画だ。だがここでの意味は、メディアには秘密結社の諜報部員が潜入しているから、Qの匿名の投稿とは違って信頼できないというものだ。「フーマ」とは、ヒラリー・クリントンの側近フーマ・アベディンのことで、Qによれば彼女はクリントンから寝返って、Qの作戦に関与する愛国者たちに協力している。

「ポータス」「将軍たち」「三文字の機関」についてのくだりは、メディアと同様、アメリカ政府の伝統的な機関の多くが影の勢力によって形骸化されているとのQアノンの説を明かしている。CIAやFBIなどの「三文字の機関」は秘密結社に骨抜きにされているため、トランプは「嵐」を起こすべく将軍たちや軍情報部と協力しなければならないのだ。

Qアノンのごく普通のフォロワーでも、このヒントの後半部分は理解できるだろう。「これはR対Dの戦いではない」というのは、秘密結社がどちらの政党も支配していて、トランプと軍だけが政府に対するその支配を断ち切ることができるとのメッセージだ。その後、Qはニュースから脈略のない出来事――億万長者の民主党献金者で共和党から忌み嫌われるジョージ・ソロスが財産の多くを自身の慈善事業、あるいはこの話だと彼の「RC」もとい「公認慈善団体《レジスタード・チャリティ》」に寄付している――を引き合いに出し、ソロスが資産を隠して逃亡の準備をしているか、あるいは死を覚悟しているのだろうとほのめかす。

それからQは「モッキンバード」を二〇一七年一〇月三〇日と関連づけて繰り返すが、これはクリントンが逮捕されるとQが信者に約束した日だ。モッキンバードに触れるのは、クリントンが一〇月三〇日に本当に逮捕されたかどうかメディアが報道するとは限らないという意味。最後にQは「同胞の愛国者たち」への挨拶の言葉で締めくくる。

どの投稿もこれほど内容が濃いわけではない。Qの影響力が増すにつれて、Qは自分のフォロワーを、標的とする人間に差し向けるようになった。ジャーナリストや、それからQに批判的な共和党員だ。またアメリカ国旗の写真やQを支持するミームを載せた投稿もあった。Qの投稿が犬笛を吹き続けることでフォロワーたちはその虜になり、常に新たな情報がないかと、いそいそと4ちゃんを訪れた。

Qアノンのユーザーは彼らが「パンくず」と呼ぶこうしたヒントに頼るだけではなかった。それどころか新たな投稿が書き込まれると、決まってインターネットを自らリサーチし、それについて詳しく論じるようになる。このプロセスは「パンを焼く《ベーキング》」と呼ばれる。Qの一つ一つの投稿におけるリプライで、Qアノン信者は自分がネットサーフィンして新たな証拠を「ベーキング」するのに何時間かけたかを自慢し合う。そしてさらなる推測をもとに自らの説をつくりあげる。Qがこうしたファンの自説を後日の投稿で取り上げることもあり、それはQアノン支持者のベーキング歴で最高の瞬間となる。協力して取り組むことで、ヒントを解読し、Qが彼らに見てほしいと願うこの世界の真実を暴けるに違いないと信者たちは考える。

自分でベーキングする時間のない者のために、このムーブメントが誕生して数カ月のうちにQアノンの数十ものサイトがにわかに現れ、こうしたパンくずが意味するだろうことの注釈付きの説明がずらりと並んだ。たとえば、あるQアノンのベーキングサイトでは、Qの投稿の「R対D」のくだりは、「合衆国政府の愛国派と沼《スワンプ》との戦争宣言」の証拠だと説明したが、スワンプとは腐敗したワシントンの体制の象徴だった。

Qの予言能力にとっての最初の試練は、初回の投稿からわずか二日後に訪れた。この日、クリントンは逮捕されるはずだった。ところが刑務所の監房でその日の終わりを迎えるかわりに、クリントンはシカゴで自身の選挙運動の回想を綴《つづ》った本にサインしていた。

とはいえほんの数日前に生まれたこの陰謀論の支持者は、Qアノンに見切りをつけるかわりに、クリントンが本当は逮捕されていることを示すさらなる証拠を探した。そして公の場に現れたクリントンのパンツスーツの膨らんだ足元に注目し、彼女の服がゆったりしているのは、裁判所に命じられて装着する足首の監視装置《モニター》のシルエットを隠すためだとうそぶいた。それともひょっとしたらクリントンはもうすでに処刑されていて、世間がパニックを起こさないよう、こっそりクローンに代わっているのかもしれない。

二〇一七年一一月下旬、4ちゃんに最初のヒントが現れてひと月後、Qは信徒を結集した。引っ越しのときが来たのだ。彼らが向かった先の「8ちゃん（8chan）」とは、4ちゃんほどには人気のない「ちゃんスタイル」の掲示板で、そこのユーザーは4ちゃんの住人よりさらに行儀が悪かった。Qが宣言するに、4ちゃんは敵に「潜入」されていた。自分たちだけの場所にQアノンを移すときが来たのだ。

Qアノンは8ちゃんに移ったが、フォロワーたちはいまだその正体がわからずにいた。Qはこの世界について多くのことを語っていたが、自分のことは何一つ語らなかった。信者たちはQのトリップを頼りに、どの投稿を信頼すべきか判断するしかなかった。支持者はQのことをトランプが頼みにする誰かに違いないと思っていた——ひょっとしたら情報機関のトップ、あるいは信頼の置ける側近、あるいはトランプ一族の誰かだと。だが懐疑的な者たちからすれば、Qと疑われる人物のリストはそれよりはるかに短かった。彼らは、南アフリカに住む初期のQの信徒ポール・ファーバーか、もしくはQの新居である8ちゃんの所有者ではないかと考えた。

とはいえアノンたちからすれば、トランプに惹かれる気持ちと比べると、Qの正体はまったくもってどうでもよかった。この先に生まれるQアノンのどんな変種においても、その中心にいるのはトランプ、すなわち自分たちの問題を解決してくれる神皇帝なのだ。彼らの献身ぶりは、トランプとその政権に試練と稀有な好機のどちらも与えることになる。Qアノン信者がまもなく現実世界に顔を出すことになるからだ。

第2章／「Qのことを訊いて」

二〇一九年七月のある日、ローマン・リゼルバトと彼のガールフレンドで同じくQアノン支持者のキャシディ・ベイルズは、ノースカロライナ州で開かれた集会で、二人のまだ赤ん坊の娘をドナルド・トランプに見せようと高く掲げた。[1] ベイルズは娘のロンパースの前面にマーカーで「トランプ」と書き、背中に「Q」と書いていたが、それはその日が七月一七日だったからだ――Qアノン信者にとって重要な数字だが、それはQがアルファベットの一七番目の文字だからだ。

集会の途中でトランプは、群衆の中にいたこのカップルの娘を指差した。

「ワオ、なんて赤ちゃんだ」トランプが言った。「なんて赤ちゃん！　なんてかわいらしい赤ちゃんだろう！　まるで広告から飛び出してきたみたいに完璧だぞ！　あの幸せそうな顔を見てごらん！　なんてかわいいんだ、ありがとう、ダーリン。実に素晴らしい」

Q信者にとって、それは二年前にQアノンが始まって以来、ずっと待ち望んでいた幸福な承認の瞬間だった。「Qベビー」はツイッターでトレンドになり、三万八〇〇〇回以上も言及された。トランプがこの赤ん坊を指差したことが宗教的といってもいいほどの喜びの瞬間になった者もいた。彼の仕草を見ればQアノンが真実であることへの「もっともらしい否認」は不可能になった、とあるブロガーが書いた。《このQベビーは善が悪に打ち勝ったことの象徴だ》とQの熱狂的支持者がツイートした。《この赤ん坊は新しい時代の夜明けなのだ》

赤ん坊のロンパースの背に書かれた「Q」のマークがトランプには見えなかったことは、大した問題ではなかった。

Qアノンは二〇一七年に、トランプが大統領としての力をなかなか発揮できないことに困惑した支持者の対処メカニズムとして世に現れた。それはトランプがなぜ約束をまっとうしないのか不思議に思う人々のためのお伽話《とぎばなし》。そこでは四苦八苦する大統領が桁外れに偉大な英雄に配役変更されていた。だがいずれにしてもQアノンはすこぶる奇っ怪で、その影響の外にいるすべての人間からすればどう見ても妄想としか思えないものだ。そのためQアノンが拡大するにつれて、トランプとその家臣は困った立場に陥った。Qの支持者を遠ざけてトランプの票を失うのは避けつつも、同時にトランプがQアノンの候補者としてこれ以上広く知られないようにするには一体どうすればいいのか。

Qのメッセージがネットの世界に留まっているかぎり、トランプ政権はこの問題に向き合わずにすんでいた。ところが、この矛盾した状況を隠し通せない場所が一つだけあった。それはトランプの支持集会だ。

集会はトランピズムの究極の表現、ドナルドならびにその一家との双方向体験で、彼のお気に入りの懐《なつ》メロのかかる場所だ。だからそこでQアノンというトランプへのまた別の献身ぶりが勢いづくのも当然といえば当然だった。集会はQのフォロワーが仲間の信者と直に顔を合わせ、Qなる人物が何か重要なことを知っていると思うのは自分だけでなかったのだと安堵する場になった。トランプが休みなき再選運動で全米中を回るにつれて、赤いQのTシャツ姿の人波や、「我々は一致団結して進んでゆく」のスローガンを叫ぶ声が増え、Qアノンがアメリカのまた別の一角に首尾よく根をおろしたことが明らかになった。

二〇一八年の春、Qの最初の投稿からわずか数カ月後に、Qアノン信者がトランプの支持集会に顔を出すようになった。最初その数は目立たないもので、このムーブメントの外の人間の中で、ポスターに書かれた「WWG1WGA」――Qアノンのスローガン「我々は一致団結して進んでゆく（Where we go one, we go all）」の頭字語――の意味をわざわざ調べてみようと思う者などまずいなかった。トランプの選挙陣営のある幹部は、選挙運動でQアノンの話を出すのは一切避けることにしたと語った――「あのおかしな連中を怒らせる」ことのないように。[2] その後、二〇一八年七月三一日にトランプはフロリダ州タンパに出かけた。ここ数カ月、政界や大手メディアはQアノンのことを、無視してもとくに支障のないネットの余興扱いしていたが、その晩ついに見て見ぬふりができなくなった。Qアノン信者がお揃いの服、つまり赤いQの文字が描かれた真っ白のTシャツ姿で現れたのだ。さらに彼らは「我々はQだ（We Are Q）」と書かれた同じ紙を持参していた。トランプが演説を始めると、信者たちがその紙を高く掲げたので、群衆に数十人の信者が散らばっているのがわかった。

タンパの集会を見ていた誰もが、否応なくそれを目にすることになった。巨大なQの紙でトランプの姿が見えなくなり、テレビを観ていた人は、なぜ大統領がアルファベットの一七番目の文字で覆い隠されたのかわからず首をかしげた。

『リーズン』誌〔自由至上主義者《リバタリアン》の月刊誌〕はこのトランプ集会をQアノンの「カミングアウトパーティ」と呼んだ。[3] 夜のトーク番組の司会者でリベラル派のビル・マーは、フードをかぶって自分こそがQだと名乗り、選挙当日は家から出るなと信者たちに最高機密の命令を下した。NBCニュースのレポーター、ベン・コリンズは、何もわからず面食らった視聴者にQアノンについて簡単に説明し、これを重度の精神異常を誘発することがわかっている危険な薬物になぞらえた。「ピザゲートのバスソルト〔デザイナードラッグの一種〕版ですよ」

Qアノンがトランプの支持集会でデビューを果たしたことは、中道票を獲得したいと考える共和党員にとっては大惨事だった。集会の数日前、フロリダ州のある共和党員は地元向けのウェブサイトで、Q信者がこの州でますます目につくようになったせいで、州の共和党がQアノンの党とみなされるようになってきたと愚痴をこぼした[4]——しかもそれは、Qではなく共和党候補を宣伝するはずの集会で、数十人の信者が主役を食ってしまう前のことだった。

トランプ陣営にとって、共和党のこのできたての一派に対するそれまでの最も賢明な対応は、ただだんまりを決め込むことだった。フロリダ州の政治家ロン・デサンティスがこの対応の草分け的存在になったのは、自身の知事選を応援すべくタンパで開かれたトランプ集会にQアノン信者が押しかけてきてからだ。タンパの集会の数週間後、デサンティスはその場や彼の開いた他のイベントの多くに現れた、Qで身を飾った参加者のことは知らないと言い張った。

「あれが何なのかわかりません」とデサンティスは記者に言った[5]。

共和党の幹部にとって、露骨にならない程度にQと距離を置くことには利点があった。4ちゃんの心理戦《マインドゲーム》にまだ染まっていない有権者から頭がおかしくなったと思われずにすむし、おそらくQ支持者から反感をもたれることもないからだ。

タンパの集会のあと、トランプ陣営にとってアノンたちは草の根部隊になったと同時に困惑のタネにもなった。選挙スタッフは、ますます明白になってきたある事実を、ケーブルニュースのカメラと浮動票層の両者から隠そうと四苦八苦した。それはトランプ集会の参加者のうち、アドレノクロムや秘密結社や「嵐」のことですでに頭が一杯の一団がますます増えてきたことだ。選挙陣営はトランプをQアノンのレッテルと切り離す難題に直面したが、トランプが表に出てきてQアノンは真実でないと断言するのをどういうわけだか拒んだことで、問題はいっそう厄介なものになった。

トランプ陣営の中には、Qアノンはトランプ支持者を道化に見せるための罠だと言いだす者もいた。元大統領副補佐官のセバスチャン・ゴルカは、Qアノンを「カルト」とか「詐欺」と呼び、共和党にQアノン信者の居場所はないと断言した。そのお返しにQは信者に対しゴルカをFBIに通報するようけしかけ、信者たちが彼の自宅の住所を公開した。Qの熱狂的支持者に言わせれば、ゴルカのような敵の共和党員は、せいぜい良くて、トランプの真の忠臣により脇に押しやられる無能なRINO――「名ばかりの共和党員（Republicans in Name Only）」――か、最悪の場合、彼らは秘密結社のスパイだった。

トランプの選挙陣営はQアノンのシンボルを集会で厳しく取り締まると一度も公言したことはなかったが、それはおそらく禁止を徹底すればQ支持者を遠ざけるリスクがあるからだ。そのかわり公式な発表のないままにルールが敷かれることになった。タンパの集会から数週間後、信者たちは、トランプの選挙スタッフからQのTシャツを裏返しに着てプラカードや旗を畳むよう指示されたと苦情を言いはじめた。参加者が列になって集会に入る間、外に立っていた選挙運動員が、会場内でのQの服の着用は一切許されないとアナウンスした。

このTシャツの苦労談《サーガ》は数週間にわたりQアノンたちの頭を一杯にし、忠誠心にまつわる難問を彼らに突きつけた。Qが信者に与えた任務は、「嵐」に先立ちこのムーブメントを伝道し、集団逮捕が起きたときに内乱を避けるべく秘密結社とその犯罪について広く世間に知らしめておくことだ。Qアノン信者はQの教えを説くその務めを「大いなる覚醒」と呼んでいた。だがQの言うようにトランプが信者にこの言葉を広めてほしいと思っているなら、どうして自分たちが集会に顔を出すのを迷惑がるのか。そこでその理由をアノンたちは、Qアノンの評判を落とそうとする「偽旗作戦」〔攻撃者が第三者になりすまして攻撃を行ない攻撃元の特定をかわす行為」の工作員のせいにした。ある投稿でQが自らこう説明した。邪悪な勢力がQアノン信者を装ってトランプ集会で暴力沙汰を起こすと脅迫したために、シークレットサービスが彼らのプラカードやTシャツを禁止することになったのだ、と。

とはいえQアノンのフォロワーには、もっと明々白々な理由が理解できなかった。彼らのムーブメントこそが自分たちのヒーローの評判を落としているということを。トランプの周囲の誰もが、それはフェイクだし、「パンくず」や「秘密結社」にまつわるたわ言など聞きたくない有権者たちをうんざりさせているのを承知していた。

Qの信徒はトランプが自分たちと距離を置こうとしている事実に向き合うかわりに、もっと気の利いたことをしはじめた。選挙運動のロゴマークを修正し、「トランプ2020」のゼロに斜線を書き加えてQの文字にしたのだ。このマークが幾つかトランプの選挙運動の広告動画に映ったことで、トランプは密かに自分たちの味方をしているのだとアノンたちは確信を持った。支持者の中にはQアノングッズの禁止に抵抗し、カメラがこっちを向いた瞬間に見せられるようにと、シャツを裏返しに着るか、トランプの公式Tシャツを上から重ね着することでQのシャツを会場にこっそり持ち込む者までいた。

禁止されてもやめない人たちからすれば、それはアメリカの政治における最大級の舞台でQアノンのメッセージを拡散する意味があった。二〇一八年にウエストバージニア州の集会に参加したQの熱心な信者リザ・ソーンバーグは、夫がQのTシャツを着てアリーナに入ろうとしてシークレットサービスに止められたと私に語る。

「結局あたしがそのシャツを見えるよう高く掲げて振ったんです」とソーンバーグは言う。

選挙運動でシャツやプラカードをすべて没収できたとしても、トランプの支持基盤がQについて話すことまでは止められなかった。トランプを支持する有権者の中でこのムーブメントが広がっているのがはっきりしたのは、二〇一九年三月にミシガン州グランドラピッズで開かれた集会の外でだ。[6] 入場を待つトランプ支持者の集団をカメラがゆっくり映していると、カメラの背後にいた男がQのマークを高く掲げた。すると数百人の列のざっと四人に一人がQの文字を見て反応し、「Qアノン!」と叫んだり、興奮して飛び跳ねたり、自分のQのTシャツを指差したりした。

信者たちはあちこちのトランプ集会に顔を出すようになった。選挙対策本部広報担当のケイリー・マケナニーがトランプの支持者について好感の持てる話を映像に収めようとすると、決まって彼らに出くわすことになった。

二〇二〇年二月にアリゾナ州フェニックスで開かれたトランプ集会で、一〇〇歳になる第二次世界大戦の従軍兵を男性二人が抱えて席に着かせると、見ていた参加者から喝采が起きた。トランプはこの瞬間のことを演説で触れ、この三人はドナルド・トランプ・ジュニアと一緒に写真に収まった。

マケナニーは、従軍兵を抱えて階段を降りた男性の一人、ジェイソン・フランクに、選挙用の動画のためにインタビューしたいと考えた。集会が開かれたスタジアムの外で記者やトランプ支持者がひしめき合うなか、マケナニーはフランクにマイクを渡し、話題になったあの瞬間について尋ねた。ところがフランクが話したかったのは、Qにまつわることだけだった。

フランクの関心をなんとか集会の方に向けようと奮闘するマケナニーをよそに、彼は、Qアノンの奥深い、人々を一つに結びつける意味についてつまびらかに説明した。彼の後ろで群衆が叫んだ。「我々はQだ!」

「僕はフリン将軍のいうデジタルソルジャーの一人だ」フランクが言った。[7]「だから僕は眠らないし、僕のすることはとにかく情報を共有することなんだ」

「大統領に何か一言言えるとしたら、なんて言いますか?」とマケナニーが尋ねた。

「Qは誰ですか?」フランクが言った。

「オーケー、これをすべて伝えますね」マケナニーはそう言うと、すぐにインタビューを終わらせた。

Qアノン信者にとって「これをすべて伝えますね」との彼女の約束は、会話をいきなり終えたというよりも、仲間の一人の声が大統領に届いた証拠だった。フランクが質問してくれたおかげで、彼らはまた一歩、Qアノンの重要な目標に近づいたのだ。トランプ本人からの承認に。「Qベビー」の父親リゼルバトと同様に、フランクもまた誰かに「Qのことを訊いて」ほしかった。Qを信じているせいで支持者たちは、オンライン上で、またときには友人や家族から面と向かって嘲笑されていた。それでもQアノンが本当かどうか誰かがトランプに訊いてくれさえすれば、トランプが確認してくれるに違いない。世界で一番力を持つ男が、自分たちの言っていることは事実だとお墨付きを与えてくれるのだ。ひょっとしたらトランプは、この機に乗じて「嵐」まで起こしてくれるかもしれない。

マケナニーのインタビューのおかげで、フランクは一躍、Qアノン界のスターになった。彼は、トランプ集会がこのムーブメントを全国に宣伝するいい機会だとごくごく最近気づいた支持者だった。フランクは陰謀論について話をさせてくれないからとFOXニュースの朝の番組に出演するのを断った。そしてかわりにQアノンのあるライブ配信に登場し、コメンテーターたちから、ドナルド・トランプ・ジュニアと写真を撮ったときに「Qは誰か訊く」ことができたか教えてほしいと懇願された。

アノンたちにとってトランプは、小児性愛者の秘密結社を破壊し、千年平和の到来を告げ、病気を治し、自分たちの借金をチャラにすべく遣わされた救世主的存在だ。自分たちにとって最重要の位にあることを示すために、彼らはトランプを「Q+《プラス》」と呼ぶ——Qよりさらに偉大な存在という意味だ。では トランプ本人は正直、Qアノンのことをどう思っているのか?

セックスや暴力の身の毛もよだつ話をベースにした世界的カルトを自分が率いると思ったら、誰だって普通は手に負えないと感じるだろう。ところがトランプは、Qアノンを信じることを、自分の愛国的なファンクラブの会員資格か何かみたいに思っているふうだった。トランプを支持するボートパレードに参加したり、トレードマークの赤や様々な迷彩柄のMAGA（アメリカを再び偉大に《メイク・アメリカ・グレート・アゲイン》）の帽子をかぶったりする人たちと、突飛さではどっこいどっこいにすぎないと。

　Qアノンをトランプ本人がどう思っているかがわかる証拠はほとんどない。二〇二〇年七月、トランプは大統領補佐官や当時の上院多数党院内総務ミッチ・マコーネルと会合を持ったが、それはニュースサイト「アクシオス」の記事によれば、表向きは上院議員選挙について話し合うためだった[8]。ところがトランプが話したかったのは、Qアノン信者が自分のことをどんなに好きか、ということだけだった。

　トランプが話題に出したQアノンの後援者ローレン・ボーバートは、コロラド州選出連邦下院議員の公認候補を決める予備選挙で驚くべき勝利を挙げたばかりだった。ボーバートはトランプいわく「あのQなんとか」を信じていた。

「世間は彼らがあらゆる悪事に首を突っ込んでいると言うし、連中についてあらゆるひどいことを言っている」トランプはマコーネルに語った。「けど、そもそも俺が思うに、彼らはよい政府を求めているだけの人間だよ」

　仰天した大統領補佐官たちは、笑いながらも内心「背筋を凍らせて」いた。

　この陰謀論の中心人物であるトランプが、これを否定することをほんの一言二言口にするだけで、このムーブメントを終わらせることができたはずだ。だがトランプはいっこうにそうしなかった。それどころか大統領と補佐官は、当初はQアノンについて知らぬ存ぜぬを通していたが、その後Qアノン支持者に目配せし、ついに二〇二〇年の大統領選挙の終盤になると彼らを大っぴらに擁護するまでになった。

トランプは共和党を道連れに、Qアノンの票を獲得すべく、この国の選挙の健全性を博打《ばくち》に賭けたのだ。

トランプ政権がその連合にQアノンが加わることを黙認する気になった兆候が最初に現れたのは二〇一八年八月、タンパの集会のすぐ後だった。Qアノンによるトランプへの肩入れがますます目につくようになったことへの対応を訊かれたホワイトハウス報道官サラ・ハッカビー・サンダースは、質問をはぐらかした。

「大統領は、個人に暴力をけしかけるようないかなる組織も非難し、糾弾しますし、こうした行動を奨励する組織を支持することなど断じてありません」と彼女は言った。

サンダースはQアノンをあからさまに非難したりはしなかった。とはいえそれは信者たちが渇望していた承認でもなかった。そこで彼らは仕方なくQが真実である証拠を見つけようとトランプのあらゆる仕草に注目した。よく用いられた作戦は、演説中にトランプが手を大きく動かすときに目で追って、「Q」ないし「17」を宙に描いていないか見極めるというものだ。トランプのツイートはQアノンのヒントの補足も兼ねているとされ、延々と続く奇妙な大文字の使用やすぐに削除されるタイプミスですら、何か大きな意味を持つかもしれないと思われた。トランプがツイートに数字の「17」を入れたり、何時でもいいので一七分に投稿したりすると、それだけで信者たちは、数日がかりの調査を始めるのに十分な証拠を手に入れた。

だがトランプが演壇に立って「嵐」を起こす見込みが当分なさそうななか、Qアノン信者は別の形でトランプから連絡が来るかもしれないと考えた。二〇一八年一〇月に米連邦緊急事態管理庁が全米規模で警報システムのテストを準備すると、Q支持者はトランプがこのメッセージを使って「嵐」を宣言するに違いないと考えた。そして過去のヒントをもとに、メッセージは次のようなものになると結論した。

「同胞のアメリカ国民の皆さん、「嵐」がすぐそこに迫っています」

諸々の掲示板では、信者たちが自分の携帯電話が鳴ってトランプから直接命令が来る日に備え、自分たちを「次世代の緊急召集兵《ミニットマン》〔米独立戦争時の民兵。召集されたらミニット（一分）で出動できるほど訓練された〕」と呼んだ。この緊急警報放送をめぐる期待や、秘密結社を粛清すべくトランプから軍務に就くよう命令が下るといった発想は、Qアノン信者に胸高鳴る感覚や生きる意味を与えたようだった。

「嬉しくて仕方ないよ！」ある支持者が書き込んだ。「ありがとう45〔トランプは第四五代大統領〕！」

ところがいざメッセージが発信されると、それは結局、ただの緊急警報システムのテストにすぎなかった。またしても「嵐」は来なかった――けれど必ずや次の機会があるはずだ。

二〇一八年五月のある午後、ケンタッキー州から来た一人の女性がホワイトハウスのフェンスに向かって歩いていく。彼女は五〇〇マイルを運転してきて、それはQとの会議のためだとフェンスの前にいたシークレットサービスに説明した。

「Qから行けと言われたところに来ただけです」彼女が言った。

自分はQと交信していたと彼女は言い張った。Qから、ホワイトハウスに行って、「嵐」に備えて用意された四万件の極秘起訴状で誰が告発されるかを調べるよう命じられたという。ホワイトハウスで働く人間にQという名の者はいないとシークレットサービスの職員が伝えると、彼女はそこにQのオフィスがないとはっきり言われたことに困惑し、ふらつく足取りでどこかに去っていった。

このQアノン信者は、トランプとQを「手伝う」ためにホワイトハウスに入ろうとした最初の人間だったかもしれないが、彼女が最後にはならなかった。

二〇一八年一二月、ヴァージニア州に住む男性が姉妹の車を盗んでホワイトハウスまで走らせると、トランプとの面会を希望し、人身売買を終わらせるために大統領の助けが必要なのだと語った。ひと月後、彼はホワイトハウスの前で夜遅くに自分が雪だるまをつくるところを撮影し、動画に「Qアノン」とタイトルをつけてユーチューブに投稿した。さらに数日後、今度はホワイトハウスのフェンスをよじ登ろうとして、登り防止スパイクで両手を擦りむいた。職員たちに引き摺り下ろされたこのQアノン信者は、ファーストレディのメラニア・トランプを呼んできて傷に絆創膏を貼ってほしいと要求した。その一一カ月後、彼はホワイトハウスにまた戻ってくると再び逮捕された。

愛国的スパイ活動というQのテーマに感化された信者の中には、ホワイトハウスに侵入すべくスパイまがいのことをしようとした者もいた。二〇一八年六月、フロリダ州から来た女性は、トランプを熱烈に擁護する下院議員マット・ゲーツの下で働く議会職員たちに面会し、自分が「Qのことを訊く」人になると申し出た。

彼女が言うには、ホワイトハウスの記者団で、「嵐」を発動させる質問をトランプにする勇気のある者はどう見てもいない。けれど自分は権力を持つ人間に以前子守に雇われていたので、そのときにホワイトハウスへの立ち入り許可をもらっている。そこでその資格を使うか、もしくは誰かの記者証を盗んでホワイトハウスに侵入し、ブリーフィングの最中に記者を装ってトランプにQアノンは真実かどうか尋ねることができないかと考えたのだ。

そのために必要なのはただ一つ、ゲーツの助けだ。そこで職員たちを計画に引き入れるべく、彼女はQのヒントを集めたサイト「Qアノン・パブ（QAnon.pub）」を彼らに教えた。ホワイトハウスのセキュリティを侵害する計画に加わってほしいとの申し出に呆れたゲーツ議員の参謀長は、かわりにシークレットサービスを呼んだ。

「あのときは参りましたよ」ゲーツの下で働く職員がメールで振り返った。

ホワイトハウスのフェンスに体当たりする信者もいる一方、正門から堂々と招待される者もいた。タンパでQアノンがその数を見せつけてひと月も経たないうちに、ニューヨークのラジオトーク番組の司会者マイケル・レブロンが、大統領執務室でドナルド・トランプに身を寄せて笑顔で写真に収まった。レブロンはQアノンがまだ成長を始めたばかりの頃にこれに飛びついた。特技は「独り言、過激思想、ブルーグラス」と語る、髭面《ひげづら》の伊達《だて》男レブロンは、このムーブメントにとって優しい叔父さん兼お抱え道化師になっていた。

そして今、彼はホワイトハウスの中まで入り、大統領とともに微笑んで、自信たっぷりにポーズをとった写真をWWG1WGAのハッシュタグをつけてツイッターに投稿していた。大統領執務机を前に、にっこり笑うレブロンの写真を見たとき、私は自分が彼について知っていることとの折り合いをどうにもつけられずにいた。こんな人物が一体なんだってホワイトハウスに入ることができたのか？　たとえトランプ政権時であろうとも。

「この大統領はすべてのアメリカ人のための大統領ですから」レブロンがなぜこの建物に入れたのか理由を知りたがった私に、あるホワイトハウスの情報源がこう軽口を叩いた。

ホワイトハウスはレブロンがグループツアーでホワイトハウスを訪れたのだと説明した。だがホワイトハウスの情報源はそれに異を唱え、言わずもがなのことを指摘した。一般の観光客が大統領と一緒の写真に収まるチャンスなどあるはずもない。この訪問について説明する動画で、レブロンはトランプから個人的にメモを受けとっていたのだと説明した。Qアノンのことをトランプに訊いてみたか、という肝心な点については、自分は躊躇したと言い、トランプはQを知っていると視聴者に請け合っただけだった。

レブロンがホワイトハウスに現れたことはいくらか大きく報道されたが、この一件はどうやら例外だったようだ。Q信者はトランプの集会に殺到し、トランプの注意を引こうと突飛で派手な行動を披露したが、それでもレブロンの訪問を除けば、トランプがQアノンを支持基盤の一つとして受け入れる動きを見せることはなかった。

ところが二〇一九年六月になると、Qアノンは「トランプ連合」に一定の地位を得るまでに成長していた。トランプはQアノンを推進する二人の人物をホワイトハウスの「ソーシャルメディア・サミット」に招待し、その一人はQのイヤリングをしていることでよく知られていた。この行事はインターネット界のトランピアンの集いで、彼らはミームを共有し、大手ソーシャルメディアは自分たちに偏見を持っていると不満を垂れるべく集められた。ホワイトハウスへの招待は、トランプ政権がQアノンをもはや許容しがたいものとは見ていないことを意味していた。とはいえQの熱狂的支持者の多くにとって、トランプからの何より重要な励ましは、彼自身のツイッターのフィードを介して届けられた。

二〇二一年一月にツイッターから締め出されるまで、トランプはこのサイトにおけるQアノンのアカウントの最大の推進者だった。何千万人もの自分の支持者に向けて、一日に何度もQの伝道師のツイートをリツイートしていた。Qアノンが4ちゃんに現れてからわずかひと月後に、トランプが初めてリツイートしたQアノンのアカウントは「MAGAPill」と呼ばれる投稿者のものだった。トランプはMAGAPillが投稿した自分の業績のリストを褒めそやし、この文書を「あのフェイクニュースの連中が報道してくれる」よう願っているとつけ加えた。だがそのアカウントには他にもバチカン宮殿での「古代のオカルト魔術」の噂や、ヒラリー・クリントンやポップスターのレディー・ガガも登場する、子どもを生贄にする儀式といった陰謀論で溢れていた。このMAGAPillのリツイートはほんの始まりにすぎなかった。リベラル派のメディア監視団体メディア・マターズによれば、トランプは二〇一七年から二一年にかけて少なくとも三一五回、Qアノン支持者をリツイートしていた。

FBIですら、トランプの選挙陣営によるQアノンとの「いちゃつき」を止めることはできなかった。

二〇一九年八月一日にヤフーニュースは、ＦＢＩがＱアノンは国内でテロを起こすおそれがあるとみなしていると報じた。他の法執行機関に回覧したメモでＦＢＩは、Ｑアノンやその他の陰謀論が「犯罪や暴力行為を実行するよう過激主義の組織と個人の両者を」扇動するだろうと記していた。

その翌日、トランプ陣営のある講演者が選挙集会でＱアノンを推奨した。今や陰謀論は、聴衆からではなく演壇から発せられるようになっていた。オハイオ州のこの集会で、トランプの前座として話をしたブランドン・ストラーカは、「我々は一致団結して進んでゆく」と大声で叫んで観客を盛りあげ喝采を浴びた。

ゲイの元美容師のストラーカは二〇一八年に「ウォークアウェイ運動」を立ち上げ、ＬＧＢＴの人々や従来は民主党を支持していた有権者に向けて、民主党から「立ち去る《ウォークアウェイ》」ようけしかけた。彼がＱに目覚めたときまで、私はストラーカのことを、共和党内でも人種的ないし性的マイノリティが目立つ一角で、自分のアイデンティティを利用しトランプ支持者を騙して儲けるペテン師にすぎないと思っていた。私から見たストラーカとは、ソーシャルメディア・サミットに招待されなかったときに私に怒りをぶちまけた人間であり、血の粛清を夢見る過激主義者などではなかった。

それがどうして一年のうちに、Ｑアノンを利用して何千人もの人間の怒りを掻き立てるようになったのか——しかも見るからにトランプ陣営からそうする許可をもらっているようだ。

あとからストラーカは、演説でＱの最も有名なスローガンを使ったからといって自分はＱアノンに言及したわけではないと言い張った。このフレーズはそもそも一九九六年の海洋航海をテーマにした映画『白い嵐』から借用したものだ——ただしこの映画以来、Ｑを除けばアメリカ文化には登場したことのないものだったが。とはいえストラーカは、Ｑアノンを非難する気にまではなれなかった。

「皆が真実を探したくなったなら、それはそれで良いことです」とストラーカは『ワシントン・エグザ

ミナー』誌に語っている。(9)

この演説から二年後、ストラーカは議会議事堂襲撃事件の最中に不法侵入により逮捕された。サングラスに千鳥格子《ちどりごうし》のコートを着たストラーカは催涙ガスを浴びてむせながら、議会警察の盾に立ち向かうよう暴徒を煽っていた。

ストラーカの演説は始まりにすぎなかった。このムーブメントが勢いを増し、二〇二〇年の大統領選挙がじわじわと近づくにつれて、トランプの取り巻きはついにQアノンが何か知らないふりをするのをやめた。二〇二〇年一月、トランプの側近でソーシャルメディアの達人ダン・スカヴィーノが、「チクタク」進むアニメの時計のミームを投稿したが、(10)これをアノンたちは「嵐」までのカウントダウンだと解釈した。トランプの息子のエリックは、自身のインスタグラムのアカウントに巨大な「Q」を背景にしたトランプのミームを投稿し、後でそれを削除した。

トランプ自身も内々に合図を送ることから、大っぴらに彼らを擁護する方針に切り替えた。Q信者のマージョリー・テイラー・グリーンがジョージア州の予備選挙で勝利すると、トランプはツイッターで彼女を褒め称え、ホワイトハウスの記者会見では、Qアノン支持者を自身の支持基盤の一角にほぼ抱き込んだも同然になった。

「新型コロナのパンデミックのなか、Qアノンのムーブメントは多くの信奉者を獲得しているようですね」ある記者が二〇二〇年八月にトランプに言った。「それについてどう思うか教えていただけますか、そしてたった今、このムーブメントに参加している人たちに言うべきことはありませんか?」

これこそQアノン信者とこれを批判する人々のどちらも待ち望んでいた質問だった。この瞬間、トランプはQアノンを是認することも、あるいはその新人勧誘の見込みを断つこともできただろう。

「そうだな、私はこのムーブメントのことはよく知らないんだ。ただ彼らが私のことをとても好きだということはわかっているし、それはありがたく思うよ」とトランプは答えた。「けどそのムーブメントのことはよく知らない。人気が出ているとは聞いているがね」

　この言葉を聞いて、全米中のQアノン信者たちは歓喜した。それは「嵐」ではなかったが、トランプが支持してくれたも同然のことだった。するとトランプはさらに先を行った。

「その説の中心にある考えとは、あなたが小児性愛者や人肉嗜食者による悪魔的カルトから密かに世界を救っているというものです」と記者が言った。「それだと、あなたが何かの黒幕みたいに聞こえませんか?」

「それは悪いことなのかな、それとも良いことなのかな?」とトランプが言った。「この世界をいろんな問題から救う助けが私にできるなら、喜んでそうするよ、私は喜んで骨を折るだろう。それに現に我々は、この国を破壊しようとする急進左派の理論からこの国を救ってるんだし、この国が消えてしまえば、世界もすべて同じ道をたどるだろうよ」

　ようやくQアノンの応援に回ったことは、トランプにとってQ支持者の票とはまた別の利点があった。自尊心を満足させることができたのだ。すべてが親トランプか反トランプに分かれるといった、このうえなく単純な世界観を持つこの大統領は、Qアノンを要は自分の筋金入りのファンクラブと思ったようだ。自分を好いてくれるなら、彼らが悪い人間なわけがない。

　その二カ月後にテレビ中継されたタウンホールミーティング（対話集会）で、NBCのニュースキャスター、サヴァンナ・ガスリーは、ついにトランプにQアノンのファンタジーはただのファンタジーにすぎないことを認めさせようとした。[11]

「Qアノンについてお尋ねします」とガスリーが言った。「それは民主党員が悪魔的な小児性愛者の一味で、あなたが救世主だという説です。さて、あなたは、これが真実ではまったくないときっぱり言って、Qアノンそのものを否定することはできませんか？」

「Qアノンのことは何も知らないんだよ」とトランプが答えた。

「たった今、私が説明しましたよ」

「たしかにそうだが、私に説明したからといって、言いたくはないが、それが事実とは限らないよ」とトランプが言った。「何も知らないんだ。彼らが小児性愛にとくに反対しているのは知っているがね。彼らはそれと一生懸命に戦ってるよ。でもそれについては何も知らないんだ」

「あの人たちは、それが闇の政府が仕切る悪魔的カルトだと信じているんです」とガスリーが言った。

「私の知っていることを言おう」それからトランプは話をそらした。「私はアンティファ（Antifa）や急進左派のことなら知ってるよ」

トランプはさらに集会で、Qのフォロワーすら突飛に感じる話を説くQアノンのアカウントをリツイートした自分の判断を擁護した。それはバイデンが、米海軍特殊部隊《ネイビーシールズ》を殺害し、オサマ・ビン・ラディンの死を捏造《ねつぞう》するよう企んだというものだ。この対応によってトランプは、Qアノンに対する自らの姿勢を簡潔に表した。彼らが正しいか間違っているかはどうでもいい。現に彼らはそこにいるのだから、自分の利益になる場合には、彼らを後押ししてやろう。

「あなたが八七〇〇万人のフォロワーに対してリツートした陰謀論とは、ジョー・バイデンがビン・ラディンの死が捏造であることをごまかすために、シールズの「チーム6」――あのネイビーシールズの精鋭部隊「チーム6」――の殺害を画策したというものですよ」とガスリーが言った。「どうしてあなたは自分のフォロワーにこんな嘘っぱちを流すのですか？」

「それについては何も知らないんだ」

「あなたがリツイートしたんですよ」

「それはリツイートだからね」とトランプが言った。「それは誰かの意見で、それはリツイートだ。私はそれを流すが、皆さんは自分で判断できるからね。私は中立の立場なんだ」

第3章／Qの神官たち

二〇一八年一〇月一八日、映画会社の役員を務めるフランクリン・レナードの携帯電話が振動したかと思うと、その後止むことがなかった。彼が目を丸くして見つめる画面には、見も知らぬ人間たちが自分に憎悪に満ちた罵詈雑言を浴びせるツイッターの通知で溢れていて、何百件ものツイートが一斉に届いていた。彼らが言うには、レナードは億万長者の民主党献金者ジョージ・ソロスの若い男娼《レントボーイ》か、もしくはフーマ・アベディンとともにムスリム同胞団を率いていた。彼が殺されるのを見たくてたまらないと言う者までいた。

レナードは脅迫に不慣れなわけではなかった。二〇〇五年、彼は「ブラック・リスト」を立ち上げたのだが、[1]これは毎年ハリウッドで最も人気のある製作前の脚本を選ぶランキング調査だ。このリストによって当時はほぼ知られていなかった脚本が注目され、『スポットライト　世紀のスクープ』『アルゴ』『スラムドッグ$ミリオネア』など、のちにアカデミー賞を受賞する映画になった。ハリウッドの流行を生みだす人間として注目が集まるにつれて、レナードは、自分の作品を鼻であしらわれたと激怒する脚本家にちょくちょく脅されることもあったが、それでもいつも最後には謝罪を受けていた。

だがこんなツイッターの嵐を経験したことはこれまで一度もなかった。このときは、彼には何の落度もないのに、インターネット上の大勢の人間が彼の人生をめちゃくちゃにしようと決めたみたいだった。だが自分に向かってきた連中は、挫折した脚本家ではなかった。レナードには彼らが自分を標的に選んだ理由がさっぱりわからなかった。

「きっと誰かに目をつけられたんだろう」レナードはそう思った。

すぐにレナードは、ツイッターで自分を攻撃してくる者が全員、同じハッシュタグを使っていることに気がついた。それはWWG1WGAという初めて見るものだ。オンラインでちょっとリサーチしただけで、レナードはこの頭字語から自分がQアノンのターゲットになったのだと悟ったが、それでも理由はまったく思いつかなかった。ハリウッドでQアノンから嫌がらせを受けている人間が他にもいるのは知っていた。ツイッター上の何千人もの信者がモデルのクリッシー・テイゲンと彼女の夫で歌手のジョン・レジェンドを一斉に攻撃していたが、それは二人が悪魔崇拝の儀式で子どもたちを虐待しているに違いないと思ったからだ。トム・ハンクスは、かつては誰もが認める理想的なナイスガイだったのに、Qアノンによって、その若々しい外見を保とうと子どもたちの血を飲む猟奇的な人間にされてしまった。

「でも彼らは有名人だ」とレナードは言う。「僕は違う。どこにでもいる人間なのに」

最初、自分に向けられたこの攻撃は、ただの行き過ぎた悪ふざけだと思っていた、とレナードが私に語る。彼らはレナードのことを、ソロスの性のおもちゃだとか、CIAの工作員だなどと呼んだが、この二つの言いがかりをレナードは笑い飛ばすしかなかった。それでも殺害予告が続々と届くにつれて、自分の身の安全が気になりだした。二年前のピザゲートやコメット・ピンポンでの発砲事件が頭に浮かんだ。取り乱したくはないが、リスクは十分承知していたから、レナードは正直認めざるをえなかった。頭のいかれたQアノン支持者が自分の命を単独で狙ってくるかもしれない。

その感覚はこの私にもよくわかる。Qは私のツイートないし記事の一つを投稿し、フォロワーたちに私を襲うようサインを送っていた。最初、彼らは何千件もの脅迫のツイートやメッセージを送りつけるという形でやってきた。

「いつかあんたが銃の乱射や圧力鍋爆弾で殺害されるといいんだが」とフェイスブックでQの支持者が私に書いてきた。「間抜けな小児性愛者《ペド》め」

そのうち、もっと心配なことに、Qアノンを支持するアカウントの幾つかが私の住所や家族の名前を公開した。ソーシャルメディアの周縁《フリンジ》のプラットフォームでますます危険な脅迫が続くかぎり、彼らに対してどんな措置も取りたくはなかった。彼らに注目が集まって、嫌がらせに拍車がかかるのが怖かったのだ。それにそもそも自分に何ができるというのか。

誰かから直接危害を加えられる可能性が低いのはわかっていた。それでも大勢の人間から正面切って死ねと言われて平気でいるのは難しかった。怖いし、不慣れだが、やむをえない形で私はこの状況に順応していくほかなかった。そこで新しい家に引っ越すと、セキュリティシステムを導入し、オンラインのデータベースから自分の新住所をせっせと消していった。Qアノンのイベントに直接出かけて取材するときは、観客の中にいても見つからないよう帽子をかぶってサングラスをかけた。こうした安全策は自分でも大袈裟すぎる気もしたが、それでも連中の暴力的なファンタジーを毎日読んでいたので、彼らが自分たちに何ができると思っているかは承知していた。

Qアノン支持者から次々に届くメッセージに目を通すうちに、レナードはオンライン上のこの謎の攻撃がQ自身から指示されたものでないことに気がついた。Qは彼について何一つ投稿したことはなかった。むしろ彼らはたった一人の人間に感化されていた。それは人気のあるQアノンの伝道師で、彼のファン軍団からはただ「ネオン・リヴォルト」という名で知られる人物だった。

ツイッターやフェイスブックの数十万件のアカウントがQアノンを推進しているが、ネオン・リヴォルトの影響力に太刀打ちできるものはごくわずかだった。彼はフェイスブックのCEO、マーク・ザッカーバーグや、銃規制強化を訴える活動家、デイヴィッド・ホッグのようなQアノンの標的についてとりとめのないエッセイを書き、まもなくQだけが示唆する覚醒がこの世界を震撼させるだろうとフォロワーたちに請け合った。たとえば以前にネオン・リヴォルトは、AK47を持ち「ムスリムの完璧な装束」をまとったバラク・オバマの長いこと隠されていた動画がすぐにもインターネットに流れ、オバマがアメリカ国旗を銃弾でずたずたに裂くか、捕らえられた米兵を処刑する様子が公開されるだろうと予言した。

そして今、ネオン・リヴォルトの頭はレナードのことで一杯だった。自身のブログでネオン・リヴォルトはレナードを、イラン人を味方につけてムスリム同胞団を指揮する世界を股にかけた黒幕で、仕事の合間にロサンゼルスにある「秘密結社の傘下」のホテルに滞在しているのだと説明した。(2) レナードの「ブラック・リスト」は業界の虎の巻やビバリー・ヒルズのカクテルパーティでのホットな話題だけにあらず、とネオン・リヴォルトは書いた。それは最も分断を招き、士気をくじく映画に注目を集めることでアメリカの社会構造を弱体化させるツールなのだ。レナードの企てに関与する映画には、子ども向けのSF映画『リンクル・イン・タイム』やベネディクト・カンバーバッチが演じたアラン・チューリングの伝記映画『イミテーション・ゲーム／エニグマと天才数学者の秘密』などが挙がっていた。「あの男は狂信的なマルクス主義者／左翼で、根深い反体制的衝動と、イスラム過激派への共感、そして反白人主義の底知れぬ偏見を持っている」と書いたブログの投稿で、ネオン・リヴォルトは初めてレナードを攻撃するよう自分のファンをけしかけた。

ネオン・リヴォルトがいっこうに攻撃をやめないので、レナードは自分の身を守る必要を感じざるをえなくなった。建物の一階にある自室にいても安全なのか不安になり、自分を懲らしめるために誰かが自分のフィアンセを襲ったりしないかと心配した。ロサンゼルスの通りをびくびくしながら歩くようになり、歩道で見知らぬ人間とすれ違うたびに、Qのために自分を殺しにきたQアノン信者ではないかと怯えるようになった。

あなたがもしもQアノン支持者で、この世界の真実を見せてくれたことでQに感謝したいとか、Qにエールを送りたいとか、あるいはハグしたいと思っても、Qを見つけることはできない。あなたが登録できるユーチューブのチャンネルを持っていたり、あなたが購入できる栄養剤を売っていたり、何千ドルも払ってあなたが参加できる会議を開いたりするQは、公には存在しない。またパンくずが一体何を意味するのかを教えてくれる正式なQも存在しない。とある掲示板でQの投稿を探し当てたアノンは、パンを焼く《ベーキング》ための謎めいた情報の嵐に遭遇する。『不思議の国のアリス』や生贄の子ども、ピザ、亡くなった億万長者の小児性愛者ジェフリー・エプスタインなどなど。だが、これらを寄せ集めたところで大抵は何の意味もなさない。またQは一度に何カ月も姿を消すことがあって、そんなときQの熱心なフォロワーたちは「嵐」に関する情報が更新されるのを今か今かと待つことになる。

唯一の表看板であるQの不在に乗じて、数千人のQアノン起業家が営業を開始し、この理論を自分流に説き聞かせ、それがさらにQアノンに織り込まれる。無数のユーチューブの動画やソーシャルメディアの投稿で、彼らはとっつきやすくワクワクさせる語り口でQのヒントを解説する——そうして自らのサービスに対する献金を嬉々として受けとるのだ。

Qアノンは宗教や政治の新たなムーブメントの中でも異彩を放っている、と過激主義と宗教を専門とするカナダの研究者アマルナス・アマラシンガムは言う。理由は、指導者にまったくカリスマ性がないことだ。テキサス州ウェーコの「ブランチ・ダビディアン」にはデイヴィッド・コレシュがいたし〔カルト集団ブランチ・ダビディアンは信者デイヴィッド・コレシュが教祖になると終末戦争に備え大量の銃器を不正所持し、一九九三年に当局が強制捜査に入って銃撃戦になり、籠城後にコレシュを含む信者約八〇名が焼死した〕、ジョーンズタウンにはジム・ジョーンズがいた〔教祖ジム・ジョーンズが創設した米国のカルト集団「人民寺院」は、南米ガイアナを開拓してコミューン「ジョーンズタウン」を作るが、一九七八年に視察に来た米下院議員を射殺後、約九〇〇人が集団自殺した〕。ところがQは「ちゃん掲示板」での投稿以外では、まったく目に見えない存在だ。とはいえ指導者はどこにも見当たらなくても、Qのフォロワーは群衆の中ですぐに目につく。彼らのTシャツにはお気に入りのユーチューブのチャンネル名が飾られることはない。どのシャツにも描かれるのは「Q」の文字。だがQアノンが拡散した責任は、Qアノンの伝道師たちにある——おそらくQ本人よりも。実際、ちゃん掲示板のQの投稿から直接Qアノンにはまった人間はごくわずかしかいないようだ。最初にはまったものを信者に訊けば、自分が視聴するユーチューブのチャンネルやデマだらけのウェブサイトの名を挙げるだろう。Qアノンが家だとしたら、Qはたんにその土台にすぎない——Qアノンの伝道師たちがその構造を組み立てたのだ。

「Qアノンとはいわば、「ここに訳のわからないものがたくさんあるから、君たちが好きにしていいよ」というようなものです。この手のムーブメントでは前代未聞のことですよ」とアマラシンガムが教えてくれる。伝道師たちはQアノンのヒエラルキーの「神官階級」で、信徒にとっての聖職者のごとくQのヒントを信者のために解釈してやるのだとアマラシンガムは言う。

「彼ら自身が有名人《セレブ》になり、このムーブメントにとってすこぶる重要な存在になっているのです」とアマラシンガムが説明する。「ジョーンズタウンではそんなことはなかったし、ウェーコでもそんなことは一切ありませんでした」

多くの人間が「アノン」の群れの中で抜きん出て、このムーブメントで名を揚げようとするが、この陰謀論で独自のブランディングに成功するQ界の有名人は数十人しかいない。とはいえ成功したQアノンの解説者の懐には金が入ってくる。

Qアノン内でしばしば矛盾する発想が共存するのと同様に、Qアノンの伝道師には多種多様な選択肢がある。ある者はFOXニュースやラジオのトーク番組からトランプ支持の発想を持ってきてその中心にQを据え、トランプは二心ある情報機関や連邦検事に裏をかかれたのだといった割と平凡な話を披露する。だがその対極にあるQアノンの伝道師は、この世界は他の惑星から来た爬虫類型宇宙人に支配されているのだと断言する。

Qアノン界のリーダーたちに話を聞くと、ある疑問が浮かんでくる。この人は本当に自分の言っていることを信じているのだろうか？　お金のためにやっているのか、それともQアノンは真実だと心底思っているのか？　大半は、私が思うにどちらも混じっているのだろう。Qアノンは真実だと思い、人々をQに導きながら喜んで金儲けをしているのだ。だがQの伝道師が真の信者でも捻《ひね》くれ者でも、やはり大金が動いていることに変わりはない。

二〇一九年の前半に一二人の暗号解読者によって出版されたQアノンを支持する本は驚くほどヒットし、アマゾンのベストセラー・ランキングでトップテン入りした(3)。著者の一人でフロリダ州の陰謀論者、ロイ・デイヴィスは、一冊約一五ドルでおよそ二〇万部売れたと語っている——どんな本でもそれだけ売れれば大成功だし、ましてネットの長くて退屈な話を集めた期待薄の本ではなおのことだ。一二人の著者と出版社で売り上げを分け合った後も、著者たちは各自この本からおそらく数十万ドルは得ただろう。デイヴィスはその一部を使って、愛車のコルベットのボンネットに炎に包まれるQをペイントした。

二〇一八年七月にQは二〇日間、沈黙したが、それまで羊の群れが羊飼いなしにこれほど長く過ごしたことはなかった。この機に乗じて、Qになりたがる一人で「R」――これはアルファベットでQの次に来る文字――と名乗る人物が出てくると、Qの正体はジョン・F・ケネディ・ジュニアで、彼は一九九九年にマーサズヴィニヤード島沖で起きた飛行機の墜落事故で実は死んでいなかったと言いだした。JFKジュニアは、闇の政府によって暗殺された父の仇《かたき》を打つべく自分が死んだと見せかけたのだ。この話はQ自身が発信したものではなかったため、多くのQアノン信者は真に受けなかったが、ある分派がこれを受け入れた。そしてマイク・ペンスがすぐにも辞職し、かわりに彼が副大統領になる日を心待ちにした。

JFKジュニアが生きているのなら、きっと自分たちに特定できる人間に違いないとQアノン信者は考えた。Qアノンがもっぱら前提とする考えとは、とりあえずQの計画も秘密結社の悪行も、どこを見ればいいかわかってさえいれば丸見えだというものだ。民主党集会のロゴに含まれる星は？　それは悪魔崇拝の星形五角形《ペンタグラム》だ。また秘密結社は何世紀も権力を掌握して傲岸不遜になり、気を許して自らの悪行をインスタグラムの暗号化した投稿や目を引く服装によって大っぴらに祝っている。たとえば赤い靴を履くのは、人食いの小児性愛者であることのそれとわかる印なのだ。ある人気のQアノンの格言は、「象徴化《シンボリズム》は彼らの破滅を招く」だった。

JFKジュニアを探していたQアノン信者は、当時ほぼ知られていなかったトランプの熱狂的支持者、ヴィンセント・フスカで手を打った。トランプの顔をデコレーションしたバンを運転するフスカは、トランプの選挙陣営にコネがあり、ペンシルヴェニア州のイベントでよくトランプの演壇の後方席にVIP待遇で座っていた。フスカをJFKジュニアにするためには、集会でのフスカの写真を彼の写真と並べて比べた画像数枚だけで事足りた。Qアノン信者は集会に現れるフスカの姿に注目するようになり、彼がトランプの近くにいる理由は、ケネディが自分の父親を殺害した闇の政府から大統領を守るのに必要とされているからだと説明した。

Qアノンのなかで遭遇したまったく理解不能なあらゆることのうち、私の頭を一番混乱させたのはフスカかもしれない。彼はその特徴的な格好で、可能なかぎりたくさんのQアノンやトランプのイベントに顔を出す――フェドーラ帽にジャケット、いつも白髪混じりの無精髭を生やし、『ジョージ』誌〔JFKジュニアが共同でつくった月刊誌〕の表紙をプリントしたTシャツを着て。彼はケネディファンに囲まれて注目を浴びるのを楽しんでいるが、このなりすましからとくに金儲けしている節はない。二〇二〇年一一月に首都ワシントンで開かれたトランプの支持集会で、ファンからあなたは本物のJFKジュニアなのかと訊かれると、フスカはただにっこり笑ってその場を立ち去った。その日彼はQアノンの有名人になったおかげでさらなるアイドル気分を満喫した――通りで歓声を送る群衆のためにポータブル機の曲に合わせてカラオケで歌まで歌い、帽子や親トランプの新聞にサインしてまわった。私から見れば、フスカが自分を本物のJFKジュニアだなどと思っていないのは明らかで、それに彼は周囲が自分をケネディだと思っていることを自分で認めたこともない。それでも彼が一目置かれているということは、ただ彼が存在するだけで、そして彼が沈黙を守っているだけで、QアノンをリアルなものにできることⅩを意味する。自分のファンと自撮り写真を撮るのが楽しいという理由だけで一人の男が自分をJFKジュニアだと皆に信じ込ませているとしたら、Qアノン信者ですら心穏やかならぬことだろう。だからこそ、フスカが本当にJFKジュニアでなくては救われないのだ。

Qアノンの集団は彼らの陰謀論に捕まった無辜《むこ》の人間によく一斉に嫌がらせを行なうが、逆にたまたま選んだ人間をスターに祭りあげることもある。ファンはハロウィンにフスカの仮装をする。彼のバンのナンバープレートの数字をあれこれ計算し、この数字や文字がQアノンの計画の何を意味するかを勝手に想像する。ファンの一人は彼のために議会選挙運動を立ち上げようとした。親トランプのケーブルチャンネル「ワン・アメリカ・ニュース」のユーチューブチャンネルの登録者は、月四ドル九五セントで彼の顔の絵文字を使用できる。フィラデルフィアの開票所付近で銃を所持して逮捕されたあるQアノン支持者は、彼をテーマにしたコミック本をつくっていた。

Qアノンがケネディ一族に執着するのは、失われた黄金時代に対して信者が抱く郷愁につけ込んだものにも見える――あの平穏な時代もまた秘密結社が我々全員から奪ったのだ。年配のQ支持者にとってジョン・F・ケネディの暗殺は、子ども時代に何より心に傷を残す国家的事件だった。ケネディが秘密結社に殺害されたと考えれば、彼の死にも意味があるし、Qを受け入れることで物事を正す道も教えてもらえる。彼らにとっては、JFKジュニア自身の悲劇的な死も、もしも彼が父親の仇を打って、いつの日かトランプと結託すべく自分の死を偽装したのだとしたら救いがある。

二〇二〇年一二月、最高裁判所の外で開かれた、Qの服や旗で埋めつくされた親トランプ集会で、フスカが通る道を空けた群衆は、自分たちがジョン本人を目にしていると信じて疑わず、彼の姿を一目見ようと顔をそちらに向けていた。私はフスカを捕まえて、頭に浮かんだたった一つのことを訊こうと思っていた。なぜこんなことに調子を合わせているのですか？　と。だが支持者の一団に囲まれて、彼を捕まえるのにてこずった。毎度のことだが、彼はその日後で私と話しましょうと言った。ただし今回は、フスカの名声があまりに高まったことから、彼には素人の広報担当がついていて、その男がインタビューを手配すると約束してくれた。とはいえ集会が終わった後、いつまでたっても彼らのどちらからもインタビューの件で返事をもらえなかったのだが。

「JFKジュニアだ！」と一人の男がフスカに向かって叫ぶと、このJFKジュニアのなりすましはそそくさと私のもとから離れていった。

ニューヨーク州バッファローから来た女性グループがフスカと一緒に自撮り写真を撮っていた。このQアノンのスターが立ち去ると、彼女たちの一人、スーザン・パリシという名のフスカのファンに、どうしてフスカが変装したケネディだと思うのかと訊いてみた。彼女が言うに、それは特殊効果のためだという。

「ハリウッドで見たことない？　グリンチとかマディアおばさん〔アフリカ系アメリカ人の男優タイラー・ペリーが女装して演じる人気のキャラクター〕とかさ」

だが、Qアノンのお膳立てにアレックス・ジョーンズほど貢献した人間はまずいないだろう。この陰謀論者の大御所は、Qが現れる数十年前に秘密結社の話を喚《わめ》き散らしていた。Qアノンは最初の数カ月で成長すると、当然ながらジョーンズと遭遇し、昔ながらの陰謀論者が新世代と対決する場面が生じた。ジョーンズは一九九〇年代に自ら新興の陰謀論帝国を立ち上げ、テキサス州オースティンの地元テレビ局でビル・クリントンや謎の黒いヘリコプターについて騒ぎ立てていた。当初、ジョーンズは地元のやけに派手な人物にすぎないかに見えたが、聴衆を十分獲得すると、全米のラジオ局で放送される全国ネットのトーク番組を制作できるまでになった。ジョーンズは「新世界秩序《ニューワールドオーダー》」に取り憑かれていた――これは陰の勢力が、世界政府をつくり一般人を奴隷にすべく企んでいるという説だ。ジョーンズはオバマ政権時にこの国の主要な陰謀論者になった。たとえば二〇一二年にコネチカット州ニュータウンで起きたサンディフック小学校銃乱射事件などのニュースの多くは、保守派の印象を悪くすべく仕組まれた「偽旗作戦」だとうそぶくことで、視聴者にQアノンのような陰謀論の急増に備えて心の準備をさせていた。報道機関は信頼できないとジョーンズは断言した――自分のオンラインの動画チャンネル「インフォウォーズ」を視聴することで、あなた自身で調べてみる必要があるのだと。

ジョーンズの名声は、トランプ時代の最初の一、二年でピークを打った。二〇一五年に大統領候補としてトランプがインフォウォーズに登場し、ジョーンズを「素晴らしい」と褒め称えた。[4] ところが二〇一七年になると、トランプのムーブメントのもっと過激な一角で、ジョーンズと張り合う勢力が現れた。それがQだ。

二〇一七年一二月、Qアノンはちゃん掲示板から、ユーチューブやフェイスブックなどの主流プラットフォームに移動しつつあった。そして日増しに拡大するにつれ、右派の陰謀論者の大物にもこれに興味を持つ者が出てきていた。Qが最初に投稿を始めてからわずか二カ月後、初期の二人のQアノン伝道師が、ジョーンズの部下が司会を務めるインフォウォーズの番組に登場した。彼らの出演後、Qアノンのオンラインでの検索回数が爆発的に増えた。この新興のムーブメントに、ついに陰謀論者の屈指の大物二人が注目するようになる。ジョーンズと、彼のワシントン「支局長」ジェローム・コルシだ。

インフォウォーズとQアノンがパートナーを組むことは、どちらにとっても利点があると思われた。ジョーンズとコルシにとっては、自分たちの番組に真新しいコンテンツを提供してくれる活気に満ちたムーブメントを手中にすることを意味した。かたやQアノンにとってインフォウォーズは、陰謀論に関心のある膨大な数の視聴者に直接つながるためのパイプになる。ところがジョーンズとQとの当初の協力関係は、Qアノンの主導権をめぐって争ううちに、まもなく芳《かんば》しくないものに変わった。

九・一一の陰謀論を何年も喧伝していたジョーンズは、トランプが自分の番組に出演すると、突如、右派から驚くほどの信頼を獲得した。だが視聴者に錠剤やサバイバル用品を売りながらオースティンでメディア帝国を築くうちに、自分のガセネタが自分の首を絞めるようになってきた。

Qアノンが現れる頃には、ジョーンズは、二〇人の児童を含め二六人が死亡した二〇一二年のコネチカット州ニュータウンの銃乱射事件にまつわる陰謀論を喧伝したことで、多くの共和党員にも問題の多い人物と見られるようになっていた。ジョーンズはさらにピザゲートも喧伝し、土壇場で謝罪したおかげでコメット・ピンポンのオーナーからの訴訟を危うく免れていた。

それまで陰謀論に手を出しては失敗してきたジョーンズだが、それでもＱアノンを喧伝することに躊躇はなかった。インフォウォーズにＱアノンの有名人が登場してまもなく、ジョーンズのネットワークはＱアノンのもとに団結し、闇の政府のまた別の内部告発者まで独自にでっちあげ、その人物が番組に登場し、Ｑのパンくずは本物であると請け合った。

ジョーンズがＱアノンを自身のネットワークで後押しする間、コルシはインフォウォーズにおけるＱの信徒との公式の連絡係になった。コルシは現代アメリカの陰謀論の生みの親の一人だ。彼は二〇〇四年にジョン・ケリーの大統領選をぶち壊すのに一役買ったが、それは「真実を求める高速艇退役軍人の会」と称する団体によってケリーの顔に泥を塗ったからだ。この団体はヴェトナム戦争でのケリーの英雄的行為にケチをつけることを狙ってつくられたものだった。またコルシは「バーセリズム」という、バラク・オバマはケニア生まれだから大統領になる資格がないとのデマをとりわけ露骨に喧伝する一人でもあった。

コルシはトランプ・ムーブメントの奥深くに食い込み、トランプの工作員ロジャー・ストーンと面倒事の多い関係を結ぶことになった。二人とも特別検察官ロバート・マラーの捜査対象となり、コルシがストーンとウィキリークスとの連絡係を務めたとされる間、二人は互いにメールをやりとりしていた。[5]

トランプとの繋がりや、いわば陰謀論者の年長政治家としてのその立場から、コルシがＱアノンを擁護してくれるのは、Ｑの成り上がり伝道師たちにすれば清めの塗油《とゆ》となった。インターネットという隔絶した場所で自説に信頼を得ようと奮闘した末、ついに右派のとりわけ威厳ある陰謀論者が仲間に入ってくれたのだ。コルシは、Ｑアノンの伝道師たちがＱを宣伝する計画を練るためのチャットルームに招待された。

ところがQアノンが軌道に乗りはじめたとたん、主要人物たちが支配権をめぐって争いだした。[6] 二〇一八年一月、コルシはチャットルームで他のQアノン界のリーダーらとともに、最近のQのヒントの幾つかは偽物だと言いだした。トレイシー・〝ビーンズ〟・ディアズと名乗るさほど目立たぬ支持者で、Qアノンを宣伝する初期の重要な陰謀論ユーチューバーが、投稿は「本物の」Qのものではないとのコルシの主張に異を唱えると、ディスカッションから――そしてQアノンの未来に影響を与える役割からも――締め出された。

とはいえ、このムーブメントでのコルシ自身の立場も危ういものだった。たとえコルシのような伝道師がQアノン信徒にいかに大きな影響を振るおうとも、Qに楯突くことはできなかった。ジョーンズがコルシをQの通訳者に選んで、インフォウォーズがQを仲間に入れようとするにつれ、Qアノンの初期からの伝道師たちは、この貫禄あるライバルたちに自分たちの座が奪われるのではないかと不安になった。

Qアノン信者は「paytriots（ペイトリオット）」――自分たちの「報酬《ペイ》」にしか興味のない偽物の「patriots（愛国者《ペイトリオット》）」を指すスラング――の影響力を恐れるようになった。二〇一八年五月、突如Qは8ちゃんの一連の投稿でこの仲間割れに対処することにし、「詐欺師の餌食になる」ことのないよう信者たちに警告した。

「これは一人の人間に関係することでは断じてない」と投稿にはあった。「これは名声にも、フォロワーにも、暴利を貪ることにも関係することでは断じてない」

これはジョーンズとコルシがQアノン内で獲得した名声のことを指しており、信者たちは、名声を欲しがるQアノン界のリーダーたちが自分たちの立場を狙っているのだとピンときた。インフォウォーズの二人組はQアノンから追い出されかけると、今度はこれに楯突くようになり、コルシはQのアカウントが乗っ取られたと文句を言った。

Qがジョーンズとコルシを攻撃したことで、Q界の成り上がりやそのメッセージを広める無名に近いネットの面々が、ネットの陰謀論の祖父二人とやり合うことになった。そして驚くことに、Qがとにもかくにも勝利した。Qアノンは成長を続けたが、かつてジョーンズを支持したQアノン信者は、ここにきて彼を闇の政府のスパイとみなすようになっていた。

Qアノンから追放されたとたん、ジョーンズはこれを攻撃するようになった。Qアノンはもはや真実を伝える情報源として信頼できないとジョーンズは言った——ひょっとしたらそれ自体が秘密結社の企てかもしれない。とはいえジョーンズが最終的にQアノンと決別するのは、二〇二一年一月六日の議事堂襲撃事件が起きてからだ。このとき、陰謀論が暴力と分かち難いほどに結びついた。連邦検察官の捜査が暴徒たちに迫ってくると、襲撃事件の真っ最中に議事堂の外にいたジョーンズは、自分はQアノンとは関係ないと番組で断言した。

「俺はこの魔女や魔法使い全員にうんざりしてるんだ！」とジョーンズは言った。(7)

二〇一八年の春、現実世界で彼を知っている人たちから見れば、ロバート・コルネロはどうにも行き詰まっているかに見えた。(8) 三〇代前半の彼は両親と暮らし、中学校時代に初めてアルバイトをしたニュージャージー州のショッピングセンターの食料品店で店員の仕事を失《な》くしたばかりだった。コルネロの人生最大のヤマ場は、店の冷凍食品部門を自分が管理できるかどうかで上司と言い争ったことだった。また何千マイルも離れたカナダに住む女性とオンラインで知り合ったが、彼女の父親から負け犬呼ばわりされた後、彼女にあっさり振られてしまった。

ところが、いざコンピュータの電源を入れると、彼はスターだった。数万を超える人々が彼の言い分を聞きたくて待っていた。二〇一八年二月にウェブサイトを立ち上げると、ロバート・コルネロは「ネオン・リヴォルト」になった。数百万人がこの世界をどう見るかを左右できる有力なQアノンのブロガーだ。

過去のコルネロの人生は、長いこと下り坂だった。[9] 彼の苦境は二〇〇四年、一流の医療専門ハイスクールでの最後の数カ月に始まった。そのとき彼は、ある女の子の歓心を買おうと思い、クラスメイトを殺害する方法をリストにした。警察がコルネロのロッカーを調べて、彼はプロムに出るのを禁じられた。ハイスクールの後半にコルネロは映画に魅了されるようになった。コルネロが言うには、ある医師から医療分野で仕事をするにはハンサムすぎるからハリウッドに行くよう勧められ、それでいっそう情熱を掻き立てられたという。銃撃予告の一件で起訴を危うく免れると、コルネロは自分で書いた映画の脚本を売ろうとロサンゼルスに引っ越した。

だが希望に満ちた多くの先人と同じく、ハリウッドの成功はコルネロの手をすり抜けた。少しばかりの褒め言葉をかけてもらい、オンラインの脚本コンテストに『店員、闇の軍隊に遭遇する』と謳《うた》ったアクションコメディの脚本を出して準優勝をとった。だがコルネロは、彼の見るかぎり勝者に溢れる町で自分を落伍者だと感じていた。ライバルの脚本家たちがレナードの「ブラック・リスト」に取り上げられるとき、コルネロはエアコンの壊れた車でロサンゼルスの渋滞にはまっていた。

ブラック・リストによってハリウッドで多様性を促したいとよく語っていたレナードは、コルネロにとって自分の成功を阻む勢力の象徴だった。二人はそれまで一度も直接交流したことはなかったのだが。

「この業界は当時ですら「ストレートの白人男性」にますます敵対的になっていた」とコルネロはのちに振り返る。

やがてコルネロはロサンゼルスに見切りをつけ、ニュージャージー州の故郷に戻った。それでも自分を受け入れてくれなかったこの業界に、はらわたの煮えくり返る思いでいた――あるとき彼は、誰かが《この堕落した町全体を焼きつくすべきだ！》とツイートした。

食料品店の勤務が終わった後、ネットで際限なく時間を費やしていたコルネロは、政治的イデオロギーをあれこれ見て回るようになった。そしてロン・ポールがリバタリアンとして大統領選挙に何度か立候補するたびにこれを支持し、それからゲーマーゲートに取り掛かった。ハリウッドで挫折したことへのありったけの怒りが、彼を二〇一四年に4ちゃんの /pol/ に向かわせ、彼はユーザーたちが「レッドピル」で互いを急進化させ過激主義思想に染まらせる場を頻繁に訪れた。彼らは気の滅入る、しばしば歪曲された統計を互いに教え合う――たとえばミレニアル世代が家を買う場合はすこぶる分が悪いことや、白人男性が不利な立場にあることを示すとされる数字など。こうした投稿は人々を怒らせることを意図したもので、まさにコルネロには効き目があった。

「俺は吸血鬼のような死の文化に囲まれて、死者たちにどっぷり浸かっていて、それで戦ってそこから逃げだそうと決めたんだ。そこにたどりつくのに地獄の底をやっとのことで通り抜けなきゃならなくても」とコルネロはのちに振り返る。

4ちゃんに感化されたコルネロは、ネガティブなミームをもっとたくさんシェアしようとフェイスブックのページをつくった。コルネロの記憶では、まもなくフォロワーが七万人になり、4ちゃんのニヒリズムが「俺の血管を駆け巡った」。こんなにすぐにネットでそこそこ知名度が得られることにコルネロは有頂天になり、もっとミームをつくることに没頭した。

頻繁に /pol/ を訪れていたコルネロは、食料品店での仕事を失くしてまもなく、早い時期からQに出会っていた。コルネロはQアノンについてフェイスブックに投稿するようになり、さらに多くのQの熱狂的支持者を自分のページに引きつけた。フェイスブックがネオン・リヴォルトのアカウントを閉鎖すると、今度は極右のソーシャルネットワーク「ギャブ（Gab）」のグループに移動し、ネオン・リヴォルトのブログを立ち上げ、まもなくそれがオンラインでのQアノン活動の拠点《ハブ》の一つになった。

名声が高まるにつれてコルネロは、Qアノンの思想を説く本を出版すべくクラウドファンディングを始めた。彼の熱心なファンがこの大義に一六万ドル近くを寄付し、彼から、Qアノンは真実であり、「嵐」がまもなく来るとの証拠を聞けるものと期待した。おそらく読者が予想していなかったのは、本には、コルネロ自身の人生と、自分が無名の冷凍食品担当の店員からいかにQアノンの導き手へと急進化したかの経緯《いきさつ》が何十ページにもわたって綴られていたことだ。

Qアノンの伝道師の中でもコルネロが際立つのは、一度に数十個以上の単語を書けたことだ。ネオン・リヴォルトという彼の人格は、ハリウッドの脚本では失敗した分野で成功を収めた。ユーチューブの動画やツイッターの連投に頼る者ばかりがいるなか、コルネロはエッセイの長さで物を書くことができ、世界的な出来事とQのヒントを結びつけ、たとえ薄っぺらでもQアノンのファンの心をつかむ理論をこしらえることができた。コルネロのブログの投稿は、複数話のシリーズ物になることも多く、『60ミニッツ』〔アメリカで高い人気と信頼を得ているCBSの看板報道番組〕の一つのエピソードのように馴染みのあるものに感じられた。彼はこのブログのことを、「（自分の）何年もの鬱積した思考や感情を激流のようにこの世界に」解き放つ「圧力弁」だと説明した。

Q界で一躍有名になるにつれ、コルネロは自分がハリウッドで挫折したのは、かえってもっけの幸いだったと思うようになった。結局のところ、エンターテインメント業界で成功すれば、秘密結社に入って子どもたちへの言語に絶する行為に手を染めることになっただろう、と自著で振り返る。あそこで挫折して、ブログを書いたり、4ちゃん仲間のアノンたち――「天才並」の知能を持つ人間たち――とQ

のパンくずを解読したりして過ごすほうが、あのレナードが手にしたみたいな「金ぴかの街《ハリウッド》」での成功を甘受するよりよっぽどましだ。

二〇一八年一〇月、コルネロは、「ソロスの「ハリウッド・レントボーイ」」と題したレナードについての最初の「調査報告」を投稿した。そしてレナードはただハリウッドの流行をつくる人間ではないと断定した――彼は悪魔的な勢力と繫がっていて、「ブラック・リスト」を使って人道を侵害しているのだ。コルネロはのちの投稿やクラウドファンディングで出した自著でこのテーマに立ち戻った。そして彼のファン軍団がオンライン上でレナードを糾弾する間、レナードをはじめとする自分の獲物が、ネオン・リヴォルトの読者の大群による嫌がらせから逃れられないさまを見て喜んだ。コルネロは一〇年以上どこに行ってもいじめられてきた――学校でも、ハリウッドでも、勤めていた食料品店でも。ところが今やQアノンが、いじめる側になる力を自分に授けてくれたのだ。

「連中は何日も何週間もひたすら耐えるしかなかった」と彼は書いている。

自分のハラスメント集団をもっと大きな目的のために用立てることには関心がなかった。むしろコルネロは、自分が忌み嫌う政治的意見を持つ人間を攻撃するのをただ楽しんでいるだけに見えた。標的とする人間の顔に泥を塗るのが最高なのは、「そんなことをされても奴らにはなす術《すべ》もなかった」からだとコルネロは書いている。

二〇二一年一月、偽情報調査会社ロジカリーの研究者、ニック・バッコヴィッチがコルネロの二重生活を突き止めた。(10)ネオン・リヴォルトの書籍を販売する会社の法人登記の細目を見て、バッコヴィッチはその口座からコルネロに行き着いた。ロジカリーのサイトのブログ記事で、バッコヴィッチはネオン・リヴォルトと称する人物とコルネロとを結びつけ、彼が挫折した映画脚本家で、Qアノンの顔になる前は映画業界への怒りをネットで始終ぶちまけていたことを明らかにした。コルネロはこの身元特定にはついていまだ認めていないが、反論もしていない。彼はメールにも電話にも、彼の両親の家に私が送った手紙にも一切応答しなかった。

レナードはにわかに腑《ふ》に落ちた。どうしてこんなに大勢のQアノン信者が自分に死んでほしいと願っているのか何年も首をひねっていたが、まさに一目瞭然の理由を見逃していたのだ。ハリウッドの夢を砕かれたことに憤慨し、復讐に燃えた脚本家だったとは。

「こんなことをする時間の半分でも脚本を書く技術を磨くのに費やせば、成功する道が拓けたかもしれないのにね」と彼は言う。

コルネロがオンライン上の分身と結びつけられて以降、ネオン・リヴォルトのブログは更新されていない。だが他のQアノンの伝道師たちが彼の後釜に座り、ハリウッドへの秘密結社の影響について彼がでっちあげた陰謀論をちゃっかり頂戴した。コルネロに洗脳されてQアノンを信じるようになった人々は、彼の正体が暴かれてもすぐにこのムーブメントから立ち去ることはなかった。ただついていく別のリーダーを探しただけだ。Qのヒントについてのコルネロの説明は現在もQアノンのサイトやソーシャルメディアのページで引用されている。Qアノンに彼が遺したものは、彼が口をつぐんだのちも生き続けている。

いかに影響力があったとしてもコルネロは膨大な急進化のからくりの一部にすぎなかった。コルネロのようなリーダーたちは好き勝手にQアノンを解釈できたが、それでも全員が土台にしたのは、その創始者の仕事、すなわちQ本人のそれだった。

第4章／Qは誰か？

Qとは、不運なサッカー選手の名前を揃ってかたったイタリアの左派による悪ふざけだ。Qとは、ロジャー・ストーンからスティーヴン・バノン、マイケル・フリンに至るまでトランプの数十人の盟友たちの創造物だ。Qとは、フィリピンにいる養豚家だ。

あるいは、ひょっとしたらそのすべてかもしれない。

Qアノンの外にいる人間にとって、Qの正体が誰かはいまだ解けない最大の謎だ。とにかくあるとき誰かがコンピュータの前に座り、こうしたヒントをすべて書き込み、数百万人の人間を騙してやろうと考えた。Qは今もどこかにいて、相変わらず正体不明であることから、現実世界とつながり続ける我々に難問を突きつける。

Qのフォロワーにはその正体について独自の説がある――それはマイケル・フリン、トランプの側近でソーシャルメディアの達人ダン・スカヴィーノ、国家安全保障局の元局長、あるいはJFKジュニア。

とはいえQの支持者にしてみれば、その正体は自分たちのムーブメントにとってどうでもいいことかもしれない。トランプに近い誰かのようだが、そのくらいにしておくことで満足だ。だが彼ら以外の全員にとって、それは解けない難問だ。Qアノン信者はQのヒントを追ってインターネットの「ウサギの穴」を降りていき、その他大勢は、そもそも誰がこの捻くれた宝探しゲームを始めたのかと首をかしげるほかない。Qアノンについてそれぞれ勝手な解釈を主張する人間が数十人いるように、Qアノンを誰が指揮するのかとの説の背後には謎めいた行動指針《アジェンダ》や私利私欲で動く行為者が存在する。

二〇一八年八月にタンパの集会へ信者が押し寄せた後、私はQアノンの背後に誰がいるのか突き止めようと努力した。ところがかわりに見つかったのは、Qを熱心に探す、同じく勢いのある陰謀論のコミュニティだった。

Qの正体を探るうちに、私は一人の改心途中の陰謀論者に出会ったのだが、彼はQの正体を知ることで自分の信仰を捨てようとしていた。自説を披露するこの男は、Qの名前について大いに役立つ手がかりを持っているかに見えた。だが続けて彼は、自分がQに違いないと目をつけている人物は、世界的な秘密結社が管理するサーバーから毎朝四時に秘密のメッセージを受けとっているのだと言いだした。それはメディアの方針を管理するとQアノン信者が考える同じサーバーだったと彼は説明する。これは正真正銘、本当の話なのだ。

その瞬間、私はこの男にはQの黒幕が誰かまったく見当がつかないのだと合点した。だが、どのみち他の誰にもわからないのだ。Qの正体を見つけようとするたびに、何度も注意をそらされ挫折する。Qを探りはじめた私は、「シケイダ（Cicada）3301」[1]にまつわる別のスレッドをフォローしてみた。これはとんでもなく難しいオンライン上の謎のパズルで、天才的な工作員を集めることが目的の情報機関の作戦だろうとの確証のない噂がついて回っていた。自分はシケイダにかかわっていたと話すマヌエル・"デファンゴ"・チャベスというインターネットのトロールは、シケイダの元パートナーで今では自分のライバルとなった人物がQアノンの黒幕だと、耳を傾けてくれる人に片っ端から話していた。この男、トマス・シェーンバーガーという一風変わった作曲家は、チャベス自身がQアノンに関与しているかもしれないと反論した。彼らの言い分を裏付ける証拠はないのだが、それでも二人とも私の時間を無駄にさせ、彼らのゲームに私を巻き込むのが楽しくて仕方ない様子だった。二〇一八年にQの黒幕にまつわる説を唱える大半の人間と同様、彼らにも成果はなかった。

バノンやフリンのようなトランプの取り巻きが黒幕だとの説を主張する者もいたが、やはり大した証拠はなかった。二〇一八年、以前にピザゲートを喧伝したことのある保守系コメンテーターのジャック・ポソビエクが、おそらく共和党にとってますますはた迷惑なものになる前にQアノンを潰そうとして、「マイクロチップ」と名乗る白人至上主義者のトロールがQアノンの黒幕だと証明するチャットログがあると言いだした。(2) マイクロチップはトランプを当選させるための働きで悪名を轟かせたが、大統領を支援すべく陰謀論の世界まででっちあげるとは想像しづらかった。しかもログは簡単に偽造できるし、結局、他にそれを裏付ける証拠もなかった。

そこに、イタリア人たちが現れたのだ。

二〇一八年八月、Qアノンがメディアで一段と有名になると、オンラインメディアのバズフィード・ニュースが、Qアノンは「ルーサー・ブリセット」というイタリアの左派集団の発案によりトランプ支持者に仕掛けられたスタントの「可能性が極めて高い」と断言した。(3) この記事を初めて読んだとき、私はショックを受けた――自分の専門分野で特ダネ記事をすっぱ抜かれたのだ。ところがこの記事はすぐに破綻した。どうやらこのつながりの根拠は、ブリセットとQがどちらもアルファベットの一七番目の文字を使っていた、というだけのようだった。Qは二六文字の一つにすぎないと思えば、決定的証拠とは程遠い。とはいえ、この話が本当かどうか私は確かめずにおれなかった。

二〇年前、悪ふざけの好きなイタリアの型破りな集団が、ACミランで惨憺《さんたん》たる成績を残したイギリスのサッカー選手の名にちなんで「ルーサー・ブリセット」と名乗るようになった。この集団はイタリア各地で政治的ないたずらを仕掛けるようになる。[4] 教会からキリスト像を盗んでは、地元の貧困者への高額な寄付と引き換えに返還したりした。このいたずら者たちは美術評論家を騙し、絵を描く「ルータ」という名のチンパンジーのデビューを報じさせたが、ブリセットの工作員が広めた話では、このチンパンジーは環境テロリストが研究所から救出し、現在はベニスの国際見本市で彼女の芸術作品を披露しているという。本当のところ、ルータは彼らの想像の産物だった。またイタリアの国営テレビを騙して、ハリー・キッパーという行方不明のイギリス人アーティストをヨーロッパ中で探させたが、この男はヨーロッパ各地をバイクで回り「ART」という言葉を描いているという。ところがチンパンジーと同じく、キッパーも作り話だった。一九九〇年代の後半にサタニック・パニックがイタリアに吹き荒れたとき、ルーサー・ブリセットはメディアに一杯食わせようと、イタリアのある地域で身の毛もよだつ悪魔崇拝が広がっている話をでっちあげ、悪魔崇拝者や魔女狩りたちを一堂に揃えた悪魔崇拝の儀式を開催した。

一九九九年、ブリセット集団は、宗教改革とヨーロッパの宗教戦争をテーマにした『Q』という題の分厚い小説を出版した。この本では再洗礼派のある反逆者がカトリック教会の謎めいたQという名の秘密工作員と対決するのだが、Qはその幾多の伝言の中で自らの敵を嘲笑していた。本は思いがけずヒットを飛ばし、世界中で翻訳された〔邦訳二〇一四年、さとうななこ訳、東京創元社〕。

この『Q』がきっかけで、バズフィードや他のQアノンウォッチャーたちはルーサー・ブリセットがQアノンに関与しているか、少なくともインスピレーションを与えたのではないかと疑うようになった。たしかにQと、この『Q』の著者たちには、謎めいた伝言や、ヒントを与える者の名前、そしてブリセット集団が悪魔崇拝のイメージをもてあそぶなどの類似点があった。

ブリセットのメンバーだったロベルト・ブイは、Qアノンと小説『Q』には確かに重なる点があることを認めた。ブイは、Qとして投稿した最初の人物はこの本に触発されたのだろうと推察したが、この集団はこの陰謀論には関与していないと話した。

「もちろん、私たちはQアノンの黒幕でもなんでもありませんよ」とブイは私に言った。

私が思うに、このブリセットの「ウサギ狩り」は、二〇一八年にQがいかに捉えどころのないものになったかを教えてくれる。Qはますます力を持つ存在になり、数百万とはいかずとも、すでに数万人のフォロワーを集めていた。それでもその正体についてはほぼ何もわかっていなかったため、あるメディアが、芸術家気取りのヨーロッパの悪ふざけ集団がQアノンの黒幕だと言いだして、その説明が他の説と同じくらいありそうなものに見えたのだ。

Qの正体につながる一番の手がかりは、「8ちゃん」という、二〇一七年一一月にQアノンが4ちゃんを脱出したのちにたどりついたフォーラムにある。そして8ちゃんを理解することは、つまりフレドリック・ブレンナンを理解することだ——彼はかつてQの信者だったが、現在は自分がその創造に手を貸したこのムーブメントに楯突く舞台監督《リングマスター》になっている。

一九九四年にニューヨーク州オールバニーで生まれたブレンナンは、生まれつき骨形成不全症を患っていた。この病気のせいで、ちょっと転んだりぶつかったりしただけでも命とりになるおそれがあった。また四肢が短く、成長は阻害され、これまで一〇〇回以上も骨折している。

この遺伝性疾患があるために、ニューヨーク州北部にある自宅から外の世界とのつながりが限られていたブレンナンは、六歳で初めてコンピュータを手にすると、インターネットの世界にのめり込んだ。その一年前に両親が離婚し、彼はほとんど誰にも監視されずにオンラインで活動できた。一二歳のとき、ブレンナンが読んでいたビデオゲーム『ソニック・ザ・ヘッジホッグ』のフォーラムを4ちゃんのユーザーたちが急襲し、猥褻な画像を投稿したことで、初めて彼は画像掲示板というものに触れ、一〇代のほぼすべてをこれにはまって過ごした。彼はこうした「ちゃん掲示板」の虜になったが、その熱に火がついたのは、息子に無関心な両親のおかげだった。

「僕がコンピュータで何をしようが、パパはちっとも関心がなかったんだ」とブレンナンは言う。

ブレンナンは思春期の大半を4ちゃんで過ごし、このフォーラムの荒らしじみた悪ふざけやヘイトに満ちた駆け引きの雰囲気を堪能した。一四歳のとき父親が息子の親権をニューヨーク州に移譲すると、ブレンナンは里親家庭をたらい回しにされた。新たに置かれた過酷な環境から逃避したくて、4ちゃんにいっそう深くのめり込んだ。

ある程度の品行方正を求める圧力がかかり、4ちゃんがさほどアナーキーな場でなくなってくると、ブレンナンは別のちゃんサイトに飛び込んだ。そしてウィザードチャン（Wizardchan）というちゃんスタイルのサイトの所有者と友だちになったが、これは童貞男性のためのサイトで、彼らは女性との性的接触を回避することで「魔力」を獲得したと宣言し、生涯そのままでいるつもりでいた。ところがブレンナンの友人はまもなく童貞を失って「魔法使いたち《ウィザーズ》」――セックスを一度もしないまま三〇歳を越えたウィザードチャンのユーザーたち――を激怒させ、このサイトを端金《はしたがね》でブレンナンに売却するほかなくなった。

ところが、このウィザードチャンの童貞王としてのブレンナンの君臨もそう長くは続かなかった。一夜の情熱の後、ブレンナンもまたここを去らねばならなくなったのだ。

一九歳でブルックリンに移ると、ブレンナンは車椅子に縛られた青年向けにはつくられていない世界に飛び込むことになる。そのときまでの彼の主な人生経験といえば、トロールやオンライン仲間の童貞成人たちとのそれに限られていた。あるときブレンナンは約五〇〇〇ドルの現金を持ってニューヨーク市のポート・オーソリティ・バスターミナルを経由して遠出しようとしたのだが、「港湾局《ポート・オーソリティ》」と名のつく場所ならそんなに危険なわけがないと思っていた。ところが着いたとたんに金を盗られてしまった。[5]

　オフラインの世界で悪戦奮闘しながらも、オンラインの世界ではブレンナンはスターへの道を順調に歩んでいた。二〇一三年のある晩、マジックマッシュルームによるトリップから醒《さ》める途中でブレンナンは4ちゃんを開いてみた。するとシロシビン〔マジックマッシュルームに含まれる麻薬成分〕が脳内を駆け巡るなか、4ちゃんのホームページをフラクタル図形が覆い尽くすのが見えてきた。ブレンナンは、4ちゃんと似た新たなサイトに、レディットから拝借した、ユーザーが自分のサブフォーラムをつくれる機能を組み合わせてみたらどうかな、とふと考えた。数年後、この特徴こそが、オンラインの根城《ホーム》を求めるQアノンユーザーを引き寄せる重要な鍵になる。

　俄然やる気になったブレンナンは、その二日後、8ちゃんの最初のバージョンのコードを書き終えた。ブレンナンが立ち上げた8ちゃんのルールは、ちゃんサイトの基準に照らしても驚くほど自由放任だった。4ちゃんはオンライン上の目立った嫌がらせやその他の不快な行為を行なう集団を追放することもあったが、ブレンナンはそんなことおかまいなしだった。ブレンナンのルールのもと、8ちゃんでは合衆国の法律で合法なものはなんだって許された。

　初めのうちは、8ちゃんのごく少数のユーザーが一時間に一〇〇件ほどの投稿をしていただけで、多くはブレンナンに理解できない言語だった。それでもちっともかまわなかった。ブレンナンはこのサイトを自分のプログラミングの練習場にするつもりだったのだ。ところがモデレータとしての彼の無干渉主義の姿勢は、トラフィックと悪評のどちらにも功を奏することになる。ブレンナンが8ちゃんを立ち上げたのは、ゲーマーゲートという、ビデオゲーム業界で働く女性に右派が反発し、嫌がらせするキャペーンが始まるほんの数カ月前だった。4ちゃんから追放されたゲーマーゲートは、その数年後にQアノンがしたのと同じく、8ちゃんに根城を見つけた。ゲーマーゲートとは、その支持者に言わせれば、リベラル活動家に乗っ取られたかに見えるゲーム業界を守るためのものだった。とはいえ実際のゲーマーゲートの「積極行動主義《アクティビズム》」とは、往々にしてゲーム業界の女性ジャーナリストや女性開発者にオンラインで嫌がらせを行なう集団を組織することだった。

8ちゃんがゲーマーゲートの避難港という新たな地位に就くことを、ブレンナンは歓迎した。中等学校時代から4ちゃんの精神が骨の髄まで染みついていたブレンナンは、その精神を体現するようになっていた。優生学に賛同するネオナチのサイトにブログ記事を書き、強制的断種を支持する理由として自身の遺伝性疾患を引き合いに出した。8ちゃんのような画像掲示板は「ミソジニー」や「ニヒリズム」で有名になっているのではないかと記者から訊かれると、ブレンナンは、それは言論の自由の代償にすぎないと語った。

「だからこそあんな素晴らしい場所になるんですよ」ブレンナンが答えた。[6]「何一つ変えるつもりはありません」

ゲーマーゲートの庇護者となったことで、ブレンナンはネットの一部の怒れる若い男性たちの英雄になった。彼らは親しみを込めてブレンナンのことを「ホットウィール（Hotwheels）」と呼んだ。二〇一四年九月に8ちゃんがゲーマーゲートの新たな拠点になると、このサイトのトラフィックは急増し、毎時の投稿が四〇〇〇パーセント近くも増えた。

まもなくブレンナンは、このサイトをこの規模で維持するのは自分には無理だと悟った。すると日本から救いの手が差し伸べられた。「コードモンキー」というハンドルネームを使うロン・ワトキンスという青年からプライベート・メッセージが届いたのだ。ワトキンスは2ちゃんねるの管理人で、この掲示板は4ちゃんに着想を与え、さらにブレンナンが8ちゃんを創設する間接的なきっかけになった日本の巨大なネット掲示板だ。

ロンとその父親のジム・ワトキンスは、8ちゃんを自分たちが買い取り、ブレンナンを雇って自分たちのかわりにサイトを運営してもらいたいと考えた。そこで、フィリピンにあるワトキンス親子のテックネットワークの本部で一緒に仕事をしないかとブレンナンに持ちかけた。そこでなら、ブレンナンの世話をしてくれる住み込みの看護師を雇っても、月三〇〇ドルもかからないだろう。

ブレンナンはこれに同意した。二〇一七年一〇月にマニラに向けて出発する前の晩、ブレンナンはストリップクラブで二〇人を超えるゲーマーゲーターとパーティを開き、あるダンサーが彼に8ちゃんの最初の誕生日を祝うケーキを贈呈した。(7) この集団はブレンナンのアパートメントで一枚の写真に収まり、ブレンナンはウォッカの大瓶をしっかり抱えていた。インターネットの最もタチの悪い人間たちを抱き込むことで、ブレンナンはついに自分のコミュニティを見つけたのだ。

ジム・ワトキンスは米陸軍の退役軍人で、フィリピンで養豚場を経営し、数多くのオンラインビジネスを手がけていた。ブレンナンの障害を考えれば、よりによってこの男を頼りに海を越えるなどおよそありえないことだった。だがブレンナンには、ワトキンスは扱いやすい人間に見えたのだ。

「たぶん、僕の言うことをもうちょっと聞いてくれそうな養父みたいに思ってたんだな」とブレンナンは言う。

ところが二〇一七年一〇月にQアノンが現れる頃には、ブレンナンと父親の方のワトキンスは不仲になっていた。二〇一六年にブレンナンはワトキンスのために8ちゃんを運営するのをやめて、自分のサイトに居座りはじめた白人至上主義者や他のヘイト集団についてますます懸念しはじめていた。それでも他のサイトについては、ワトキンスのために相変わらず仕事をしていた。

二〇一七年の秋にブレンナンとワトキンスが次第に距離を置きはじめたとき、Qアノンは4ちゃんでまだ生まれてまもない頃だった。だがQは自分の拠点を必要としていた。Qが8ちゃんに移ってくると、南アフリカのプログラマーのポール・ファーバーが、このサイトにおけるQの拠点のモデレータになった。

ファーバーは、Qという人物《ペルソナ》を管理しているかに見えたため、もともと4ちゃんでQのアカウントを管理していたと疑われる主要人物の一人になっている。Qが登場して最初の数週間、ファーバーは自分にはQと特別なつながりがあると4ちゃんで豪語していた――この自慢話を腹立たしく思うQアノンのファンもいたが、彼こそ本物のQであることを自ら匂わしている証拠だと受けとる者もいた。ファーバーは事実、8ちゃんにQが最初に現れた板《ボード》の一つを運営していて、実際にQの公開内容をコントロールすることができた。

おそらくQの正体について唯一はっきりわかっているのは、複数の人間が様々な時点で「Q」の名をコントロールしていたということだ。Qアノンの最初の黒幕は、二〇一七年一〇月下旬のある日、4ちゃんにログインし、ヒラリー・クリントンにまつわるデマを飛ばそうと決めた誰であってもおかしくなかった。とはいえ、最初に誰がQを始めたかを疑う目は、ファーバーその人に向けられることが多い。理由は、初期の頃に彼がQアノンと近しい関係にあったからだ。ファーバーはQとして投稿はしていないと言い張るが、二〇二二年に『ニューヨーク・タイムズ』紙が報じたQドロップの言語学的分析によれば、ファーバーがその執筆者と極めてマッチしていることがわかっている。(8)

二〇一八年一月五日、ファーバーは、たとえQに対しどんなコントロール権を持っていたとしても、そのすべてを失った。Qの正体をめぐる争いはほんの数件の投稿で終わった。Qが投稿していた8ちゃんの掲示板のモデレータであるファーバーは、彼いわく、Qからの正式なメッセージとは思えないものを目にするようになった。Qの名前が使われてはいるが、彼の目には「本物の」Qの投稿として読むことのできないものだった。ファーバーは、最近出てきたQドロップを信用してはならないと信者たちに伝える書き込みをした。Qのアカウントはハッキングされたとファーバーは断言した。

そのときまでQとファーバーは行動をともにし、協力してQアノンをつくってきた。ところが今回、Qはファーバーを非難してきた。Qのアカウントは、怪しいのはQではなくファーバーだと言い返したのだ。

「連中の手に落ちたのか？」とQがファーバーに尋ね、この忠実なプログラマーもまた秘密結社のスパイだとほのめかした。「ボードは堕落した」

究極のインサイダーとして数カ月を過ごしたのち、今やファーバーは外部の人間になった。ファーバーが追い出されると、ここにきてQの名をコントロールしていた何者かが、その後の8ちゃんの投稿で、それが本物のQだと確認できる人間がたった一人いると書き込んだ。8ちゃんの管理人を務める、ジム・ワトキンスの息子のロン・ワトキンスだ。Qはこの息子のワトキンスに自分を正式なQだと請け合い、ファーバーの管理から抜けたボードをつくるよう求めた。ワトキンスはこれに同意し、そしてQは新たなボードに移動した。その瞬間、ロンとジムのワトキンス親子がQになったのだと主張するQウォッチャーもいる。

二〇一九年一一月、マニラのアパートメントでフレドリック・ブレンナンが見つめるなか、何より待たれていたQの投稿の幾つかが実行された。

こうしたドロップは、コンピュータのコードのように見える一連の謎めいた命令だったが、実際には何の意味も成していなかった。それは二〇一九年一一月、8ちゃんが三カ月間ダウンしたのちに現れた。8ちゃんが「8くん（8kun）」に名を変えてついにオンラインに戻ってくると、この新たな投稿は、Qがいまだ終わっていないことの証《あかし》になった。

Qアノン信者は教祖の帰還に歓喜した。だがブレンナンは、名称変更した8くんにQが舞い戻ったことにどうにも納得がいかなかった。一つに、Qは再開したフォーラムに投稿できる比類なき力を持っているように見えた。他の8くんユーザーは当初すぐにはなかなか投稿できないでいたというのに。そう考えると、Qは8くんの他のユーザーと同じアクセス権を持っているわけではなく、どういうわけだかこのサイトの内部からコントロール権を行使していたことになる。8ちゃんのコードを書いたブレンナンですら、新たなサイトにまだ投稿できずにいたのだ。4ちゃんと同様、8ちゃんも匿名性という原則のもとにつくられていたが、それでもQは内部への何らかの特別なアクセス権を持っているようだ。それにそもそもQが大統領や軍の力を借りて、言語に絶する悪からこの世界を救うグローバルなムーブメントを指揮しているのなら、なんだってオンライン上で生き残るのもやっとのサイトにすべてを賭《か》けたりするのか？

二〇一八年一月以来、認証されたQのメッセージの唯一の発信元である8ちゃんが、Qアノンの世界の中心になった。ところが、テキサスで銃を持った一人の男が人種主義的なマニフェストをこの掲示板に投稿したのちエルパソのウォルマートで二三人を殺害すると、二〇一九年八月から数カ月間、この掲示板は閲覧できなくなった。この銃乱射事件の前にも、白人至上主義者による大量殺人が二件、すなわちニュージーランドのクライストチャーチのモスク、そしてカリフォルニア州パウウェイのユダヤ教礼拝所《シナゴーグ》にて発生し、これらもまた8ちゃんで犯人たちが事前に犯行宣言をしていた。しかもクライストチャーチの銃撃犯は、8ちゃんに銃乱射のライブ配信へのリンクまで投稿していた。

自分の発想の産物が、世界で最大級に堕落した暴力的思考の持ち主の活躍の場となるのを目にして、ブレンナンは気分が悪くなった。ブレンナンは気まぐれなジム・ワトキンスのために働き、毒気の増す8ちゃんに加わっていることにうんざりし、二〇一八年一二月にはすでに8ちゃんから手を引いていた。そこで、今や外にいる立場で、この掲示板をオフラインにするキャペーンを立ち上げ、8ちゃんがオンラインにとどまるのに必要なサービスを提供するテック企業に対し、この掲示板をブラックリストに入れるよう要求した。

エルパソの銃乱射事件後、ブレンナンはワトキンスにとって手強い敵となった。自分のツイッターアカウントと、8ちゃんの技術的基盤の包括的な知識だけを武器に、ブレンナンはインターネットのインフラのプロバイダーであるクラウドフレア（Cloudflare）などの企業に対し、このサイトからサービスを撤退し、8ちゃんをオフラインにさせるべく説得するのに手を貸した。

ブレンナンが自らの良心と向き合う一方、ワトキンスはさほどの葛藤を抱えていなかった。エルパソの銃乱射事件からわずか数日後、くしゃくしゃ頭に口ひげをたくわえたワトキンスが、自分を批判する人々に動画で語りかけ、8ちゃんへのサポートを停止したクラウドフレアを非難し、このサイトは「議論する人々が平和に集う集団」だと説明した。

その三カ月後、新たに復活した8くん上でQドロップが溜まっていくのを眺めていたブレンナンは、どうにも腑に落ちなかった。Qはどういうわけかワトキンスという、Qアノンの外ではせいぜいネオナチの溜まり場の8ちゃんを運営していることでしか知られていない、政界から厄介者扱いされる人間とつながっていた。ワトキンスがそもそもサイトを維持できるのか、ましてや世界的な情報作戦で重要な役割を果たせるのかどうかも甚《はなは》だ怪しかった。

「Qが第三者だとしたら、ジム・ワトキンスに管理されない投稿の手段を求めるだろう。状況からして、誰だって全部の卵を一つのカゴに入れておきたくないからね」とブレンナンは言う。

ブレンナンは、ワトキンス──ブレンナンを地球の裏側まで連れ出し、まもなく彼を国際的な逃亡者にするのに一役買った──がQになったと考えるようになった。

ブレンナンはファーバーがQのモデレータを追放された二〇一八年一月の騒動を振り返った。そのときQの投稿の文体が変化し、それは新たな人間が引き継いだことを匂わせていた。8ちゃんのコードの知識をもとにブレンナンが言うには、ロン・ワトキンスなら8ちゃんの管理人という立場でQの名を管理することも容易にできただろう。さらにブレンナンが言うに、自分がまだ8ちゃんの仕事をしていたとき、ロンはQアノン支持者が8ちゃんに殺到したことに興奮していたし、ジム・ワトキンスは、Qがこのサイトを出ていかないようにしろと息子に命じてもいた。もしもロン・ワトキンスが実際にこのQアノンのアカウントをファーバーないし他の誰かから奪ったのなら、その目標はすでに達成されていた。「ユーザーたちがこぞって彼の掲示板に来たことに、ロン・ワトキンスは大喜びしていたよ」とブレンナンは語る。

元祖Qは情報機関内部の人間だったと主張するファーバーもまた、ジムとロンのワトキンス親子があの日、Qを盗んで、そのアイデンティティを他の誰かに渡したのだと断言する。「ロン・ワトキンスと父親のジム・ワトキンスが、8ちゃんへのアクセスを促すためにQの活動を乗っ取ったのだ」とファーバーは初期のQアノンについての回想録に書いている。[9]

ファーバーは、彼の言う乗っ取りがきっかけで、Qを信じるのをやめた。だが、もっと広いQアノンのコミュニティにすれば、それはほとんどどうでもいいことだった。Qアノンは誕生していまだ三カ月足らずだった。Qの支持者はまだトランプの支持集会に殺到していなかったし、誰かを殺害することも、選挙で公職に就いてもいなかった。Qの正体をめぐる論争がどう転んだとしても、もっと広いQアノンの世界ではほとんど気づかれることもなかったが、とはいえこのコミュニティは8ちゃんよりはるかに大きなプラットフォームで急速に成長していた。新たにQに加わった者は、8ちゃんや、のちに8くんを訪れることはめったになかった。フェイスブックやツイッターなどにあがったQのコンテンツの方が、はるかに刺激的で好奇心をそそられるし、しかも読みやすかった。ブレンナンやワトキンス親子がQの正体をめぐって一悶着を起こしている間、Qアノン信者たちはQなしで先に進んでいた。

二〇一九年八月にエルパソで起きた銃乱射事件の後、連邦下院議会はジム・ワトキンスを首都ワシントンに召喚し、この大量殺人事件における8ちゃんの役割について聴取を行なった。ワトキンスが議会調査官から聴取を受けてまもなく、私もワシントンで彼にインタビューした。議事堂から一マイルほど離れたカフェのオープンテラスに座ると、ワトキンスは自分の突飛な関心事について弁舌を揮い、同席した弁護士がこのクライアントの発言にときおり顔をしかめていた。

ワトキンスは議会の聴取に、Qのピンバッジをつけて、ピザの模様の靴下をはいていったと得意げに語った。ところが、どうしてコメット・ピンポンでの発砲や放火事件につながったピザゲートを宣伝するのかと訊くと、ワトキンスはいかにもトランプ流のやり方ではぐらかした。

「あのピザ店に地下室があって、そこであんな恐ろしいことが起きているなんて自分は信じてませんよ」とワトキンスが言う。「ですが皆が話してたんです。私は信じてませんけど。でも話題になってて、実際に彼らが暗号で話してて、ピザを暗号に使ってたと思ってる人もいるんですから。こればかりはなんとも言えませんよ。でも皆がそれについて話していて、それはそれで嬉しいことだし、まあいいんじゃないですか」

「ほかにも話題になっているものはたくさんありますよね」と私は言った。「ですがわざわざピザの靴下をはくことにしたのは、つまり――」

「言わせておきましょうよ」とワトキンスが言い、私の話をさえぎった。

ワトキンスは何を訊かれても正直に答えることができないようだった。Q、すなわち彼の掲示板の最も有名なメンバーについて尋ねると、ワトキンスはかわりに『スター・トレック』に出てくるQという名のキャラクターについての話をしたがった。また最近の『ニューヨーク・タイムズ』紙の記事(10)でブレンナンが8ちゃんの閉鎖を呼びかけていることについて尋ねると、ワトキンスはその記事をまだ読んでいないと言い放った。

彼はQアノンが8ちゃんに腰を落ち着けたのを最近まで知らなかったと言ったが、彼の息子がファーバーとQの衝突に介入してすでに一年以上も経っていた。

「Qアノンを信じているかどうか、あなたはあまり話したがりませんね」と言って、私は彼のQのピンバッジを指差した。

「ほんの数カ月前まで、私たちのサーバーにQアノンがいることも知らなかったんです」とワトキンスは言った。「ご存じでしょうが、大きなサイトですからね。ツイッターやフェイスブックほどではないですが、それでも大きなサイトですから」

「ご存じなかったのですか?」と私が訊いた。「主要な呼び物の一つをご存じなかったと?」

「私も忙しいのでね」

ワトキンスはQアノンについての私の質問をはぐらかしたが、最近ではさらに言葉を控えている。二〇二一年三月に彼にメールを送り再度インタビューを申し込んだが、彼はこれを断り、かわりに私を訴えると脅してきた。

とはいえロンとジムのワトキンス親子のどちらも、カレン・ホーバックが制作・監督したHBO〔米国の衛星およびケーブルTV会社」のドキュメンタリー番組のインタビューには答えている。この『Qアノンの正体（Q: Into the Storm）』は、ワトキンス親子とブレンナンとの反目が強まるなか、Qの正体を暴こうとしたホーバックの試みを追ったものだ。[11] このドキュメンタリーを通してワトキンスとその息子は、自分たちとQアノンとの関係について立場をころころと変えていた。ロンは最初、Qアノンが何かも知らなかったと言ったが、その後、ホーバックとの別のインタビューでは、ニッチなQアノン世界のゴシップを蒸し返した。自分は8ちゃんにめったに投稿せず、サイトの管理人として無味乾燥な技術的更新を提供すべく書き込むだけだと言った。それでいてホーバックに、スティーヴン・バノンがQの黒幕だと匂わすような8ちゃんの内部データを提供していた——ロン・ワトキンスが自分はQではないと納得させるためにデータを捏造したのではないかとホーバックは疑った。

　このドキュメンタリーのクライマックスで、ロン・ワトキンスは自分が8ちゃんでQアノンのボードの牽引役をずっとやってきたのだとさも自慢しているかに見えた。

「思い返すと、三年ほど諜報のトレーニングみたいなものをしていてね、諜報活動のやり方を一般人《ノーミー》たちに教えてやってたんだ」とワトキンスは語る。「つまり僕が前に匿名でやってたことさ」

　ワトキンスはQアノン信者が自らのムーブメントの目的を説明するのに使うのと同じ言葉を使っていた。ところがワトキンスはにっこり微笑むと、自分がこれまで何をしたとしても、それを「Qとしてやったことは一度もないけどね」と言った。

　それでもワトキンスはちょっとばかり口を滑らせたようだ。彼が言ったことが自白だとしたら、結局、Qアノンの目的は闇の政府と戦うことでも、より良い世界を作ることでもなかったということだ。Qアノンはマニラにいる二人の男にかかわっていて、彼らは海の向こうの人々を騙し、金と権力と、少しの笑いを稼いでいたのだ。

議会議事堂襲撃事件ののちロン・ワトキンスはQから身を引いたが、そのときQの正体についての関心は新たなピークを迎えていた。Qアノン信者が議事堂の突破に手を貸し、この騒動で二人のQアノン支持者が亡くなって二週間後、ロン・ワトキンスは、選挙の不正を探す者たちは権力の移譲を尊重し、「できるかぎり元の日常に戻りましょう」と周到に語った。「過去数年でともに築いた友情や幸せな思い出をどうか忘れないでください」とワトキンスはソーシャルメディアに投稿した。

人々がQの名のもとに戦い、命を落とすようになったちょうどそのタイミングで、ワトキンスがQアノンから手を洗ったのを見たブレンナンはあっけにとられた。「さようなら、皆さん、私たちはやるだけやりました」と、別れを告げるワトキンスの投稿の口調をまねて、ブレンナンが語った。「闇の政府の食人鬼たちが誰も彼もを食べている、この世界に皆で戻りましょう」

ブレンナンはワトキンス親子への疑念を公に伝えることに成功した。ブレンナンによる大々的なメディアキャンペーンと、さらにホーバックのドキュメンタリーでロン・ワトキンス自身がなかば自白したおかげで、ワトキンス親子はQの最新版の黒幕として最も疑われる人物であるかに見える。だがブレンナンもまた、ワトキンス親子との反目から無傷ではいられなかった。ジム・ワトキンスとの法的な争いが名誉毀損による刑事告発に発展すると、ブレンナンは二〇二〇年二月、逮捕を恐れて国外に逃亡した。(12)ブレンナンは妻と別れ、告訴のせいでおそらくフィリピンに二度と戻れないだろう。「僕は結婚生活も住むところも失ったよ」とブレンナンは言う。「僕の犬以外は何もかもね」

Qの正体はいまだ決定的に証明されてはいない。『ニューヨーク・タイムズ』紙が報じた言語学的分析⒀では、ファーバーに続くQの二番目の書き手はロン・ワトキンスだとされたが、報告は既知の容疑者だけを対象としているため、誰も知らない匿名のQの生みの親が分析結果に出ることはない。誰かが自白しないかぎり、いつまでたっても確かなことはわからないだろう。

とはいえ多くのQアノン信者にとって、Qの正体は大した問題ではない。

何年もかけて彼らはQがいなくても前に進むための土台を築いていた。支持者の中には、すでにこのムーブメントを指揮する数十人ものQアノンのインフルエンサーがいるし、8ちゃんの外でもヒントについて話し合えるたくさんのフォーラムがあった。だが何より重要なのは、Qアノンは、Qそのものよりも Qとそのフォロワーがともにつくりだした発想にまつわるものだと、すでに彼らが判断していたことだ。それはつまり、この世界は悪魔崇拝の小児性愛者の秘密結社に支配されていて、これを力で打倒できるのはドナルド・トランプだけだとの共通理解である。

8ちゃんの未来をめぐる争いはワトキンス親子もブレンナンも消耗させたが、それは私みたいな筋金入りのQウォッチャー以外には、ほぼ知られていなかった。Qアノン信者はすでに前に進んでいた。私はアノンたちとの会話を通じて、Q信者の圧倒的多数は8ちゃんのQの投稿に接したことがないに違いないと確信を持った。たとえQが現実には存在しなくても、Qが教えてくれたことは現実なのだとの言い分が通っていた。彼らはまた8ちゃんにおさらばすることができた。はるかに牽引力のあるソーシャルメディアを利用できたからだ。8ちゃんの争いがくすぶるなか、Q軍団は別の場所で膨れあがっていた。ユーチューブ、フェイスブック、ツイッターがQアノンの新たな住処《すみか》になったのだ。

第5章／世界を救う計画

二〇一九年、ノースカロライナ州で暮らすキャロルという女性が、初めてフェイスブックのアカウントをつくった[1]。そしてFOXニュース、それからドナルドとメラニアのトランプ夫妻をお気に入りに追加し、民主党をからかうミームに「いいね」を押した。

フェイスブックのアルゴリズム――キャロルのようなユーザーがどんな「おすすめ」を受けとるかを決定するプログラミング――は彼女をもっと先へと進ませたがった。

フェイスブックに登録して二日後、キャロルは「QWWG1WGA」という名のページに「いいね」を押すようにとの「おすすめ」を受けとったが、それは炎に包まれた「Q」をプロフィール画像にしていた。数日後、フェイスブックは彼女に、Qのヒントのスクリーンショットを載せた別のQアノンのページをチェックするようおすすめしてきた。このページのスローガンは「あなたは偶然を信じるか？」。

キャロルは実在する人物ではない。彼女はフェイスブックの社員の創作物で、彼らはこのサイトのアルゴリズムがキャロルのプロフィールに該当する女性――保守派の南部の母親――を後押《ナッジ》し、いかに陰謀論や偽情報に向かわせるかをテストしていた。キャロルのアカウントに主流の保守派の人間への

「いいね」を蓄積させることで、このサイトのアルゴリズムが、Qアノンやその他の陰謀論や周縁《フリンジ》の理論をチェックするようにユーザーを促すかを観察できた。そもそも最初はこうしたものに何の興味も示していなかった場合でも。

だが高度なアルゴリズムを用いずとも、フェイスブックは世界中でQの新人勧誘のツールになりつつあった。すでにQアノン信者は、自分たちの思想を拡散するためにフェイスブックを活用する方法を独自に見つけていた。二〇二〇年には、フェイスブック上に数千のQアノンのグループと数万人の信者がいた。(2) Qアノンの熱狂的支持者はこのサイトでその成長を加速させた。フェイスブックの自分たちのコミュニティへの招待を送りつけ、Qを支持する一人のユーザーがほんの数カ月で四〇万件近い招待を新入り候補に送りまくっていた。いざQアノンのプライベートグループに入ると、新メンバーはQアノンの物語を説き聞かせられ、このムーブメントの犠牲者を恐怖に陥れる手伝いに誘われる。

二〇二一年にフェイスブックの内部告発者、フランシス・ホーゲンがリークしたキャロルの実験の報告書は、この会社から入手した大量の内部文書の一部だった。ホーゲンのリークによって、フェイスブックはこのムーブメントの成長を煽るのに自社が一役買っているのを何年も前から知っていたとわかった。このリークから、フェイスブックは中立的なプラットフォームとは程遠いものであり、もっと多くのユーザーやアクティビティを求めるあまり、思いがけずQアノンの主要なリクルーターになっていたことが暴露された。

二〇一八年、最高経営責任者のマーク・ザッカーバーグは、フェイスブックユーザー間の反応を促進するようなコンテンツを優先させる決定を下した。(3) この変更はQアノンという、反応を誘発する扇情的なコンテンツをもっぱら頼みとするムーブメントに都合がよかった。反応を引き出すコンテンツを促すことで、ザッカーバーグは迂闊にも自らのプラットフォームをQアノンにとって肥沃《ひよく》な土壌に変えていたのだ。

Qアノンはちゃんサイトで始まったが、フェイスブックやユーチューブ、ツイッターなどの主流のソーシャルプラットフォームがなければ今日のような力を持つことはなかっただろう。こうしたソーシャルメディアのネットワークはちゃんサイトよりも使いやすくて、ユーザーの規模もはるかに大きいことから、このムーブメントの幾何級数的な拡大が可能になった。

二〇一八年の初めにレディットは、主流のソーシャルメディアサイトにおけるQアノンの最初の主要な拠点《ハブ》になった。Q自身は8ちゃんに投稿を続けていたが、最初の従者たちはその行動の大半をレディットに移した。このサイトの上位二つのQアノンのコミュニティ——レディットの用語で「サブレディット」——は合わせて九万人のユーザーを抱え、多いときは一日一万件を超えるコメントが投稿された。レディットの共同体的構造により、最も人気のコメントは票を獲得することでさらに目に留まりやすくなるが、それはQアノン信者の大好きな執拗な集団的探偵行為にはうってつけだった。Qアノンは、8ちゃんに投稿されるQのメッセージを見るよう新たなユーザーに相変わらず促していたが、それでもこのあまり知られていないサイトはQの空想世界においては後退し、かわりにレディットが好まれるようになっていた。

ところが二〇一八年に七カ月間かけてレディットの管理人たちは一連の追放を行ない、Qアノンがこのプラットフォームからほぼ偶然にも締め出されることになった。二〇一八年一〇月に彼らがQアノンの最大のサブレディットを閉鎖した際に、管理人たちはこのコミュニティが「暴力やハラスメント、個人情報の拡散を煽ること」を禁じるレディットのルールに違反したと語った[4]。

レディットからの追放により、このサイト上でQアノンは根絶やしにされた。かくして、このソーシャルメディアネットワークが、もっと規模が大きくて知名度も高いライバルたちよりも、Qアノンの問題に対処するうえで何年も先を行くことになった。とはいえレディットからの追放は、Qアノンそのものに反対する方針でなされたものではなかった。そうではなく、追放されたQアノンのサブレディットが、ハラスメントや「ドキシング〔住所や電話番号などの個人情報を当人の意思に反してインターネット上に公開すること〕」を禁じるレディットの一般的なルールに抵触していたからだ。「Qアノンをプラットフォームから締め出すことをとくに狙ったわけではない」と、二〇二〇年にレディットの最高技術責任者が『アトランティック』誌に語っている。(5)

レディットから締め出されたことで、成長するQアノンのオンライン・コミュニティは分散し、新人たちは怖気づくか、そうでなくても8ちゃんに投稿もできず行き場を失った。ところがまもなくアノンたちは、もっと多くの新人候補が見つかるし、トップがもっと呑気なサイトにたどりついた。ソーシャルメディアのプラットフォームは陰謀論を拡散しようとする誰にでも明らかに利益をもたらす。インターネットが生まれる以前は、奇妙な考えを説く一匹狼の変わり者は、近所や自分の町ですら仲間を見つけるのに苦労しただろう。ところがソーシャルメディア上では、陰謀論者は自分に賛成してくれる人間を世界中から探すことができるのだ。

というわけでレディットから追放されたQアノンたちは、ユーチューブやフェイスブック、ツイッターに行き着いた。それぞれのプラットフォームはQアノンの発展に異なる役割を果たすことになる。ユーチューブはQアノンのネタの膨大なアーカイブとなり、支持者は一〇分間の切り抜き動画《クリップ》へのリンクをメールするだけで誰かを改宗させるチャンスを得た。こうした動画は、薄暗い部屋でだらだらと文句を言い続けるものから、数十人のスタッフで作成した二四時間のライブ配信までと様々だった。

Qアノンの動画には驚くほど説得力を持つものもあった。二〇一八年、ユーチューブにアップロードされた「Q　世界を救う計画」と題したQを支持する初期の動画は、このムーブメントのいわば名刺のごときものになった。「Q　世界を救う計画」はマーベル映画の予告編と新兵募集広告、さらにビデオゲームを同時に見ているような感覚をもたらした。ナレーターが唸るような声で「犯罪者の大統領たち」や見えざる秘密結社についてがなりたてる。トランプだけがこの悪党どもを阻止できるのだ。この動画のロゴは、「Q」の文字に、私刑執行人《ヴィジランテ》を主人公にしたコミック本のヒーロー「パニッシャー」の骸骨マークを組み合わせたものだが、これは「嵐」を待つQアノン信者のお気に入りのシンボルになった。

　この動画は数百万回も視聴され、Qアノンが友人をレッドピルするための手っ取り早い手段になった。元ボストン・レッドソックスのピッチャーで、将来、殿堂入りも予想されるカート・シリングも、その動画のファンだった。

「一度見はじめたらきっと止まらないよ」とシリングはフェイスブックに書いた。

　このアップロードがきっかけで、ドキュメンタリーを偽装したQアノン支持の動画が続々と生まれ、なかには「世界を救う計画」よりも人気の出たものもあった。動画には「暗闇を抜けて《アウトオブシャドウズ》」とか「秘密結社の崩壊」などの不吉な名前がつけられ、それぞれ数百万回も視聴された。

　二〇一八年になると、Qアノンはフェイスブックやツイッター、ユーチューブにおいて成長を続ける支持基盤を築いていた。その年のある調査では、ツイッターだけで数万人を超えるQ信者が活動していたことがわかった。オンラインにおける偽情報の拡散を追跡した研究者らは、こうしたサイトにおけるQアノンの急成長ぶりを調査しはじめた。

　キャロルのテストアカウントの背後にいたフェイスブックの社員だけが、このサイトのアルゴリズムがQアノンの成長を助けていることに気づいたわけではない。二〇一五年、スタンフォード大学の偽情報研究者ルネ・ディレスタは、反ワクチン組織を追跡しようとフェイスブックに偽アカウントをつくった。フェイスブックの「おすすめ」が最初に彼女のアカウントに強く推奨した陰謀論には「ケムトレイル」というものがあったが、これは飛行機が人々をマインドコントロールする化学物質を空中に散布しているとの説だった。フェイスブックのアルゴリズムはさらにコロイダル・シルバーなどのインチキ療法の世界に彼女を誘ったが、この物質はユーザーの皮膚を永久に青く変色させてしまうものだ。このグループがどこで重なり合うかを追跡してディレスタが気づいたのは、ある陰謀論のグループに入ると、フェイスブックが彼女のアカウントを、その陰謀論とは無関係だが同じくらい根も葉もない説を信じるグループに入るよう促すことだった。フェイスブックは、陰謀論のコミュニティどうしをくっつけて、それらをすべて支配するQアノンのようなスーパー陰謀論が生まれるお膳立てをしていたのだ。

二〇一八年、Qアノンがフェイスブックのネットワークにこっそり入ってきたちょうどその頃、ディレスタは自分の偽アカウントに、Qアノンのグループに入るよう促す通知が表示されることに気がついた。ところがフェイスブックのアルゴリズムは、反ワクチンを唱える彼女のテストアカウントにQアノンを宣伝するだけではなかった。他の周縁《フリンジ》のムーブメントに関心のある人々に対しても、Qに向かうよう背中を押していたのだ。フェイスブックのアルゴリズムは、このサイト中のとくに関係のない陰謀論コミュニティの人々をQアノンに引き入れる巨大な漏斗になっていた。フェイスブック上でQアノンのグループは、急進化のための不用品交換会《スワップミート》と化し、そこで反ワクチン活動家は極右武装集団《ミリシア》のメンバーや地球平面説の信者と過激思想を交換し合うことができた。

フェイスブックのレコメンドエンジンが頼りにするのは、ユーザーがこのサイトで過去に示した関心で、それをもとにユーザーが探検できる陰謀論の「ウサギの穴」をこしらえる。どんなものだろうと保守的な、あるいは親トランプ的なものに一度でも関心を示せば、フェイスブックのアルゴリズムによってかなりの確率でQアノンに誘われることになる。

「あなたの視界にこれを送り込んでも、それをクリックするかどうかをあなたは選ぶことができます」ディレスタはそう言って、フェイスブックがどのようにユーザーをQアノンに誘うか説明した。「ですが、あなたがそれをクリックすると、また次のもの、さらに次のものをあなたに見せてくるのです」

フェイスブックはQアノンに、8ちゃんのような規模のはるかに小さなサイトにいたときには決して獲得できなかった規模の会員数を授けてくれた。フェイスブックと違って8ちゃんは、ユーザーをログインしたままにさせ、投稿を続けさせることを狙った高度なアルゴリズムなど持っていない。二〇二〇年一〇月にフェイスブックがようやくQアノンを締め出したときには、すでにこのムーブメントはこのサイト上ですっかり拡散しており、Qアノンを一掃するのに五六〇〇のグループと五万件のフェイスブックプロフィールを削除しなければならなかった(6)。

「フェイスブックがなければQアノンは現在のような形で存在することはなかったでしょう」とディレスタは言う。

ユーチューブやフェイスブックでQアノンが新人募集のやり方をつかんでいた間、ツイッターはQアノンが外の世界に苦痛を与えるための場所になっていた。ツイッターの参加自由の世界にQアノン信者はうまく溶け込み、自分たちの発想を売り込むことができた。Qを支持する人間には、このサイトで数十万人ものフォロワーを獲得した者もいて、Qの投稿を解読し、最近の出来事を自分たちの世界観と結びつけた。ツイッター上のQアノンコミュニティの規模は大きいため、そのアカウントはこのサイトの「トレンド」のページを楽々と席巻でき、Qアノンのハッシュタグを数百万人の眼前に差し出した。政治やメディアの世界で働く人間も好んでツイッターを使うことから、このサイトはQアノンのユーザーが手っ取り早く彼らに接触できる手段になった。朝の番組『フォックス・アンド・フレンド』の、どう見ても無頓着なＦＯＸニュースの司会者が、トランプが最近出したばかりの一連の大統領令が世間で歓迎されていることを示そうと主要なＱのアカウントのツイートを生放送で読みあげると、信者は自分たちが社会的地位を新たに得たことに歓喜し、「我々は今やニュースになった」と宣言した。(7)

だが何にもましてツイッターは、Ｑアノンのフォロワーがその標的に嫌がらせをするための場所だった。誰がＱの敵かを彼らが決める方法は、外の人間には理解できないことも多く、それは素人の暗号解読と環境パラノイアが混じったものを頼りにしていた。

私が自分の報道に対してツイッターで受けとった最悪のものは脅迫メッセージだったが、もっとひどいものを受けとった人たちもいる。二〇一九年五月、ツイッター上でＱアノンの憤怒がカリフォルニア州にある、それまでほぼ知られていなかった小学校に向けられ、子どもたちが危険な状況に晒された。(8)

このＱアノンの新たな追跡のきっかけは奇妙なものだった。元ＦＢＩ長官のジェームズ・コミーが、「#FiveJobsIveHad（私がこれまでにした五つの仕事）」というツイッターのハッシュタグゲームに加わり、自分が過去に就いたことのある仕事を投稿した。たとえば食料雑貨店の店員とか化学者とか。ところがＱアノンのツイッター捜査官たちは、コミーが昔の夏のバイトについて話したのは、実はテロリストの潜伏工作員に合図を送るためだったのだと考えた。「Five Jobs I've Had」だと？　よくよく見れば、これは「Five Jihad（五つの聖戦）」とも読めるじゃないか。それにコミーが挙げた仕事のそれぞれの最初の文字を合わせれば、「GVCSF」という頭字語になる。

そこでカリフォルニア州北部のグラスバレー・チャータースクールが、Ｑのレーダーにひっかかった。この学校には、グラスバレー・チャータースクール財団《ファンデーション》という関連の非営利団体があって、そこが数日後に資金集めのフェスティバルを開くことになっていた。メッセージは一目瞭然だった。コミーは、無辜の生徒を標的とするテロ攻撃を命じていたのだ。

この学校にQアノン信者からの警告が殺到し、どれも資金集めのイベントで発砲事件ないしテロ攻撃が近々起きるだろうと半狂乱で伝えるものだった。主催者はイベントを中止した。見知らぬ人々がフェスティバルに暴力事件が迫っていると騒ぎ立てることで、銃を持った一匹狼をその気にさせかねないと急に怖くなったからだ。

このグラスバレーの件にとくに注目すべき理由は、ごく少数のアノンだけで学校生活を何週間も狂わせることが十分可能だと教えてくれるからだ。コミーが資金集めの会で偽旗攻撃を計画しているといった話はQアノン界の片隅で明かされただけで、コメット・ピンポンほど悪名を轟かせるものにはならなかった。グラスバレーの陰謀論は、主要なQの伝道師でも、Q自身でもない、無名のQ支持者から生まれたものだ。ところがその匿名ユーザーがツイッターを使ってカオスの種を蒔くことができ、すぐにQ信者の一団をその説に夢中にさせ、この学校を襲う兵器にさせたのだ。

さらにツイッターは、逮捕された小児性愛者のセレブたちにまつわる自らの主張を、Qアノン信者が数万人もの人間に喧伝するエンジンになった。新型コロナのパンデミックが起きてまもなく、Qアノンのツイッターユーザーは、トーク番組の司会者オプラ・ウィンフリーが児童虐待容疑で逮捕され起訴されたとの噂を拡散した。ウィンフリーがメーガン・マークルとヘンリー王子にインタビューしていたとき、彼らは彼女のズボンの裾が膨らんで見えたことに注目し、ウィンフリーがQの協力者によって逮捕され、足首にモニターをつけている証拠だとうそぶいた。

《オプラは魔女で、児童性売買カルトの一員だ》とあるツイッターユーザーが書いたが、[9] これはウィンフリーにまつわるよくある投稿の一つだった。

ウィンフリーのこの話は実にばかばかしいものだった。ところがQアノンのユーザーたちはツイッターでのその存在感を利用して、ウィンフリーに対するこのデマ話をトレンドの一位にすることができ、何も知らないツイッターユーザーにオプラは悪魔崇拝者だとの考えを吹き込んだ。それに対してウィンフリーは、自分の邸宅に警察が踏み込んだこともないし、自分が小児性愛者だとの話は《まったくのでたらめだ》とツイートするほどだった。

ツイッター上で陰謀論を喧伝するQアノンの組織《マシン》があまりに力を持ったので、それを動かすためにQそのものはもはや必要でなくなった。このムーブメントはフリーランスの陰謀論者を引き合わせ、彼らに自己流の陰謀論を生みだせるほどのソーシャルメディアの力を授けていた。このQアノンの一団がツイッターの管理者からほぼ邪魔されずに成長できたことは、Qアノン界を超えてはるか先まで拡散される陰謀論の誕生に一役買った。それはウェイフェア児童人身売買計画だ。(10)

二〇二〇年六月、「アメイジング・ポリー」と称するQアノン界で有名な大物が、家具通販サイト「ウェイフェア」に不審な点があるとツイートした。彼女はウェイフェアが販売するキャビネットのうち、一点につきおよそ一万五〇〇〇ドルといった桁外れに高い値で売られている商品があることに気がついた。こうしたキャビネットは「ヤリツァ」や「サミヤ」といった女性の名前の商品名がついていることが多かった。

《直感でピンときたのよ》と彼女が書き込んだ。(11)《この「収納キャビネット」ってどうなってるの？って。値段がべらぼうに高いし、どれにも女の子の名前がついてるし》

アメイジング・ポリーは自分の懸念をはっきり口にしたわけではないが、ほかのQアノン支持者が話に入ってきて、この家具の商品名とその法外な値段とのつながりの謎解きを始めた。そうして彼らが生みだした陰謀論は、この家具の型名は誘拐された本物の子どもの名前だと主張するものだった。

Qアノン信者は行方不明になっている少女たちの名前を調べると、その名前を販売中の家具と照合した。つまり、ウェイフェアとは小児性愛者が子どもの名前のついた家具を買うふりをして、実際は本物の子どもを買うためのオンライン市場だというわけだ。

実に荒唐無稽な話だが、それでもウェイフェアの陰謀論はツイッターのQアノン界隈を超えて拡散した。アリゾナ州に住むインスタグラムの美容インフルエンサーを妻に持つ男は、自らウェイフェアのカスタマーサービスに電話をかけ、一万七〇〇〇ドルのキャビネット一点を注文している様子を撮影した。この動画がきっかけでウェイフェアのデマはインスタグラムのライフスタイル関連コミュニティに喧伝され、そこで数十万人にのぼるフォロワーがこの話を取り上げ、ウェイフェアに説明を求めた。実際の人身売買を防止するためのホットラインには、ウェイフェアに関する電話が突如殺到した。この家具販売会社は本社を自衛するため追加の警備員を雇った。

本当のところ、この法外な価格が表示されたのは、単にこのサイトのアルゴリズムの機能に原因があった。ある商品の価格がまだ入力されていない場合、ウェイフェアは実際の価格が確定される前に商品が販売されるのを防ぐため、デフォルトで法外な価格をつけていたのだ。

「行方不明」の少女の一人、サミヤ・ムーミンという名の一九歳の少女は、そもそも行方不明になどなっていなかった。ムーミンは二年前に一日だけ家出したので、短期間、行方不明として報告されていただけだ。ここにきてムーミンは、私はキャビネットに閉じ込められたことなどありません、とオンラインで見ず知らぬの人々に説明するという、稀有な立場に置かれることになった。人身売買の被害になど遭っていないことを証明するためにフェイスブックに動画を投稿したムーミンは、Qアノン探偵団とコメント欄で言い合いになり、こんなことを続けるならあんたたちをキャビネットに押し込んでやる、と息巻いた。だがムーミンの動画は、ソーシャルメディアを使ってQアノンが無辜の人間の人生をひっくり返してしまうほどの嵐を起こせることを証明したのだ。

「あなたたちの写真を手に入れて、あなたたちが行方不明だって言ってあげる」とムーミンが言った。

「そしたらどんな気持ちがするでしょうね」

権力者にまつわる不満をぶちまける変人は、ハリウッドの街でも珍しくはない。だが彼らがまったく新しい陰謀論ムーブメントの到来の先駆けになることはめったにない。二〇二〇年七月のある日、ハリウッドの街でピケを張るざっと一〇〇人の人々は、もっと若くてヒップな切り口のQアノンだった——これはひとえにソーシャルメディアでつくられたものだ。

この行進のクライマックスで、抗議者はCNNロサンゼルス支局のロビーに侵入した。[12] そこを秘密結社の牙城だと思ったからだ。ピザゲートにまつわるプラカードを掲げながら、デモ参加者はあるメッセージを声を揃えて連呼した。「子どもたち《セーブザチルドレン》を救え！」

抗議に参加した多くは、Qアノンを支持したことがあるような人たちには見えなかった。ソーシャルメディアでQアノンが爆発的に増える以前、平均的なQ信者はトランプ支持者と見た目がよく似ていた。そしておそらく福音派キリスト教の年配の白人だった。服装はトランプの赤にまみれていた。

Qアノン以外では、彼らはたいてい銃規制や移民や中絶について保守的な考えを持っていた。ところがハリウッドのデモ行進でQアノンのプラカードを掲げる人たちは、ステレオタイプのQアノン支持者よりも若くて、白人率も低かった。オーガニックの食料品店に行く途中のような格好をした者もいる。この珍しいQアノン信者は、「子どもたち《セーブザチルドレン》を救え」という組織の新顔で、ソーシャルメディアで急成長するこのムーブメントは、新たなタイプの人間をQアノンに引き抜いていた。

セーブザチルドレンが生まれたのは、その年の初夏、フェイスブックがQアノンのコンテンツを削除しはじめたのが発端だった。この追放を回避しようと、信者たちは「セーブザチルドレン基金」という、一九一九年に設立された児童支援活動を行なう慈善団体が使っていたハッシュタグのもとに集結した。

「セーブザチルドレン」の名を使って活動すればフェイスブックのルールから逃れられると考えたのだ。ところが「セーブザチルドレン」は、フェイスブックの管理人から身を隠す手段以上の意味を持つようになった。なんとそれがソーシャルメディアに訴えかけるスローガンになったのだ——悪魔崇拝者による児童虐待が広まっているとのQアノンの話をその中心に据えていても、それはQドロップや従来のQアノンとは何の関係もないものだった。

セーブザチルドレンが利用したのは従来からのQアノンのお決まりの説だったが、それが現れたのは児童の性的人身売買への関心がちょうど高まっているときだった。大金持ちの小児性愛者ジェフリー・エプスタインが二〇一九年に拘置所内で不審な死を遂げ、公式には首吊り自殺だと発表されたが、この事件は児童を虐待する権力者のエリート層といった発想に世間の関心を改めて引きつけた。それがQアノンの類いのものに、典型的なトランプの支持基盤を超えて広く世間にアプローチする道を拓いたのだ。

セーブザチルドレンはソーシャルメディア上にあるまた別の新種のQアノンと重複していた。その一つ「パステルQアノン」は、Qアノンの宣伝スタイルからその名がついたもので、優しい色使いや筆記体のフォントに溢れたインスタ映えするソフトな感じの画像を取り入れていた。[13] また「Qアマム（QAmom）」は、子どもの福祉に関心を持つ母親を引きつけるその手法から名付けられた。[14] この三つのトレンドはすべてQアノンには目新しいものだ。最初の数カ月の血に飢えたパニッシャーの骸骨のイメージから、それほど恐ろしくはないものに、ソーシャルメディア上でうまいこと変容を遂げていたのだ。

セーブザチルドレンの主導者もまた違っていた。これまでのQアノンの伝道師はもっぱらインターネット上の他の陰謀論コミュニティから現れて、アレックス・ジョーンズ気取りでわめき散らしていたものだが、セーブザチルドレンで何より見かける顔ぶれは、野心溢れるミュージシャンやヨガのインストラクター、ニューエイジのインスタグラムインフルエンサーだ。

セーブザチルドレンはQアノンの中でもクールで、とっつきやすいバージョンだった。謎めいた暗殺者や山火事を起こす宇宙のレーザー光線といった話とかかわるかわりに、セーブザチルドレンは子どもたちを守りたいとの人間の基本的な願望につけ込んだものだった。初めのうちは、そもそも「子どもたち」に誰が何をしているのか説明が曖昧なことも多い。その後、新人がどっぷり仲間入りしてQを調査するようになって初めて、もっと衝撃的な事実が明かされる。スピリチュアリティと陰謀論との交差について語るポッドキャスターのマシュー・レムスキーは、セーブザチルドレンによってQアノンは「ブルジョワ層から一目置かれるようになった」と私に語った。

セーブザチルドレンは、ティックトックなどのソーシャルメディアの新たなアプリでQアノン流の陰謀論が成長するのも助けていた。Qアノンがこのアプリで開花したのは、心配そうな顔をしたティーンたちが過去のピザゲートの投稿を持ち出し話題にしているクリップがきっかけだ。ティックトックで急成長するQアノンは、ティーン向けの話題に的を絞っていた。たとえばジャスティン・ビーバーのとあるミュージックビデオに児童の性的人身売買に注意を促す合図があったかどうか、など。

とはいえQアノンの誰もが、このムーブメントがオンラインで好調な新人勧誘の前哨地を築けたことに胸躍らせたわけではない。従来からQアノンに熱をあげていた人たちにとって、この新たな顔ぶれは――若くて、しばしば有色人種で、ほかの点ではもっとリベラルな――まさにQアノンに入ってほしくない種類の人間だった。

セーブザチルドレンの新たな信者は、人喰いの小児性愛者の秘密結社が実在することを信じていたとしても、多くは依然としてリベラルのままだった。たとえばオレゴン州ポートランドのセーブザチルドレンの活動家は、「小児性愛者を吊るせ」のプラカードに、米移民・関税執行局（ICE）を攻撃する許しがたいプラカードを並べて掲げたことで、Qアノンの古参保守派の逆鱗に触れた。

セーブザチルドレンのデモ行進がアメリカやイギリスで急増すると、Qアノン界のリーダーの一人、ジョーダン・サザーが、連中は真のQアノン支持者などではないとツイートした。第一、MAGAの帽子はどうしたのか？　サザーによれば、彼らが正真正銘のQアノン支持者だと信じられるのは「もっとアメリカ国旗やQのグッズがある」場合だけだった。

セーブザチルドレンは、Qアノンがオンライン上で様々なコミュニティに形を変えられることを証明し、こうしたコミュニティを、子どもたちを守るとの旗印のもとに乗っ取った。二〇一七年に現れて以来、Qアノンはもっぱらトランプ支持者に影響を与えてきた。ところが二〇二〇年には、世界のエリート層や児童虐待にまつわる、新種の人々の不信につけ込むことが可能になった。ソーシャルメディアのおかげで、Qアノンの成長できる場所はトランプや共和党だけではなくなった。

二〇一八年から二〇二〇年にかけて、Qアノンは主要なソーシャルメディアのプラットフォームで着々と拡大してきた。こうしたサイトはときに個人のユーザーやグループを、従来からのルールを破ったために追放することもあった。たとえば脅迫を行なうとか、標的とする人間の個人情報を投稿するとかした場合だ。だが、そうした個人やグループのコンテンツを全面的に禁止することはなかった。Qアノンのフォロワーが Qの名のもとにテロ事件を起こすようになっても、こうしたプラットフォームはQアノンに対してもっと大規模な対応を協力して実行することはなかった。

フェイスブックのアルゴリズムがいかにユーザーをQアノンに近づけるかがわかってから、ディレスタは何年もの間、ソーシャルメディア企業との会合で彼らに断固とした措置をとるよう説得を試みてきた。だが彼女の見たところ、大手テック企業は共和党からの反発を恐れてQアノンを阻止することに躊躇していた。長年にわたり、こうした企業は検閲を行なって非難されるよりも、Qアノンを見て見ぬふりをするほうが楽だとわかっていた。

「何もしなければ現状《ステータスクオ》を維持できるし、誰からも怒られないってわけです」ディレスタは自分の聞いた弁明をこう簡潔にまとめた。

プラットフォームにおけるQアノンの優遇《フリーライド》は、二〇二〇年の大統領選挙の数カ月前についに終わることになる。諸々の追放が起きたのは、まさにこうしたプラットフォーム上のQアノンの存在がシリコンバレーのトップにとって無視できないほど大きくなったときだった。すでにQアノンはさらに大それた標的に目をつけ、ウェイフェアのような企業やクリッシー・テイゲンのようなセレブを追っていた。権力のある人間や業界が攻撃されるようになると、ようやく大手ソーシャルメディアも行動を起こした。七月、ツイッターは七〇〇〇件のQアノンのアカウントを閉鎖したが、この決定はウェイフェアの陰謀論がこのサイトで爆発的に取り上げられた直後のことだ。そのひと月後、フェイスブックはQアノンを「公共の安全に対する重要なリスク」をもたらす制裁対象グループのリストに加え、この変更によってQアノンのフェイスブックグループを見つけるのは前よりも困難になった。

フェイスブックは選挙のひと月前に、Qアノンをさらに厳しく取り締まる措置を取り、「Qアノンを名乗る」いかなるインスタグラムやフェイスブックのアカウントも削除すると宣言した。数日後、ユーチューブもフェイスブックに続き、ピザゲートやQアノンの動画を禁止すると発表した。

トドメとなる措置は議事堂襲撃事件後に行なわれた。事件後、ツイッターとフェイスブックは自社のサイトでさらに数千件のQアノンのアカウントを削除したと発表した。

ソーシャルメディアのプラットフォームは、ついにQアノンに反旗を翻《ひるがえ》した。だが時すでに遅かった。テック大手はこのムーブメントの成長の鍵を握る最も重要な時期に、自社のサイトでQアノンが増殖するのを許していたのだ。それは、新型コロナウイルスのパンデミックが起きたときだ。

第6章／ウイルス負荷《ロード》

二〇二〇年の春にイギリスが新型コロナウイルス感染症によるロックダウンに入ったとき、大学生のレイラ・ヘイは、両親のいる実家にせいぜい数週間戻るくらいだろうと思っていた。修道僧のごとく暮らせば勉強の能率もあがるかもしれないな、などと気楽に考えてもいた。叙事詩研究の授業を早く受けたくて、ロックダウンが明けたら、イングランド北部にあるハル大学で来学期はトップの学生になりたいと思っていた。ソーシャルディスタンスによってオフラインの生活がお預けになると、ヘイは膨大な時間を一人で過ごすことになった。けれど本を開くことはほとんどなかった。かわりにQアノンに一気にはまってしまったのだが、きっかけは、トム・ハンクスは小児性愛者だと語る記事をボーイフレンドがフェイスブックに投稿したことだった。ヘイのボーイフレンドはそれを笑える話だと思った。ところが彼女は、なんて恐ろしい話だろうと思ったのだ。

その二年前、ハリウッドの売れない俳優のアイザック・カッピーは、ハンクスなどのセレブたちを小児性愛者だと告発してQアノンの殿堂に飛び込んだ。[1] まもなくQアノン信者は、かつて俳優なら誰もが羨むほど文句なく万人に愛されていたハンクスを、秘密結社のハリウッド一派の中心人物だとみなすようになった。ハンクスの若々しいハンサムな見た目は六〇代になっても変わらなかったが、それを陰謀論者は、アドレノクロムという、子どもを拷問することにより抽出されるとQアノン信者が信じる活性化物質を常用している証拠だと指摘した。ハンクスがコロナに感染したことを公表すると、Qアノンの伝道師リズ・クロキンは、「ホワイトハット」と呼ばれるQの工作員が「あの人たちの保管していたアドレノクロムをコロナウイルスで汚染させたのだ」と説明した。(2)

ヘイはQアノンの磁力に驚くほど抵抗力がなかった。一九歳のヘイは、自分も思春期を卒業したばかりだったので、権力を持つ人間が子どもたちを虐待しているかもしれないと思うと背筋が凍った。不安障害と診断されていて、自分には手に負えない物事にひどく執着する傾向があった。この世界で最も影響力を持つ人間たちが小児性愛のオカルト儀式で悪魔を崇拝しているといった話は、まさしく彼女の手に負えないことで、だからそれについて書かれたものを読まずにはおれなかった。ロックダウンに入って数週間後には、Qアノンに出会う前にこの世界について自分が知っていると思っていたことはすべて嘘だったと確信するようになった。

ヘイは、パンデミックが生んだ新世代のQアノン信者の仲間入りをしていた。世界中の人々がオンラインでますます長時間を過ごすようになり、この先の暮らしがますます不確かなものになり、この世界がますます以前と違うものに見えてくると、Qアノンへの関心が一気に高まった。だがそれはヘイのように新しく虜になった人たちにとっては、何が真実か区別のつかない新たな恐ろしい世界に入っていくことだった。

ヘイはフェイスブックで友人たちが「フラズルドリップ（Frazzledrip）」(3)というものを話題にしているのを目にした。これは、ヒラリー・クリントンと側近のフーマ・アベディンが悪魔崇拝の儀式で一人の少女を拷問している様子を撮ったとQアノン支持者が信じる動画だ。この女性二人は少女の顔の皮膚を剝いでかぶったりもしたという。この謎めいた動画はQアノン界でトーテム的な力を獲得していた。信者たちは、この動画があまりに不快なものだから、観るだけで命の危険があると訴えた。この怪談話によれば、アベディンの夫で元下院議員のアンソニー・ウィーナーから押収したノートパソコンでこの動画を観たニューヨークの警官数人が、その映像のあまりの恐ろしさに錯乱し、自ら命を絶ったという。「それを知ってから何かもがどうでもよくなったんです」とヘイは言う。「大学の勉強も、友人も、家族もどうでもいいって思って。だって一日が終わる頃には、あの子たちがあんな儀式で殺されてるんですから」

ヘイは恐怖に震え、おまけにパンデミックのせいで、ほとんど一人ぼっちで過ごしていた。友人たちと話すのもやめて、Qアノンの世界にさらにどっぷり浸かって、毎日六時間以上も新たなヒントをリサーチしていた。

ヘイの日常は二つに分かれてしまった。現実世界では、小児性愛者の秘密結社にまつわる自分の話を信じてくれない友人や家族と口論になっていた。そこではオンライン授業や家族との関係といったごく平凡な日々のあれこれに興味のあるふりをし、それからQアノンの世界に戻って、ようやくリサーチを再開できるのだった。子どもを性的に虐待する悪魔の儀式についてQが明かした話は、彼女を絶えず苦しめることになった。のちに自分がパンデミックに背中を押されてQアノンに向かったことを振り返り、ヘイは自分の生活がQアノンに乗っ取られてしまったのだと語る。「それが私のすべてになってしまったんです」

「Qアノンなんて信じたくなかった」と彼女は言う。「でも信じちゃったんです。気候変動を信じるのと同じように。気候変動が本当だなんて信じたくないけど、それが本当だってのはわかってるから」

ヘイはロックダウンの夏を朦朧《もうろう》とした気分で過ごした。Qアノンによって頭に詰め込まれたおぞましい映像のせいでうつっぽくなりながら、それでもそうしたものをもっと見つけようとリサーチをやめられなかった。もうすぐ始まる大学の新学期に備えて勉強するかわりに、秘密結社による悪行を微細にわたり調べつくした。秋が来て大学での最初のオンライン授業にログインし、気がつくと教授が何を話しているのかさっぱりわからなくなっていた。

それでもパンデミック下でのヘイとQアノンとの遭遇は、ついに終わりを迎えた。他のアノンたちはQを自らのアイデンティティに取り込んだが、ヘイはこれが真実ではないことを自分に納得させようと必死に努力した。そしてQアノンについて調査するジャーナリストや研究者のツイッターフィードを限なく読んだが、どれもこれがフェイクだと納得させてはくれなかった。そんなとき、あるツイッターのスレッドで、(4) 実際には現実にならなかった数十ものQの予言がリストアップされているのを目にしたのだ。このスレッドを見て、彼女はついに腑に落ちた。それは、彼女の友人や家族が苛立ちながら何時間もかけて口論しても叶わなかったことだった。Qアノンが真実でないことを、とうとう彼女は悟ったのだ。

不安やパニックに襲われたアノンとして過ごした数カ月を振り返り、ヘイはこのムーブメントから自分が、たとえそれを信じていたときでも、必死で抜け出す努力ができたのは幸運だったと考える。驚くことに、パンデミック下で仲間になるのをその目で見てきた多くのQアノン支持者が、Qが彼らのためにつくった世界にいまだ安住しているようだった。

「あのときは本当にそれしか考えられなかったんです」と彼女は言う。

新型コロナの蔓延《まんえん》が世界を席巻するようになると、偽情報が蔓延するのに格好の状況も生まれた。突如、アメリカだけで数千万人が自宅で仕事をするようになった。さらに数百万人が仕事を失った。そして誰もがインターネットにますます時間を費やすようになった。新型コロナが出現したとき、Qアノンは死に体も同然になっていた。エルパソの銃乱射事件後に8ちゃんがダウンすると、Qは住処を失った。フォロワーたちはリーダーを失い、昨今の出来事に対するQの解釈を知る術もなくなった。

「8くん」に再び現れるまでQが数ヵ月、沈黙を続けたために、Qの信憑性は損なわれることになった。Qのメッセージをフォロワーたちに届けることは、とてつもなく重要な、愛国的犠牲を伴うミッションとされ、それは米軍の最高のテクノロジーのなせるものとされていた。だが8ちゃんがダウンしたことで、Qは、ジム・ワトキンスという口ひげを生やした変わり者の、アメリカ社会を救うより自分を批判する人間をトロールするのにはるかに関心を持つらしい男の技術力を完全に頼みにしていることが露呈したのだ。

私はQアノンの拡散を二年にわたって取材してきたが、それもついに終わりに近づいたかに思えた。その間ずっと私は、Qアノンとは一つの外れた予測にすぎないか、あるいは突拍子もない話題をつくったのちに完全崩壊するものと思っていたのだが、結局それは成長を続けることになった。ところが二〇一九年も終わりに近づく頃には、Qアノンもそろそろ衰えを見せていた。QアノンのTシャツはトランプ集会で以前より目につかなくなったし、どんな形でもいいから共和党主流派の成功を願う識者たちにとって、Qアノンについて言及するのは流行遅れになっていた。それは昨シーズンのトレンドだったかに思えた。二〇一九年九月、私はQ信者にインタビューしようとノースカロライナ州のトランプ集会に出かけた。シークレットサービスをごまかしてQのシンボルをこっそり持ち込もうとする者がせめて一人くらいはいるかと思ったのだ。ところがこの集会でQアノン支持を明かす者には誰一人会えなかった——バッグにこっそり入れて持ち込んだ一個のQバッジも見当たらなければ、「我々は一致団結して……」のスローガンも一度も叫ばれなかった。

トランピアンとQの蜜月は終わったかに見えた。二年にわたって予言が外れたあと、信者はどこかに消えつつあった。秘密結社について知ることも、さほど切羽詰まったものではなくなった。Qは、マラーの調査が始まって数カ月間は現れていたが、それはトランプの大統領の座が怪しくなって、彼の支持者が何でもいいから嬉しいニュースを欲しがっていたときだ。だが二〇一九年の秋にマラーの調査は終わった。そこでトランプのとりわけ熱心な支持者たちは、ファンタジーの世界に逃げ込む必要がなくなった。

Qの住処がオンラインに戻ってきたとき、新型のウイルスが中国の都市、武漢《ウーハン》に拡散しはじめた。新型コロナのパンデミックは全世界を、記憶にあるかぎり前例のない危機に陥れ、仕事や健康、政治について世界中の人々の考え方を変えてしまった。この混乱によってQアノンは改めて一目置かれるようになり、アメリカ国外での成長に弾みがつき、それまで自分を陰謀論者とは思ったこともなかった信奉者を新しく獲得した。学校や会社が閉鎖されたそのときに、Qアノンは営業を再開していた。

パンデミック以前だと、新人のアノンが徹底的に急進化するには、人生のかなりの部分をこれに捧げる必要があった。何時間も何日も謎めいたQの投稿に目を通し、解読されたばかりの暗号の最新の解釈に追いつこうと、さらなる時間を費やした。Qアノンの登場人物に名を連ねる数百人ものパーソナリティを、良い人間も悪い人間も知っておく必要があり、こうした情報はユーチューブの動画をとりとめもなく見ていても、ほんのちょっぴりしか得られないものだ。Qアノンの最新情報を常に把握しておくことは、いわばフルタイムの仕事だった。

パンデミックの初期にQアノンの人気が急上昇する一方、Q自身はこのウイルスについてほとんど無視を決め込んでいた。Qは三年近くにわたり、世界を揺るがす出来事が迫っていると約束してきた。ところがいざそれが訪れると、Qは口を噤《つぐ》んでしまった。その隙にQアノン界のリーダーやそのフォロワーたちが、パンデミックへの独自の対応を考案しはじめた。そうして生まれた陰謀論の網《ウエブ》は、Qアノンの水準からしても、矛盾をはらむ雑然としたものになった。マスクは世界的な独裁政治の台頭に人々が従順でいられるかどうかを試すためのもの、あるいは誘拐された子どもが通行人に助けを求められないようにして人身売買を隠蔽するためのものだ。このウイルスはデマで、その害はインフルエンザと大差ない。あるいは、それは途方もなく恐ろしいもので、中国と米政府のアンソニー・ファウチ博士がトランプの再選を妨害するためにこしらえたものだ。ワクチンには、市民を追跡するマイクロチップが入っているか、あるいはテック界の大物ビル・ゲイツとその仲間がこの世界を支配すべく集団絶滅を引き起こすものだ。

誰がウイルスをつくったか詳細は霧の中でも、Qアノン信者は何か怪しいことが起きていて、このウイルスは人工的につくられたもので、その目的は世界のエリート集団に力を与えて一般人を奴隷にすることだとの話のもとに集結した。マイケル・フリンが言うように「これはすなわち単一世界秩序《ワンワールドオーダー》が関係しているのだ」。

パンデミックをめぐる恐怖や怒りは、常々陰謀論の温床になってきた[5]。中世ヨーロッパでは、ペストへの恐怖がユダヤ人に対する暴力の拡散を招いた。この病気を広めているのはユダヤ人のせいだとされたからだ。ペストが猛威を振るうなか、ユダヤ人集団虐殺《ポグロム》によってヨーロッパ各地で一〇〇〇を超えるユダヤ人コミュニティが一掃され、判事はユダヤ人が井戸に毒を入れて病気を拡散したとの裁定を下した。一八三〇年代にコレラが発生したときは、医者や政府の工作員が福祉制度に頼る貧困者を淘汰すべくこの病気を拡散しているとの噂が広まった。ロシアではコレラを治療する病院に群衆が押し入って医療従事者を襲い、イギリスではコレラ患者がその遺体を医学校に売るために殺されているとの噂を聞いて暴徒が医師たちを襲撃した。

だがペストを生き延びた者は、ツイッター上に誰もいなかった。

パンデミックが始まってすぐの激動の数カ月に、Qアノンのコンテンツが主要なソーシャルメディアのプラットフォームで急増したが、そのとき、至るところで人々が突如、この世界の状況に対する答えを必死に探しはじめていた。二〇二〇年の三月から七月にかけて、Qアノンのアクティビティはソーシャルメディアで著しく成長し、インスタグラムで七七パーセント、ツイッターで六三パーセント、フェイスブックでは一七五パーセントを超えて上昇したことが、イギリスのシンクタンク、戦略対話研究所（ISD）の報告でわかっている。[6]「WWG1WGA」や「アドレノクロム」などQアノン関連の用語のグーグル検索も同じく上昇し、二〇一八年にトランプ集会にQアノン信者が殺到したとき以来、さらに二〇一九年に億万長者の小児性愛者ジェフリー・エプスタインが謎の死を遂げたとき以来、この陰謀論が検索エンジンのトラフィックでピークを記録した。

パンデミックを最も象徴する場所には、Qアノンの推論における格好のネタになったものもあった。溢れかえるコロナ患者を収容するためキリスト教の慈善団体がニューヨークのセントラルパークで野戦病院を開くと、Qアノンの有名人、ティモシー・チャールズ・ホルムセスが、テントが設置されたのはまったく異なる目的からだと吹聴した。このパンデミックは、小児性愛者の地下基地に潜む秘密結社に軍事攻撃を仕掛けるための偽装なのだとホルムセスは説明した。戦闘が終われば、セントラルパークのこのテントが、救出された「地下の子どもたち」のリハビリ施設になるだろう。

ニューヨーク市とロサンゼルスに派遣された海軍の病院船にも陰謀論者は目をつけた。これらの船は地下の子どもたちの救出作戦を担っているか、あるいはパンデミックへの対応を装って何か別の役目を果たしている。ロサンゼルスでは、毎晩遅くまでQアノンのサイトに目を通していた鉄道技師が、ある病院船の近くを走る列車をわざと脱線させた。[7] 彼はこの船の真の目的を明かすべくメディアの注目を集めたかったからだと説明し、その目的とは健康な人間を「排除する」計画に絡んでいるのではないかと疑っていた。逮捕後にQアノン流の言葉を吐き散らしながら、技師はこの脱線が「人々を覚醒させる」だろうとFBI捜査官に話した。

Qアノンのソーシャルメディア・キャンペーンは、さらに信者を地元の病院へ我先にと向かわせた——とはいえ誰かを手伝うためではない。二〇二〇年の四月、コロナの発生という共有されるトラウマが、被害者を支援すべく世界の大半の人間を奮起させ団結させているように見えてひと月も経たないときに、アノンたちは「#FilmYourHospital（あなたの病院を撮影せよ《フィルム・ユア・ホスピタル》）」と互いに呼びかけていた。スマートフォンを手に、パンデミックは大袈裟だとか真っ赤な嘘だと思い込んだ人々が、空っぽの病院のロビーや駐車場の動画を撮影した。「フィルム・ユア・ホスピタル」の少なくとも一人の首謀者は、このウイルスがさほど恐ろしいものではないことを証明しようと、病院のセキュリティをかいくぐりコロナ病棟に押し入った。状況がそんなに深刻ならば患者は皆どこにいるのか？「フィルム・ユア・ホスピタル」の支持者たちはそう問いかけた。駐車場が空っぽだったのは、当然ながら病院は面会を禁止していて、病気の拡散を防ぐためコロナに関係のない診療はほとんどキャンセルしていたことで説明がつく。それでもこうした動画はQアノンのコンテンツ製造工場《ミル》にとってはさらなる好材料になった。

ソーシャルメディア上でQの持つ力のおかげで、この陰謀論はウイルスに関する偽情報を次々に繰り出す強力なマシンになり、しかもQアノンを支持すると一見わからない陰謀論のコンテンツを媒介する役割も担っていた。そしてパンデミックになってほんの二カ月で、Qアノンは数百万人を新型コロナの陰謀論に呼び込む動画の拡散に重要な役目を果たしていた。

二〇二〇年五月、「プランデミック」と呼ばれるよくできた動画がフェイスブックで急速に拡散し、一週間で八〇〇〇万回も視聴された。動画の主役を務めるジュディ・マイコヴィッツ博士は、これまでも奇っ怪な説を主張してきた科学者だ。研究者としての彼女の評判は二〇一一年にひどく傷がついたのだが、それは慢性疲労症候群の原因はウイルスにあると書いた彼女の論文が物議を醸したからだった。マイコヴィッツの論文は当初、この不可解な病気についての重大な発見と思われたが、これを発表した専門誌は、他の研究所がこの実験の結果を再現できなかったのち彼女の論文を撤回した。[8] マイコヴィッツはこの敗北に向き合うどころか、主流の科学界にあっさりと背を向けた。新型コロナウイルス感染症が現れると、彼女はファウチが自分に高度な策略を仕掛けたのだと言いだした。

マイコヴィッツは動画でおかしな新発想をこれでもかと披露し、新型コロナは米軍の研究所で生物兵器としてつくられた可能性があるだとか、このウイルスは海辺に出かければ退治できるだとか、マスクをつければ新型コロナウイルス感染症をどういうわけか「発症」させると吹聴した。彼女の話は突拍子もないものだが、それでもこの動画のドキュメンタリー風のつくりからマイコヴィッツは信頼できる内部告発者のように見えた。フェイスブックやユーチューブは動画を削除しようとしたが、マイコヴィッツの新たな熱狂的支持者たちが、削除されるとすぐにコピーをアップロードしてこの動画を生かしつづけた。

「プランデミック」はマイコヴィッツを一躍スターにしたが、そもそもこれはカリフォルニア州に住むほぼ無名の五二歳の映像作家ミッキ・ウィリスが作ったものだ。[9] ウィリスは新型コロナウイルス感染症が合衆国に広がりだす前にすでに友人を介してマイコヴィッツと会っていた。パンデミックが始まってまもなく、ウィリスはマイコヴィッツにこのウイルスをどう思うかと尋ね、彼女の答えに感銘を受けた。そこでパンデミックに関するマイコヴィッツの異端の発想を記録することにし、動画の制作費はわずか二〇〇〇ドルで足りるだろうと話した。

「私たちはこの動画をバイラル化するようにつくったのです」ウィリスは『ロサンゼルス・タイムズ』

紙に得意げに語った。

オンラインで「プランデミック」を成功させるためには、Qアノンを仲間に入れる必要があった。ウィリスはマイコヴィッツを有名なQ支持者でグーグルの元社員ザック・ホルヒースに紹介した。[10] ホルヒースは「プランデミック」をヒットさせる計画を企てた。右派のインフルエンサーたちに送った動画でホルヒースは、「プランデミック」が配信されたらすぐにこれを宣伝するよう頼み、これは「大いなる覚醒の一環」になるだろうと請け合った。そしてこの動画が話題になる前にマイコヴィッツがツイッターアカウントを作るのを手伝い、彼女のファンが彼女を見つけられる拠点をこしらえた。Qを支持し二万五〇〇〇人近いフォロワーを持つフェイスブックのあるグループは、「プランデミック」が世に出ると早々にこれを投稿し、「必見の作」だと宣言した。

『ニューヨーク・タイムズ』紙の調査では、このたった一つのグループから一五〇〇人以上がこの動画を再投稿し、「プランデミック」を自分たちの個々のネットワーク内、さらにはQアノンの当初の文脈をはるかに超えて拡散させた。[11]「プランデミック」はフェイスブックの各所で注目を集め、UFOが映っているらしき米国防総省《ペンタゴン》の動画といった似たような必見映像の視聴回数をはるかに追い越した。ロックダウンの規制中止を求める集会で、マイコヴィッツの名前が書かれた抗議のプラカードが目につくようになった。パンデミック対策に反対する人々の前に、Q組織《マシン》の計らいによって新たなヒーローが登場したのだ。

コロナウイルスのおかげでQアノンは息を吹き返した。だがこのムーブメントのあらゆる階層のQフォロワーがワクチン接種を拒否すると、その信念が命を脅かすことになった。Qアノンはその核心部分に既存体制への不信がある。メディアや政府、大手企業は総力をあげて自分や自分の子どもたちを捕まえようとしている。信頼できる人間はQとトランプだけだ。この根深い不信のせいで、Qアノンは、国民が政府の役人や製薬会社を信頼することが求められる公衆衛生の危機下における障害となった。また不信に駆られて、Qアノン信者は代替品を求めるよう背中を押された。

パンデミックのごく当初から、Qアノンは、良くて役に立たず、悪くて命にかかわる新型コロナウイルスの治療法の情報センターになっていた。Qアノン界のリーダーたちやソーシャルメディアのグループが最初に受け入れたのは、トランプがパンデミックの即効薬として宣伝した安価なマラリアの薬、ヒドロキシクロロキンだ。だがヒドロキシクロロキンに対する希望は次第に薄れ、トランプがコロナに感染して入院中に自分ではこれを使用しなかったとわかると、Qアノンはほぼこれを見限った。とはいえ奇跡の薬の売人たちは止まらなかった。Qの支持者はすぐさまイベルメクチンという、寄生虫を殺すのに使われる薬に目を向けた。だがまたもやイベルメクチンにも、このウイルスの治療に効果がある確たる証拠はなかった。とはいえ、これもまた安価であり、信者にとっては大手製薬会社が提供する新型コロナウイルス感染症対策を回避する抜け道に見えた。こうした薬はQの信徒にすれば驚くべき新発見だった。マイクロチップ入りの秘密結社のワクチンや、ビル・ゲイツがつくった致死的な化学物質のカクテルをしぶしぶ受け入れる必要はなくなった。かわりにイベルメクチンやヒドロキシクロロキンがあるのだから。

だが大半の医師は、どちらの薬も効果が証明されていないとの理由で処方することを拒否した。とはいえ不安を訴える信者に進んで処方箋を書くような医師は、このチャンスに飛びついた——要は金を稼げるからだ。イベルメクチンを推奨する医師の中には「アメリカズ・フロントライン・ドクターズ」と称する団体を結成し、この団体を使ってこの薬を新型コロナの治療薬として宣伝する者もいた。さらにオンラインの診察に一〇〇ドル近くを請求した。[12] 患者たちはこの団体から紹介された薬局で数百ドルも過剰請求されたとオンラインで苦情を言った[13]。

インターネットの民間療法に等しいものをQアノンが受容したために、信者はこのウイルスとの正面衝突を避けられなくなった。二〇二一年の夏になると、ワクチンを拒否するQアノン支持者が直面する真のリスクが傍目にも明らかになった。Qアノンの有名人たちはパンデミックのおかげで新たに獲得した人気に便乗し、各種の大会や全米ツアーにまで出かけていった。こうしたイベントに集まる人々は、その性質上、一般人よりもワクチン接種率やマスク装着率が低かった。だからQアノンの集会がスーパースプレッダーのイベントにならないわけがなかった。

二〇二一年七月のある日、ペンシルヴェニア州の体育館は、マスクをつけていない数百人のQアノンの熱狂的支持者でひしめき合っていた。彼らのお目当ては、スコット・マッケイ――彼のファンには「パトリオット・ストリートファイター」として知られる――という名の戦斧《トマホーク》を持ったQアノン界のリーダーだ。マッケイは斧で空《くう》を切ると、民主党員を処刑してやるぞ、と威勢のいい言葉を吐いた。とはいえマッケイが吠え、彼のファンたちが喝采を送るなか、集会の空気は新型コロナウイルスのスープと化し、マッケイとその取り巻きを病気にし、しまいに彼の高齢の父親の命まで奪った。

陰謀論者で自称元CIA職員のロバート・デイヴィッド・スティールは、早くからQアノンを支持していたが、彼もこの夏に全米を回っていた。そして彼もまたこのウイルスに感染して病気になった。それでも病院のベッドでスティールは、ワクチンの接種も、さらには新型コロナウイルス感染症が本物の病気であることも認めようとしなかった。それでも、酸素マスクをつけた写真を載せたブログの投稿で、彼は自分の見通しが芳《かんば》しくないことを打ち明けた。

「要は俺の肺は機能していないんだ」とスティールは書いた[14]。

一週間後、スティールは亡くなった。被害妄想的なフォロワーたちは、彼の死を自分たちがワクチン接種を受けるべき証拠だとみなすかわりに、スティールは、このウイルスのさらなる爆弾級の真実が暴露されるのを阻止するために殺害されたのだと主張した。

その他大勢のQアノンのフォロワーたちも命を落とすことになる。シカゴに住む高齢のヴェロニカ・ウォルスキーは、Qの仲間内では愛すべきおばあちゃん的存在として知られていたが、それは高速道路の上の歩道橋で彼女がQアノンのメッセージを書いたプラカードを掲げていたからだ。ウォルスキーはワクチン接種を拒否し、新型コロナの感染予防のための種々の義務を無視し、ローン・レンジャー風のアイマスクをつけて店に入るところを自撮りしたが、それは店の「マスク」の条件を満たすためだった。フォロワーが集まりだしたおかげで彼女はマイケル・フリンとの面会まで果たしていた。

ところがついにコロナウイルスが彼女を襲った。ウォルスキーが入院すると、病院にはQアノンの支持者からイベルメクチンを彼女に投与するよう求める電話が殺到した。このウイルスによりウォルスキーが死亡すると、Qアノンのフォロワーたちは彼女が「医療殺人」の犠牲になったと息巻いた。

二〇二一年の春、私はコロナ否定論とQアノンとの遭遇をこの目で見ようとオクラホマ州に飛んだ。ロックダウンが始まってから一年ちょっとが過ぎた頃で、Qを支持するリーダー的人物、反ワクチン活動家、そして州の共和党トップが、「健康と自由の会議」のためにタルサ郊外の巨大教会《メガチャーチ》で一堂に会するのだが、このイベントがコロナ懐疑論とQとの連合のカミングアウトパーティになるのは間違いなかった。

アメリカでは連日まだ数百人が新型コロナで亡くなっていて、ワクチンがようやく成人全員に利用できるようになったばかりだった。それでもこの会議を主催する前途有望な極右の人物で、地元の政治家のなりそこないのクレイ・クラークは、全米中からやってくる、全員がマスクとワクチンを嫌悪する数千人を一つの部屋に詰め込むことに躊躇はしなかった。陰謀論を交換し合って週末を過ごした後、会議の最後を飾るのはマスクを燃やす祝いの儀式だ。

とはいえクラークのイベントはたんに新型コロナウイルス感染症にまつわるものだけではなかった。彼の宣伝用の資料にQのシンボルは見つからないが、登壇者のリストにはQアノンの伝道師がずらりと並んでいる。インターネットのラジオ番組を持つ、ピザゲートとQアノンの有名な推進者アン・ヴァンダースティールも来る予定だ。どっぷりレッドピルされている元トランプ陣営の写真家ジーン・ホーは、このイベントに顔を出すとりわけビッグネームの一人として持ち上げられていた。とはいえクラークはさほど名の知られていないQアノン界のリーダーも招待していた。たとえば、Qアノンのごく辺縁に首を突っ込んでいる元ボクサーのデイヴィッド・ニーノ・ロドリゲスなどだ。

このQ界の有名どころが一つのイベントに顔を出すのは偶然ではなかった。タルサの会議は、パンデミックによる規制に反対する主流派保守のムーブメントという、Qアノンの新たな装いを誇示するものになるだろう。それをこの目で見なくてはならないのはわかっていた。だがセキュリティは厳重だった。会議の準備段階で主催者側は、左派の反ファシスト運動「アンティファ」の活動家による攻撃を警戒すべきだと何度も話していた——タルサから車で三〇分の準郊外、しかもアンティファの温床と称されるいかなる地からも一〇〇〇マイル離れた場所では、その心配もほぼ無用と思われたが。主催者側は、とりわけ右派の記者以外ほぼ全員立ち入り禁止だとも宣言していた。

私はチケットを買うのに本名を使ったが、それでも怒ったQアノンの熱狂的支持者に気づかれて追い出されるか、もっとひどい目に遭うのを避けるため変装の必要があるのは承知していた。ほんの数カ月前にAP通信のカメラマンが一月六日の怒れる暴徒に袋叩きにされたのを目撃したのだが、それは暴徒の一人がこのカメラマンをアンティファだとなじったからだった。会議が始まる一時間前、私はアウトドア用品店で変装グッズを購入した。アビエーターサングラスと野球帽。ワクチン接種はまだ全回済んでいないものの、こうして私はパンデミック下のQアノンに突入する準備ができた。会場に向かいながら、私はこの日コロナにかかることを十分に覚悟していた。一月六日の襲撃事件の前の晩、クラークはワシントンでスピーチし、初対面の人たちと抱擁しようと聴衆に呼びかけ、この集会は「大量拡散《マススプレッダー》イベント！」になるだろうと宣言していたからだ[15]。

会場に入るチケットをもらったとき、友だちが一人できた――彼女はマスクをつけるのを拒否したせいで仕事をやめることになった経緯を話してくれた。パンデミックに入って一年以上経った現在もまだ失業中だが、懐具合が寂しくなるのを気にしてはいなかった。神さまが必要なものを与えてくださっているからと彼女は言う。

私たちの後ろにいた二人の女性は知り合ったばかりで、Qの最新の陰謀論をかなりの早口で交換し合っていた。バイデンは本当は大統領なんかじゃないし、テレビで見るホワイトハウスはエンターテインメント業界の大物タイラー・ペリーのアトランタにあるスタジオのセットなのよ。最近スエズ運河を封鎖した巨大コンテナ船は、秘密結社のために奴隷にされた子どもたちを運んでるんだから。

「たぶんクリントンの財団とウォルマートがあの船を持ってるはず」と一人の女性が言う。「どうやらあの船には子どもが一二〇〇人もいたらしい。なんてひどい話！」

もう一人の女性は、成人した息子が子どもたちにワクチンを打たせるつもりがないことが嬉しくて仕方ないと言う。けれど彼女のできたばかりの友人はそれほど幸運ではなかった。

「あたしは家族も友だちもほとんど失くしそう」

列に並んで教会に入っていくと、ちょうどクラークがマイクの前に立っていて、ざっと五〇〇〇人の人々が開会を待っていた。彼の発言から判断するに、いまだクラークはウイルスを拡散することに情熱を燃やしていた。

「知らない誰かとハグしましょう」とクラークが言った。「コロナに殺されたりなどしませんよ!」

二日間のあいだ教会は、一年間のパンデミック下の生活のせいで火のついた奇妙な熱気に沸いていた。反ワクチン団体の有力な弁護士がパンティストッキングを頭にかぶって、マスクに関係する何かを証明しようとしていた。ところが何を言っているのかよくわからず、それはパンティストッキングのせいでもごもごとしか聞こえなかったからだが、聴衆にはウケていた。ニュージャージー州に住むジムのオーナーが壇上にあがり、自分がマスクに関する州の法律を無視した話を得意げに語ると、聴衆は彼のジムが潰れないようにと寄付を回しはじめた。スピーチが終わると、彼は現金でパンパンに膨れた袋を二つ抱えてステージを降りた。

会場に入るため私と一緒に並んでいた人たちは、Qの話が聞けると期待に胸弾ませていた。とはいえ最初のうちは、Qに好意的な演者もこのムーブメントのことには触れなかった。マイケル・フリンが登場したが、「我々は一致団結して進んでゆく」のフレーズをお義理にですら口にしなかった。陰謀論にまつわるFOXニュースもどきの「報道」で知られる、豊かな金髪のオンライン動画パーソナリティ、ヴァンダースティールからは、間違いなくQアノンについて何か一言聞けるだろうと思っていた。ところが彼女は壇上にあがると、イギリス王室がアメリカの独立革命の仕返しに新型コロナを拡散させたとの持論を語るだけだった。「自分たちの植民地を取り戻したいんですよ!」

親トランプの弁護士リン・ウッドが出てきて、ようやく聴衆の胸に溢れる情熱が解き放たれた。会議での二度のスピーチで、ウッドは聴衆がずっと求めていたものを差し出した。いまだQの虜であることを表に出してよいとの許しである。ウッドはかつて名誉毀損が専門のスター弁護士で、アトランタ・オリンピックでの爆破事件の犯人として誤認逮捕されたリチャード・ジュエルの弁護を引き受けて名声を高めた。だから二〇二〇年にウッドが自分のツイッタープロフィールにWWG1WGAを付け加えると、法律関係者たちは仰天した。最初のうち、ウッドはQアノンをすっかり受け入れているわけではなかった。ツイッタープロフィールの変更はQアノンになったことを意味するのかと大統領選挙の前に彼に電話で尋ねてみた。彼は、ただフリンが七月四日の独立記念日に家族とQアノンの誓いを立てている動画を見て、フリンに敬意を表してこの言葉をプロフィールに加えただけだと言い張った。

「私にはQアノンが何かもよくわかりません」とウッドは言った。

ところがタルサに現れた頃には、Qアノンが何かウッドがわかっているのは疑いようもなかった。最後に彼と話して以来、ウッドは二〇二〇年の大統領選挙にまつわる陰謀論を受け入れることで一気に出世していた。Qが黙り込むと、ウッドはフォロワーにとっていわばQの代理となり、自分に反対する怪しげな陰謀があることをほのめかし、マイク・ペンスの処刑を呼びかけた。さらに最高裁判所長官のジョン・ロバーツは悪魔崇拝の小児性愛者だと言いだした――これはウッドに都合のいい話だった。というのも彼の法律関係の元パートナーたちの話では、ウッドは最高裁のロバーツの立場に就きたくて仕方なかったからだ。ウッドは成人になった子どもたちと疎遠になり、選挙結果を覆そうとした容疑でジョージア州の弁護士資格剥奪の審査にかけられていた。

大会初日の夜に壇上に立ったウッドは、まるでスタンダップコメディアンとテント伝道集会の説教師とをミックスしたようだった。ステージの上をふらふら歩いたり、飛んだり跳ねたりしながら、医療体制やビル・ゲイツについてジョークを飛ばしては、怒りをぶちまけてを交互に繰り返した。それから、この大会で初めてのことだが、彼はQアノンについて口にしたのだ。

「次の動きから目を離さないでください」とウッドは聴衆に語り、それから手で「Q」の文字を繰り返しなぞった。「ほら、皆さんの「Q」がここにありますよ！」

それはまるでウッドが手榴弾のピンを抜いたかのようだった。何千人もの聴衆が、このQという文字を思い浮かべただけで一斉に立ち上がり、歓声をあげたのだ。真のパンデミックとは子どもの人身売買なのです、とウッドは言った。この大会は「健康と自由」がテーマだったとしても、ウッドにとって何より重要なのは「幼い子どもたちの健康」だった。

「Qは児童の人身売買を嫌っていて、Qはイルミナティを嫌っていて、Qは悪魔崇拝を嫌っているのです」ウッドは南部訛《なま》りのよく響く声で言った。

聴衆がどっと沸いた。連日お行儀よく座ったまま、学校でのマスク装着義務は違法だといった類いの話を聞いた末に、ようやく自分たちが食いつけそうなものをもらえたのだ。秘密結社の血なまぐさい暴力、そして自分たちの敵についに復讐できるチャンスを。ワクチンやマスクといった現実世界の政策に関する問題を大っぴらに話すのもいいが、それは彼らが本当に聞きたいことではなかった。

ウッドの演説はまったく狂気の沙汰だったが、それはこの部屋の数千人、そしてこの会議をオンラインで視聴しているさらに多くの人々が共有する集団妄想だった。この聴衆がそもそもQアノンに惹かれたのは、彼らがロックダウンの命令に反対していたからかもしれないし、あるいはこの世界のパンデミックの状況をメディアや政府やテレビの医師にはできない形で説明してくれたからかもしれない。とはいえ彼らが一時間近くもウッドに喝采を送り、拍手をし、民主党に銃殺隊を送るべきだとの呼びかけに賛同するのを眺めるうちに、彼らは、マスク法に抗議するよりはるかに大それた、そして危険な何かに飛びつく気満々でいるとわかってきた。Qアノンはパンデミックに順応し、その過程でその支持基盤を成長させていた。そしてパンデミックが落ち着くと、Qアノンはその起源に立ち戻り、新たに集まった人々をもっと暗い場所に導いている。新型コロナはQアノンの核となる物語、すなわち政治的殺人という暴力的なファンタジーへの入り口にすぎなかった。

第7章／マトゥーンの魔法使い

イリノイ州マトゥーンは、年に一度のベーグル・フェスティバルで最も知られる、アメリカ中西部にある肉体労働者《ブルーカラー》の工場と農業の街だ。ところが一九九〇年代に数百万ドルもの金がこの街に入ってくるようになり、それは政府当局の目にとまらぬよう一度に一〇〇ドルずつアルミホイルに包まれた形で届けられた。(1)

突如、この街に富があまねく広まった。マトゥーンの郵便局では、詰め込みすぎの袋が破れて現金がこぼれ落ちた。労働者階級の住民が数百万ドルを自分たちの銀行口座に預金した。郡保安官代理がボートとハーレーダビッドソンのバイクを購入した。(2) 新しい製材所ができるとともに、パン屋と簡易食堂も開店した。倒産寸前に見えた建設会社に新品のトラックがずらりと並ぶようになった。

この謎めいた棚ぼたの富を追っていくと、すべてがクライド・フッドという、つまらぬ詐欺を過去に何度か働いた電気技術者にたどりつく。マトゥーンで彼の金がどこから来るのか知る者はほどんどいなかったが、彼には金がたっぷりあった。彼はビジネスに乗り出すと、友人たちに相当な額の無利子の債権を配りはじめた。そしてマトゥーンの住民たちを雇って、自分の謎めいた所得の流れを扱う手伝いをさせた。フッドは建設現場から銃を盗むのを手伝ったかどで有罪判決を受けた過去があり[3]、インディアナ州では石油会社の偽の証券を売ろうと企てたが、自首をせずに起訴を免れていた。だからフッドがマトゥーンの新たな後援者の立場に就いたことに、地元の人間が驚くのも無理はなかった。質素な家で妻と暮らすフッドは、金融界の魔術師とはおよそ縁のない人間に見えた。

「彼は、以前就いた仕事にビリヤード場の支配人も挙げていました」と『マトゥーン・ジャーナル・ガゼット』の犯罪専門記者、カール・ウォルワースが振り返る。「ビリヤード場に行ったらクライドに会えたでしょうよ」

フッドが現在何をしているにしろ、それが実入りのいいものに違いないのはマトゥーンの住民にもわかっていた。フッドは希少価値の高い車を一ダース以上コレクションしていた[4]。またヨーロッパに出かけ、カリブ地方と中東に資産を隠していた。フッドがビリヤード場によくいるタイプの男に見えたとしても問題はなかった。のちに五〇〇〇万ドルと見積もられる大金を彼に送ってよこした、全米中の数万を超える人々にとって、彼は神に遣わされた救世主だった。

一九九四年、フッドは全国各地を回って集会を開くようになり、マトゥーンの外の世界の人間には、自分を銀行界でもトップクラスのやり手だと説明していた[5]。フッドいわく、自分は「プライム銀行券」——最もコネのある投資家以外お断りの排他的な金融システムで、世界で最も裕福な一族がリスクのない投資で膨大な利益を得ている——を取引する資格を持っている世界でたった八人のうちの一人なのだ。そうしてプライム銀行券でひと財産築くと、フッドは神からのメッセージを受けとった。聖霊がフッドのもとを訪れて、「オメガ信託取引」と称する投資プールをつくり、「一般庶民《リトルピープル》」にそれぞれ一〇〇ドルを出資させることで「主の倉庫を満杯にするように」と命じたのだ[6]。小規模投資家の金をプライム銀行券のシステムに注《つ》ぎ込むことで、ごく普通のアメリカ人を、かつては大君やヨーロッパの貴族のものだった膨大な利益につなげることができるだろう。フッドはオメガに投資してくれそうな人たちに、一口一〇〇ドルを出資すれば九カ月後に五〇倍の利益が得られ、それを三度にわたり繰り返し投資できると約束した。ということは、一口一〇〇ドルの出資がほんの数年で一二五〇万ドルになるわけだ。

フッドがポートランドのモーテルでセールストークをする動画が全米中の教会組織で拡散され、信徒たちは巨額の金をマトゥーンに送ることにした。ワシントン州のあるカイロプラクターは引退し、すぐにも億万長者になれると思って、貯めた金を全額オメガに注ぎ込み、アイスクリーム店のオーナーは店を売って、五万ドルをこのファンドに送った。[7] フッドは一ダースを超える人間を雇って新規の投資家を集めさせ、金を数えるためのオフィスを借りた。フッドの仕事仲間の一人はオフィスで働く掃除婦まで勧誘し、老後の蓄えを投資するよう説得した。

言うまでもなくプライム銀行券などというものは世に存在しなかった。素人投資家に「秘密の」銀行システムを利用できると約束するのは、一九九〇年代にかなりよくある詐欺行為になっていたので、米当局は、フッドのような詐欺師たちが、騙しとった金を分け合っているのではないかと怪しんだ。この詐欺は世界中に広がり、被害者リストは長くなり、チェコ共和国やシカゴの年金基金、南太平洋の島国ナウルの政府まで入っていた。[8] この信用詐欺はまた多種多様なペテン師を引き寄せ、あるプロ野球の元ピッチャーは、こうした秘密の銀行からべらぼうに高い利益が得られると約束し、投資家から七〇〇万ドルを騙しとった。そしてその金をかわりに競馬で使い果たし、とうとうFBIに逮捕された。一九九四年、プライム銀行券について調べていた法律学教授は、この詐欺の実行犯からすでに総額五億ドルが盗みとられていると見積もった。とはいえフッドの犯罪者仲間は彼ほど成功することもなく、また賢くもなかった。フッドは教会を詐欺の標的にして数千万ドルを掻き集めた。教会のネットワークを活用し、自らの儲けを増やしたのだ。そして自分の邪魔をして小規模投資家を抑え込む権力者にまつわる陰謀論をこれでもかと持ち出した。フッドはつねに数カ月先の決まった日に利益を配ると約束したが、いつまでたっても金を用意することはなかった。オメガの投資家たちは直通電話《ホットライン》サービスに電話をかけることもできたが、するとフッドが残した一番新しい言い訳の録音メッセージを聞くことになる。たとえば地球の磁気のせいでフッドの衛星が障害をきたし資金の転送が遅れている、[9]などなど。ホットラインを設けていた五年間にフッドは録音メッセージを七二回も更新し、多額の支払い期日を決まってほんのちょっとだけ先に延ばすのだった。

とはいえ自分たちが騙されているとも気づかずに、大半の「オメガン」はフッドの説明を真に受けた。そして極悪非道の外部勢力が自分たちの人生の転機となるはずの支払日を遅らせているに違いないと掲示板で不満を漏らした。あるホットラインのメッセージでフッドが言うには、「おびただしい数の個人や組織」――政府やライバルの銀行家――は自分たちが受けとるはずの莫大な利益がフッドの投資家の手に渡るのが気に食わないのだ。オメガンたちは、政府のスパイに見つからないよう積立金の現金をアルミホイルに包んで郵送するよう指示された。

あまりに多くの金がオメガに流れたので、一体いくらフッドが稼いだのか検察も正確には把握できなかった。のちに、一九九四年から二〇〇〇年にかけてフッドとオメガが得た利益は二〇〇〇万ドルから五〇〇〇万ドルの間と推定された。

「一〇〇ドル札をアルミホイルに包めと言われたら、なんだかおかしいと思うはずでしょうが、そう思わない人間が大勢いたんですよ」とウォルワースが言う。

オメガやQのような話の虜になる大勢の人間は、いつまでたっても起きることのない、世界が変わる瞬間を待ち望む。そして自分たちの予想がはずれると、かえって自分の信じる説にのめり込み、このムーブメントの外にいて彼らが騙されているのがわかっている人々を仰天させる。自らの利益が損なわれても陰謀論を信じるのはなぜなのか。それが喫緊の問題になるのは、陰謀論を信じる者が暴力を働き、家族関係を壊し、ワクチンを拒否するよう互いに呼びかけるときだ。だがシラキュース大学の宗教学教授マイケル・バーカンが一九八〇年代に陰謀論に興味を持ったとき、人々がなぜ陰謀論に心を奪われるかについての学術的な研究はほぼ存在しなかった。全米で白人至上主義のテロリストらに動機を与えた陰謀論好きの過激なキリスト教一派についての本を書きはじめたバーカンは、陰謀論について、さらにアメリカの政治にそれが果たす役割についてもっと知りたくなった。

歴史家のリチャード・ホフスタッターは、歴史に残る一九六四年の論考「アメリカ政治におけるパラノイア的手法」で、熱狂的な反共主義者で保守派のバリー・ゴールドウォーターの数十年かけて敗北に終わった大統領選に注目し、現代アメリカにおける陰謀論研究を構築した。だがホフスタッターの論考から二〇年を経ても、他にバーカンが拠り所にできるものはあまりなかった。陰謀論の新進研究者の中には、ホフスタッターの主な主張の一つ――陰謀論はごく少数派《フリンジ》にしか受容されない、いわばアメリカ政治の逸脱だった――のせいで、生まれつつある自分たちの専門分野の研究が止まってしまったと感じた者もいた。ホフスタッターに批判的な人々は、彼の主張に反して、陰謀論はアメリカの政治や文化において建国以前から強い力を持ち、それはセーレムの魔女裁判〔一六九二年にマサチューセッツ植民地セーレムで行なわれた魔女裁判。一九人が絞首刑、一五〇人が投獄〕にまで遡ると主張した。[10]

アメリカの歴史には、主流の政治に表出する陰謀論が溢れている。[11] 建国当初からトマス・ジェファソンの政敵は、彼がヨーロッパのイルミナティの組織と結託していると非難していた。[12] 一八三〇年代にアメリカのプロテスタントは、押し寄せるカトリック系移民に反発し、カトリックの聖職者が教会学校でプロテスタントの少女を性的に虐待しているといった話に心奪われたが、それはローマ教皇とオーストリア帝国のカトリック教会最高位聖職者が企んだ計画だとされていた[13]。またアメリカが奴隷制の是非によって二分されると、奴隷制廃止論者は「奴隷権力」にまつわる陰謀論によって発奮したが、この説は、奴隷制廃止論者の死はすべて奴隷制支持州が指揮する暗殺者の一大ネットワークが関与しているというものだった[14]。

だが陰謀論を明確に定義するのは難しい場合もある。どんなに突拍子もないことを信じている人でも、自分が陰謀論者だとおいそれと認めたくないからだ。Qアノン研究の最前線にいるマイアミ大学教授のジョセフ・ユージンスキは、二〇一四年に同僚とともに陰謀論を次のように要約した[15]。「権力を持つ人間、すなわち陰謀を企む者の小規模な集団が、自らの利益のために公益に反して秘密裏に活動することを主たる原因とした、過去の、あるいは現在進行中の、あるいは未来の出来事の説明」。別の学術的な定義によれば、陰謀論とは「個人の集団を、社会に害をもたらすか、今後もたらすだろう計画を指揮していると不当に非難する説明」だという[16]。

だがバーカンは陰謀論について自らの定義を持つ。バーカンいわく、信者にとっては「何ごとも偶然には起きないし、何ごとも見ての通りのものではないし、何もかもがつながり合っている」[17]。Qアノン信者が、どんなランダムな出来事も——米太平洋沿岸沖で瞬く光とか、スエズ運河を走り回る船とか——それはエアフォースワンの撃墜計画だとか、ヒラリー・クリントンのもとに子どもたちをこっそり運ぶ頓挫した計画の証拠だと考えるとき、バーカンの定義がぴたりと当てはまる。

目に見えぬ悪意ある勢力がこの世界を支配していると信じることの魅力は、人種やジェンダー、階級の垣根を越えるものだ。個人の失敗を、隠れた秘密結社の悪行のせいにするのは明らかに心惹かれることだ。自身の問題の責任を取らずに済むのだから。またそれは複雑な世界を簡単に説明もしてくれる。予測不能な意味不明の恐ろしい出来事がいきなり起きるのを引き受けるかわりに、信者たちは悲劇的な出来事を陰謀のせいにすることで、この世界をもっと単純明快なものにできるのだ。

Qアノンとは、とりわけ不朽の陰謀論、すなわち「超陰謀論」のアメリカにおける最新例だ。あらゆる出来事を「はるか彼方にあるものの全権力を有する邪悪な勢力」とバーカンが呼ぶもののせいにして、もっと小規模な幾つもの陰謀論の説明をつける陰謀論だ。一九九〇年代に、福音派幹部や陰謀論者がラジオのトーク番組に出て、ウェーコでの包囲戦やUFOの目撃、全米の都市で増え続ける薬物依存など、一見まったく異なる出来事の背後に邪悪な「新世界秩序」が働いているのだと吹聴した。同じようにQアノン信者も、トランプの二〇二〇年の大統領選敗北と新型コロナのパンデミック、児童性的虐待といった問題をすべて謎めいた秘密結社のせいにする筋の通った一つの物語に仕立てあげる。悪党どもの名前は変わっても、一つの強大な勢力がこの世界を支配していると信じたい人間の願望は変わらない。

一九九八年にシャイニ・グッドウィンがオメガに出会ったときも、クライド・フッドは自分に投資した人たちに神の命により数十億ドルを分け与えるとまだ約束していた。(18) グッドウィンはフッドに二〇〇ドルを送ったが、たとえ二口分でも、フッドが英仏海峡にある銀行からオメガの利益を転送してくれればかなりの資産になるはずだった。

オメガが約束してくれた金がなければ、グッドウィンの未来にどうにも希望はなさそうだった。五〇代前半のグッドウィンは、ワシントン州の田舎で病気の母親とダブルワイドのトレーラーハウスで暮らしていた。彼女は過去に経済的な問題を抱え、破産も一度している。オメガの株主になったとき、グッドウィンは一万二〇〇〇ドルの連邦租税先取特権〔税金滞納者の資産に対する国の抵当権〕のことが気がかりだった。また傍流の信仰にも首を突っ込んでいて、覚醒のためのラムサの学校――ワシントン州のカルトと評される団体で、そのリーダーは、ラムサという名の三万五〇〇〇歳の戦士と交信できるという

——で授業を受けていた。

オメガのフォーラムでグッドウィンは「ワンネスの鳩」と名乗り、オメガの観察《ウォッチング》にニューエイジのスピリチュアリティを吹き込むようになった。自らを「北西部の内部告発者《ディープスロート》」と呼び、自分はオメガの支払いが近々あることを証明する内部情報にアクセスできるとうそぶいた。グッドウィンは落胆していたオメガンの間で支持を集めた。またオメガに関するもっと明るい情報を聞きたがる投資家に寄付をせがむようにもなった。

二〇〇〇年の八月のある日、グッドウィンがオメガに出資して二年後、連邦政府の法執行機関がフッドとその妻、さらに一七人の仲間を逮捕した。フッドは結局、罪を認め、禁固一四年の刑を受け、他の被告人に不利な証言をすることに同意した。だがフッドが手下の一人に不利な証言をした際に、オメガはぼったくりだと認め、これを「ペテン」と呼んだ後も、オメガンたちは相変わらず信じるのをやめなかった。彼らはフッドがオメガは詐欺だと検察に言わされているのだと考えた。そしてこの世界は爬虫類に似た宇宙人に支配されているとのイギリスの陰謀論者デイヴィッド・アイクの話を信じ、このトカゲ人間がオメガの支払いを遅らせているのだと結論した。オメガンたちの揺るぎない希望から幾つかの悲しい出来事が起きた。オンラインでオメガの幹部は、ネイビーシールズがおそらくピザの配達員を装って特定の日に投資家たちに巨額の支払金を配達するだろうと断言した。(19) オメガの株主たちは自宅で数百万ドルが届くのを待っていようと仕事を休み、ピザの配達員が通りかかると窓の外をそっと覗いた。ところがいつまでたっても金は届かなかった。またフッドの保釈金を集めるために募金活動をする者もいて、彼らはフッドが刑務所の外に出て取引をあと一回できればオメガは成功に転じるはずだと信じていた。

オメガの金がまもなく届く証拠を探してインターネットを読み漁っていたグッドウィンは、ハーヴェイ・バーナードというルイジアナ州の一風変わったエンジニアの書いた文章を見つけた。[20] 彼は自分がアメリカの経済を救う法律を書いたのだと信じていて、その法案を「国家経済安全保障改革法」ないし「ネサラ（NESARA）」と呼んだ。そして法案のコピー一〇〇〇部を議会事務局に送り、法案が速やかに通過するのを待っていた。だが誰一人としてハーヴェイ・バーナードもネサラのことも聞いたことがなかったため、法案は一も二もなく無視された。

バーナードの法案が米国議会のゴミ箱行きになってだいぶ経った頃に、グッドウィンが彼のネサラのサイトを発見した。バーナードの元の法案はオメガとは何の関係もなかったが、グッドウィンは彼の許可を得ることなく、それをはるかに先に進めた。ネサラはただの素人の経済理論などではありません、とグッドウィンはフォロワーたちに語った――それはこの世界全体を立て直すための法案なのです、と。ネサラはクレジットカードの負債も、住宅ローンの支払いも、さらには連邦銀行も消滅させるものだ。そしてオメガはネサラの五〇のプログラムの一つにすぎず、それぞれのプログラムがごく普通の人々に驚くほどの富を授けてくれるだろう。とりわけ自分の五桁の税金滞納を心配していたグッドウィンは、ネサラは所得税も国税庁（IRS）も廃止するだろうと話した。

何よりグッドウィンはオメガンたちに、すでに二〇〇〇年には議会がネサラを可決していたとまで語った。英雄的な兵士がさほど寛大とはいえないクーデターという形で民主主義的プロセスの裏をかく、Qアノンの「嵐」を思わせる話の中で、グッドウィンは特殊部隊の兵士たちがビル・クリントンに銃を突きつけネサラに署名するよう命じたのだと断言した。ところがなんと、関与した人間が誰もこの法案のことを口外しないように最高裁判所が一時的に報道禁止令を出した。だがグッドウィンだけは真実を明かすことができるのだ。

グッドウィンがトレーラーハウスから情報をせっせと更新するうちに、ネサラは形を変えはじめた。[21]

善良なるよそ者たちがこの混合物に加わった。グッドウィンはオメガの詐欺とはまったく関係のないファンを獲得し、ついに一万五〇〇〇人以上を自分のメッセージに引きつけた。この謎めいた法の支持者からの投書が新聞各紙に殺到し、ネサラについて公表するよう連邦議会に要求した。信者は光熱費の請求書に「NESARA NOW（今やネサラあり）」と書き込み、この法律が自分たちの負債を免除してくれるとの理由で支払いを拒否した。ネサラの施行を求めるハガキが最高裁判所に殺到した。首都ワシントンの通りを歩く人々は、ネサラを求める広告宣伝車が街を走り回るのを当惑しながら眺めていた。

のちにQアノン支持者は、世界で起きる新たな出来事を、「嵐」に先立ち善意の「ホワイトハット」と悪意の「ブラックハット」が戦っているしるしだと解釈するのだが、グッドウィンは何もかもを、良い「ホワイト騎士《ナイト》」と、悪い「ダーク計画《アジェンダ》」との戦いとし、すべての中心にネサラを法律化するための戦いがあると考えた。二〇〇一年九月一一日の同時多発テロはアメリカ政府が計画したもので、目的は連邦準備銀行が世界貿易センターのオフィスでネサラを成立させるのを阻止することにあった。主婦のライフスタイルを指南するカリスマのマーサ・スチュワートは、ネサラを支持したためにインサイダー取引の濡れ衣を着せられたのだ。二〇一四年にマレーシア航空機が消息を絶ったときは、陰謀論を支持する幾つかのブログが、消えた乗客はネサラを監督する宇宙人の人質に自ら進んでなったと断言した。とはいえグッドウィンもまた、彼女に先立つフッドや、後に出てくるQと同様に、ネサラが施行される偉大なる瞬間の日付を変更しては、毎回数カ月先に延ばした。そしてQと同様、彼女もまた敵の抹殺にまつわるおぞましい話で聴衆を胸躍らせ、あるときは、この法律に反対する「銀行家一〇万人」が「すでに根絶された」とうそぶいた。

グッドウィンの架空の世界は二〇一〇年に彼女が亡くなった後も生き続けた。彼女の死後、ネサラのサイトの管理人は、グッドウィンは宇宙人にメッセージを送るために自ら犠牲となったのだと説明した。

だがそれはまんざら悪いニュースでもなかった。このウェブマスターは、グッドウィンは亡くなる前に「かなり有望な利益」を約束する取引を幾つか準備していたと発表した。今必要なのはただ彼女のファンからの少しのお金だけだった。

今日《こんにち》、ゲサラ（GESARA）――「national（国家の）」が「global（世界の）」に変わった――と呼ばれることのほうが多いネサラは、Qアノンの物語に不可欠な要素になっている。初期のQアノン信者がヒントを懸命に解こうとしたように、ネサラをすでに信じる陰謀論者は、Qは自分たちの法律について話していたのだと断言した。ネサラは「嵐」を待つQアノン信者の身に直接関係するものを与えてくれる。それは借金も病気もない世界。Qアノンのフォロワーは「NESARA/GESARA」とプラカードに書き、自分たちを待つ理想の世界について語り合う。

研究者らは、何が一部の人に陰謀論を支持し、信じやすくさせるのかを見つけるべく努力している。この世界を白か黒かで判断したがる二元論的世界観を持つ人は陰謀論を支持しやすいことを示唆する研究もある。陰謀論主義に向かう傾向を示す他の要因には、厳密なヒエラルキーを好むとか、人間の性質に対する悲観的な見方や他者への強い不信感を持つとか、この世界を「強者が弱者を支配する」ジャングルとみなすなどがある。[22] 陰謀論を信じる人は自らのアイデンティティ集団――彼らの宗教、彼らの人種、彼らの国――が邪悪な外部集団のせいで苦しんでいるといった妄想を語ることも少なくない。

「それが富豪層の集団の場合もあれば、ユダヤ人の場合もあります」とバーカンは語る。

陰謀論は信者に、この世界を見るうえで自分が普通の人より賢く感じられる機会を与えて彼らに自己主体感をもたらすか、少なくとも、自分にはどう見ても手に負えないと思えるものへの理解を授けてくれる。「自分はこの欺瞞やでたらめ《ブルシット》を見抜ける数少ない人間だと感じさせてくれるのです」と陰謀論を研究するマンチェスター大学教授ピーター・ナイトは言う。

陰謀論を信じることは、ほかの否定的な行動をも促しかねない。エイズは政府がつくったものだとの陰謀論を信じる人は、性行為中にコンドームを使用する確率が低いことが研究でわかっている。[23] 別の研究者のグループによれば、陰謀論者は普通の人よりも政治的暴力を支持する可能性がはるかに高いという。[24]

だがQアノンのようにどれほど奇妙に思えるものでも、陰謀論的思考はおおむね世間に広まっている。二〇一三年のある研究[25]では、調査したアメリカ人の六三パーセントが、四つの陰謀論のどれかを信じているかと聞かれて、少なくとも一つの陰謀論を信じていると答えた。それはバラク・オバマが自分の幼少期にまつわる重要な情報を隠しているとか、政府は九月一一日の同時多発テロを事前に知っていたとか、二〇一二年の大統領選挙は深刻な不正投票によって台無しにされた、といったものだ。二〇〇四年もしくは二〇一一年に実施された別の調査[26]では、ユダヤ人と石油企業がイラク戦争を起こしたという説から、ジョージ・ソロスがアメリカ政府を意図的に弱体化させているとの説まで七つの選択肢を提示されると、調査したアメリカ人の五五パーセントが少なくとも一つの陰謀論を信じているのがわかった。この調査で回答者の二五パーセントが信じていた一番人気の陰謀論は、銀行家が連邦準備銀行の力を強めるべく二〇〇八年の金融危機を引き起こしたというものだ。

陰謀論を信じるようになる要因は一つではない。だが何年もQアノン信者と話をしてきて、私は政治的心情を超えた共通点があることに気がついた。往々にして彼らはこの世界の状況や、その中に置かれた自分の立場に腹を立てているようだった。反対に、彼らはQがどうやら情報を自分と共有してくれることに特別な喜びを感じ、自分を普通の人とは違うものにしてくれるこの秘密を謳歌している。ある信者は、自分たちは誰より先にこうした情報を得ているのだと微笑みながら私に言った。先の見えぬ混沌としたこの世界で、Qアノンのような陰謀論は人々に信頼できる何かを与えているのだ。

「彼らの多くはまったく普通の人間です」とバーカンが陰謀論者を評して言う。「こう片付けるのは簡単でしょう。「彼らは皆、頭のおかしな連中だ」と。ですが、そうではないのです」

人が陰謀論を信じる理由についての研究は増えているが、それが実際に自分の家で起きたとしたら、ひどく動揺することだろう。二〇二〇年、ポートランドに住む専業主婦のアマンダは、Qアノンに自分の家族が奪われるさまを目にすることになった。「何もかもすっかり変わってしまいました」とアマンダが私に言う。「それまで当たり前と思っていた現実がひっくり返っちゃって、もう前の自分には戻れません」

アマンダのおじ、つまり彼女の母親の兄弟は、陰謀論に長いこと首を突っ込んでいて、地球の内部に活気溢れる別世界が存在するとの疑似科学「地球空洞説」について調べてみるよう身内に勧めていた。アマンダと母親は、おじのばかげたフェイスブックの投稿を笑い飛ばしていたものだ。ところがパンデミックに入って数カ月すると、アマンダは母親が「本物の」英国王――ジョセフ・グレゴリー・ハレットという名のニュージーランドの男性――について書き込んでいることに気がついたが、英国の王位継承権を滑稽にも主張するこの男の話をQアノン信者は受け入れていた。[27] アマンダはこうした投稿を放っておいたが、母親はますますQアノンにまつわる書き込みをし、とうとう自分の娘をブロックしたのだが、それは娘が彼女のフェイスブックのページでQを批判するのを止めるためだった。

まもなく別の身内もQアノンに加わった。彼女のおじが付き合っていた警官が、防災用品を揃えるよう一家を説得し、トランプが闇の政府を再び支配下に置くまでの間、この国は一〇日間、ほぼ機能しなくなると断言した。またアマンダの祖父がフェイスブックに投稿したミームは、ワクチンによる被害のせいでビル・ゲイツがインドで裁判にかけられているものだ。とはいえ祖父はこのミームを信じてはいなかった。すでにゲイツは処刑されたと語るまた別の投稿を読んでいたからだ。

「私と家族の関係は、本当にすっかり変わっちゃったんです」とアマンダが言う。

アマンダは一年近くうつ状態になり、一日に何時間も横になって過ごした。家族、とりわけ母親がQアノンを支持するあまり自分を責めてくることにどうにも納得がいかなかった。

「それまで母はまともだったし、おじのことを一緒に笑ってたのに、ある日気がついたら、すっかりはまっちゃってたんです」

Qアノンが家族に広まるのを見ていて、アマンダは以前に見たテレビの自然ドキュメンタリー番組をふと思い出した。ある熱帯の真菌が昆虫の頭に入り込んで、その体を破裂させて拡散するのだ。

「真菌をくっつけた芋虫や蟻が高いところまで登っていって、それから破裂してみんなにそれをばらまくんです」とアマンダが言う。「ちょうどそんな感じ。それでもうおしまいってわけです」

ネサラとQアノンは、どちらも「至福千年説」と呼ばれる政治的ないし宗教的ムーブメントに分類される。これはユートピア的世界がまもなく訪れるという信仰だ。千年王国運動は初期のキリスト教からその名がついたもので、彼らは至福千年の始まりにキリストが再臨し世界が変わると考えた。ごく最近になって学者らは千年王国運動を、この世界が最後に画期的な変化を経て、未曾有《みぞう》の平和と繁栄の時代が訪れると信じる集団だと概括した。この新世界の恩恵を受ける唯一の人間は、往々にして、それが起きることを前もって信じていた人たちだ。彼らは宗教界の者の場合も、また俗世界の者の場合もある。ソヴィエト共産主義、ナチズム、またアルカイダやＩＳＩＳのようなムスリムのテロ組織は、どれも千年王国運動として説明される。

アメリカの最も有名な千年王国運動は、他の多くのものと同様に失望のなかで終わった。[28] 一八三一年から説教師のウィリアム・ミラーはニューヨーク中の数千人の人々に、この世界は一八四四年三月二一日にキリストが地上に戻ってきて終わりを迎えると説いていた。ミラー派と呼ばれたミラーの信奉者は、彼の予言を熱心に説いて回り、新たな時代に備えていた。三月二一日が来て、そして去っていったが、ミラーの信奉者はおおむね諦めることはなかった。そして、キリストが再臨するとミラーが再度予言した日が何事もなく過ぎて初めて、ミラーの運動は瞬時に崩壊し、のちにそれは「大いなる失望」と呼ばれるようになった。

Qアノンは「現在」にとくに目を向けているようにも見え、フォロワーたちは8ちゃんの投稿やトランプの手ぶりの意味を議論し合う。だがそのゴールはユートピア的なものだ。それは、すこぶる暴力的な「嵐」ののちに訪れる秘密結社なき後の世界で、それにはネサラ流の経済的ユートピアが伴うことが多い。借金や病気から解放され、自分の身辺の状況が改善することへのこうした願いからは、信者にとって誰がホワイトハウスを支配するかということよりも切羽詰まった問題があるのがわかる。彼らはそれが自分たちの人生で最も大切なもの、すなわち自分の子どもたちや財政状況、健康にかかわることだと考える。彼らにとっては一身上の話なのだ。

陰謀論がはずれると支持者は選択を迫られる。自分が間違っていたことを認めて屈辱に向き合うか、あるいは、さらに自分の信念にのめり込むか。「そんなふうに何かに精神的に没頭すると、「自分は間違っていた」と認めることがあまりに割が合わないから、荒唐無稽なものでも何かの理屈を受け入れるほうが、「自分は間違いを犯した」と言うよりまだましに思えるのかもしれません」とバーカンは言う。

バツが悪くても自分は間違っていたと認めるオメガンは、結局のところほとんどいなかった。最終的に連邦当局はフッドがオメガを介して盗んだとされる一二五〇万ドルを回収し、返済の一部にするためクラシックカーもすべて売却した。当局が一万人と推定される被害者に金を受けとる機会を与えると、申請してきたのはたったの三六八人で、彼らは賠償金の一六九万ドルを受けとった。オメガンたちは、自分の金の返還を求めるかわりに、フッドをはじめとするオメガの共謀者の裁判が開かれる法廷の外に現れて、自分たちを騙していた人間たちへの支持を表明した。

押収した金の大半を分配できなかったことに、フッドとその仲間を逮捕した検察官エステバン・F・サンチェスは驚いた。数千人が金を返してもらうべく申請してくると予想していたからだ。ところが大半のオメガンは相変わらず信じるのをやめなかった。政府の補償金プールからの返金を申請すれば、フッドの計画が実現したあかつきには数百万ドルを損してしまうと恐れたからだ。不平満々のオメガンたちの目から見れば、フッドの詐欺が招いた損害の埋め合わせをするサンチェスの努力は、自分たちから財産を奪うまた別の計画にすぎなかった。

「この大勢の人たちはいまだに大金が入ってくると信じているんですよ。そんなことはないとあれほど口を酸っぱくして言ってもね」とサンチェスは語る。[29]

第8章／知った者は眠れない

ある晩、キム・ピカツィオが遅くまで仕事をしていると、フロリダ州フォート・ローダーデールの警察官が十数人、拳銃を手にオフィスに飛び込んできた。

「大丈夫ですか？」と一人が言った。「キム・ピカツィオさんですね？」

警官が言うに、ピカツィオは命の危険にさらされているという。FBIと連邦保安局もこの場に来ていた。すぐにここから逃げなければならない。警官たちにオフィスから連れ出されながら、ピカツィオはもう元の人生には二度と戻れない気がしていた——Qアノンが自分に死んでほしいと思っているのだ。

その日までピカツィオは、フロリダ州南部で家族法専門の弁護士業を順調に営む、人当たりのよい弁護士だった。ところが今やユーチューブでQアノンの番組を見た全米中の数万人の人々が、彼女のことを史上最大級の悪党だと思っているのだ。彼らから見れば、彼女は子どもを誘拐して売買し、それから悪魔崇拝の儀式の生贄にする秘密結社の親玉だった。その目的は、子どもたちの血液から貴重な物質を抽出するためだという。こうしたユーチューブの視聴者は、彼女を阻止すべく自ら直接行動を起こすよう命じられた——必要とあらば一発の弾丸によって。

Qアノンの伝道師で、九・一一の陰謀論者となった元航空機のパイロット、フィールド・マコーネル[1]は、ピカツィオを捕まえてグアンタナモ収容所に送るのだと自分の熱心な支持者たちをけしかけた。刀で頭部を切断されたピカツィオの加工写真をひらひらと見せながら、マコーネルは彼女の電話番号と住所をオンラインの視聴者に読みあげた。「あんたは俺の目を逃れられないし、あんたには死んでもらう」マコーネルはピカツィオについて動画でそう語った。「これでよくわかっただろう」

「ひどい話でしょ？」とピカツィオが私に言う。「うちには子どもが三人いるんですよ。どうしたらいいのか、まったくわかりませんでした」

「悪魔崇拝の儀式による虐待」という話にQアノンが傾注するのはいかにもばかばかしく思えるが、それには前例がないわけではない。このムーブメントが児童人身売買やオカルト的な虐待にこだわる根っこには、それ以前に起きた集団ヒステリーの存在がある。一九八〇年代の「悪魔的儀式虐待騒動《サタニック・パニック》」だ。このときは突如、国中の専門職に就くごく普通の人間が悪魔崇拝の儀式で子どもたちを虐待しているのではないかとの懸念が喫緊の問題となった。Qアノンとサタニック・パニックの両者が教えてくれるのは、いつもなら善意に満ちた大人が、子どもが悪魔崇拝のカルトに虐待されているといった恐ろしい話を前にすると、何が真実かをすっかり見失ってしまうおそれがあることだ。

　このサタニック・パニックは一九八三年、カリフォルニア州のマンハッタン・ビーチで発生した。ジュディ・ジョンソンという女性が、自分の二歳になる息子が「マクマーティン保育園」で性的に虐待されたに違いないと考えた[2]。理由は彼女が言うに、息子が肛門を痒《かゆ》がったからだった。自分が疑いを持った証拠としてジョンソンが他に挙げたものも説得力は薄かった。たとえば息子が体温計を持ってお医者さんごっこをしていたのを見て、彼女は体温計が息子の先生のペニスを意味しているのだと考えた[3]。この子を診察した医師は虐待のいかなる証拠も認めなかったが、ジョンソンは息子が虐待されたと言って譲らず、まもなく保育士のレイ・バッキーを児童に性的いたずらをしたとして警察に通報した。

警察はバッキーを逮捕し、マクマーティン保育園に子どもを預けていた数百件の家族に、この施設で児童への性的いたずらがなかったかどうか情報提供を求める手紙を送った[4]。親たちが子どもに尋ねるよう指示されたのは、「肛門性交《ソドミー》」やその他の性的虐待を示唆する可能性があると警察の言う、一見なんでもなさそうなあれこれを目撃したかどうかだった。たとえばバッキーがお昼寝の時間に子どもを誰か一人だけ連れて部屋から出ていったかとか、子どもの体温を測ったかなどだ。この手紙を送ったことは、のちに深刻な判断ミスだったとわかった。この件についての証拠を集めるどころか、結局、親たちは、この保育園について子どもが何を話そうと、すべて性的いたずらの証拠と見るようになってしまったのだ。

また警察が親たちに、性的虐待のような扇情的な話を持ち出して自分の子どもに聞き取り調査をするよう求めたことも裏目に出た。子どもたちはいかにも子どもらしく突拍子もない話をこしらえ、それを捜査官も親たちも鵜呑みにした。マクマーティン保育園の職員に対する性的虐待の申し立ての件数は膨れ上がり、バッキーだけでなく保育園の他の保育士数人も連行された。ところが、こうした話はいよいよ性的虐待だけに留まらなくなった。子どもたちが生きたまま埋められ、血を飲まされ[5]、あるいは悪魔の儀式のために飛行機で遠くのどこかに運ばれたなどの身の毛もよだつ話も出てきた。子どもたちはどう見ても事実ではないことを話しはじめ、はてはバッキーが宙を飛んだとか、悪魔のような「ヤギ男《ゴートマン》」[6]が現れたとか、電気ドリルを子どもたちの脇の下に押し付けたといった目撃情報を披露した。動物が出てくる話もあり、子どもたちはマクマーティン保育園の職員が動物を殺して、その様子を園児たちに見せたり、子どもたち自身がライオンに襲われたりしたと報告した。

ロサンゼルスの地方検事は当初、バッキーと、この園で同じく働いていた彼の母親を含めてマクマーティン保育園の職員七人を、一〇〇件を超える児童虐待容疑で起訴した。

この広く報道されたマクマーティン事件は、サタニック・パニックの最も目立った裁判になったが、その妄想熱はマンハッタン・ビーチだけでは終わらなかった。一九八〇年代前半に、全米で儀式による性的虐待に関する捜査が行なわれ、どれも悪魔崇拝者の集会で児童が拷問を受けているとの発想を根拠にしたものだった。警察は悪魔崇拝の「専門家」を雇い、悪魔崇拝者の追及の仕方を刑事に訓練させた。だがマクマーティン事件と同じく、他の捜査に携わった刑事の全員が、この拡散しているはずの現象の物的証拠を何一つ見つけられなかった。

このサタニック・パニックはポップカルチャーに取り込まれたが、その理由の一端は、なんでも軽々しく信じてしまうメディア報道にあった。ABCテレビのニュース番組『トゥェンティ・トゥェンティ（20/20）』では、悪魔崇拝の儀式がこれまで報じられなかったのは、子どもたちがマインドコントロールの影響下にあったからだとレポーターが勝手に推測した。テレビのワイドショーの司会者でジャーナリストのジェラルド・リベラは、この悪魔崇拝の脅威を扱ったテレビの特別番組で広く評価され、悪魔崇拝者は視聴者自身のコミュニティにも間違いなくいるはずだと警告した。[7] マクマーティンの証人となった子どもたちが怖がって証言できない心配があると知ったアメリカのTVドラマ『特攻野郎Aチーム』の人気者ミスター・Tは、裁判に立ち会って子どもたちを励ましてほしいという、検察側からのこのお茶の間のスターへの呼びかけに快く応じた。

これらの申し立てについてのメディアの報道でも、また法執行機関の対応においても見過ごされていたのは、幼い子どもというものは驚くほど暗示にかかりやすいという点だった。それは往々にして検事たちでさえ面食らうほどだった。このサタニック・パニックの経緯について書いた『我々は子どもたちを信じる（*We Believe the Children*）』の中で著者のリチャード・ベックは、マクマーティン事件で検察側が面目丸潰れになった一件を挙げている。聴問会で証言した一人の少年が、悪魔崇拝の儀式を見ていたと彼の言う数人の人間を自信たっぷりに確認したあと、バッキーの弁護士がその子にまた別の男性の写真を見せ、この男もその儀式に出ていたかと尋ねた。その男も儀式に参加していたと少年はためらうことなく答えた。バッキーの弁護士は得たりとばかりに写真を法廷の一同に見せた。それはなんと武闘派スターのチャック・ノリスだった[8]。

歴史家や心理学者は、このサタニック・パニックを引き起こした要因を幾つか指摘する。一つは、アメリカという国が性的虐待の真摯な申し立てに目をつぶってきた歴史と格闘するうちに、人々がどんなにありそうにない話でも進んで信じる気になっていたことだ。また託児所に頼る働く母親が増えていることも含めて、社会の変化に対する不安が高まっていた兆候とも説明される。「回復された記憶と託児所と儀式による虐待への過剰反応《ヒステリア》が要因となって、社会的に抑圧されてしまった問題が二つある」とベックはサタニック・パニックの説明で語っている。「一つは〔夫婦の役割分担が決まった昔ながらの〕核家族が衰退しつつあったこと、もう一つは、人々がそれをとくに救いたいと思っていなかったことだ[9]」

このサタニック・パニックはまた、アメリカでの宗教右派の台頭によって勢いを得た。福音派牧師は、アメリカは悪魔主義者を含む国内の退廃的な勢力に攻撃されているのだとの発想を教え広めた。儀式的虐待の話を喧伝する者たちが教会で説教をたれ、ときには演説した場所のコミュニティで新たに悪魔崇拝による虐待の申し立てが殺到するきっかけをつくった。

だが素人探偵が手を尽くしたにもかかわらず、また悪魔崇拝者に裁きをもたらす熱の入った努力が何年も続いたのち、このサタニック・パニックはその申し立てのあまりのばかばかしさに足元が揺らぎはじめた。事件は行き詰まり、判決は覆され、儀式の最中に殺害されたはずの人々は生きており、まったくの無傷でいたとわかった。

マクマーティン事件の第一審は一九九〇年についに終決し、バッキーの母親はすべての容疑で無罪判決を受け、バッキー自身も容疑の大半で無罪を宣告された。[10] 二審では、バッキーに対する容疑について陪審の話し合いが暗礁に乗りあげ、多数が無罪判決に賛成した。検事はバッキーの三度目の裁判を見送ることにした。政府に一六〇〇万ドルの費用をかけさせたこの事件は、いまだにアメリカ史上最も金のかかった、最も長い刑事裁判になっている。[11]

ピザゲートは少数の声高な陰謀論者とツイッターの右派が推進した周縁《フリンジ》の説だったが、一九八〇年代のこの悪魔的虐待のヒステリアは、警察や裁判官、検察、そしてメディアの著名人が擁護したものだった。これまでQアノンのいう架空の秘密結社にからんで起訴された者は誰もいないが、このサタニック・パニックのときは数十人が禁固刑を宣告された。その多くは数十年の刑を言い渡され、児童性的虐待者との烙印を押されて服役したのちようやく判決が覆された。マクマーティン事件で起訴された保育士たちは家族を失うか、我が子が一時的に州の管理下に置かれた。あるマイアミの託児所の元経営者は、いまだにサタニック・パニックの容疑で一六五年の禁固刑を言い渡され刑務所に入っている。[12]

このサタニック・パニックは今日もQアノンの中で生き続けているが、それはどちらにも同じ具体的なイメージが使われているからだ。飛行機はこのサタニック・パニックのヒステリアにおける重要な要素になったが、それはそれぞれ別件で数人の子どもたちが自分は飛行機で儀式に連れて行かれたと話したからだ。[13] 今日、Qアノン信者は公開されているフライト情報を分析し、子どもたちを密かに運ぶ飛行機を探したり、最高裁判所長官ジョン・ロバーツがジェフリー・エプスタインの所有する島まで飛んだことを証明するとされる飛行記録を調べたりしている。

マクマーティン事件や他の悪魔的儀式による虐待とされる事件の親たちがトンネルに目をつけたように、Qアノン信者もこうした秘密の経路やネットワークにとくに執着し、秘密結社が地上の好奇の目から子どもたちをいかに隠して売買するかを詳しく説明する。そして秘密結社の表向きの仕事をつなぐとされるトンネルの入念な地図を描き、コメット・ピンポンと、バラク・オバマが以前に講演した書店とを線で結ぶ。

だがこのサタニック・パニックとＱアノンの最も危険な類似とは、その発端が素人探偵たちにある点だ。彼らは警察が無関心なことに苛立ち、自分たちで捜査するしかないと思い込む。そして公的機関からの支援もほとんど得ずに、Ｑアノン信者はさらにステップアップして、オンラインや対面のネットワークを築いていく。彼らは誰もやらないときに子どもたちを進んで守ろうと決意する。悪魔崇拝者らに警察が何も対処してくれないなら、自分たちがやるしかない。

児童人身売買を行なう秘密結社の親玉というピカツィオの架空の人生は、ある実際の失踪事件に端を発していた。二〇〇九年二月のある日、五歳のヘイリー・カミングスがフロリダ州サツマで父親のトレーラーハウスから姿を消し、その後見つかることはなかった[14]。カミングスが失踪したのは、ちょうど犯罪事件のセンセーショナルなテレビ報道がブームになっていたときで、ケーブルテレビの数百万人の視聴者は、失踪した子どもや妊婦が巻き込まれた殺人事件の裁判にとりわけ興味をそそられるようになっていた。ケーブルニュースのうちでも実入りのいい犯罪ドキュメンタリー番組で誰より成功した舞台監督《リングマスター》は司会者のナンシー・グレースで、彼女はＨＬＮネットワークの自分の番組を利用して、突如こうした事件の中心人物になった人たちを、あるときは非難し、またあるときは慰めた。

カミングスの失踪には、ケーブルテレビでヒットするストーリーの特徴がすべて揃っているかに見えた。森の中で虚しい捜索を行なうボランティアの人々、反目しあう家族、視聴者があれこれ推測したくなるような怪しい経歴を持つ容疑者の長いリスト。「行方不明の子ども」という言葉がフロリダ州のメディアから抜け出し全国ニュースに流れてくると、サツマの街はいよいよお祭り騒ぎになった。サタニック・パニックの表看板の役を二〇年間奪われていたジャーナリストのジェラルド・リベラは、カミングスの父親の自宅を突撃取材し、警察から不法侵入の警告を受けた⑮。

サツマのカミングス一家にメディアが殺到するなか、ピカツィオはそこから四時間離れたフォート・ローダーデールで家族法専門の弁護士として働いていた。彼女はカミングスの母親であるクリスタル・シェフィールドの弁護を無償で引き受けていた。報道機関がこの母親の過去の薬物使用について調査し、親としての適性に疑問を抱くようになると、母親自身もメディアの喧騒に巻き込まれることになった⑯。

シェフィールドの弁護士として、ピカツィオはHLNのグレースの番組や他の犯罪ニュース系番組に出演した。メディアの注目を浴びたことで、ピカツィオのもとには霊能者や机上探偵から連絡が次々に入り、皆それぞれ少女の運命にまつわるお気に入りの自説を持っていた。突飛な助言が波のごとく押し寄せるなか、ピカツィオはミネソタ州のブロガー、ティモシー・チャールズ・ホルムセスから一通のメールを受けとった。彼にはカミングスに何が起きたか自分なりの説があった。とはいえホルムセスが彼女にインタビューの質問リストを送ってきたとき、それは本物の記者が送ってくるようなものではまったくなかった。それどころかホルムセスのリストには、「私が服を脱いだらどんなふうに見えるか、お腹のあたりの肌、それから性交中に私が喜ぶと彼の思う体位はどんなものか」、さらには「私の濃厚な膣液の匂い」に関する質問まで含まれていたと、ピカツィオがのちに提出した裁判所文書に書いてある⑰。「そこでこの男が本物のジャーナリストではないとわかったんです」とピカツィオは言う。「何者かはわからないけど、とにかく変な人に違いない、と」

ピカツィオはホルムセスを、これまでにも自分の前に現れた多くの奇人変人にしたのと同様に無視することにした。ところがピカツィオから自分のたわ言を相手にしてもらえなかったホルムセスは、彼女をカミングスの事件の中心にいる悪党とみなすことにした。そして自分の無名のブログで毎日ピカツィオについての記事を書くようになり、彼女をカミングスの殺害を隠蔽する性的人身売買者だと吹聴したり、彼女が一連の事件の実行犯だと断言したりした。[18]

ホルムセスにはピカツィオを追及するための時間が無尽蔵にあるようだった。自宅から攻撃にかかると、ホルムセスはカミングスの事件に心血を注いだ。オンラインに登場する彼は、いかにもステレオタイプの強迫的陰謀論者のブロガーに見えた。眼鏡をかけ、ヤギひげをのばし、この事件についての自説を微細にわたり何時間でも語ることができた。

インターネットでピカツィオと彼女の知人や同僚とのつながりを調べたホルムセスは、ピカツィオと少しでもつながりのある人間を片っ端から標的にしはじめた。[19] 裁判所文書によればホルムセスは、自分の子どもがピカツィオの子どもと一緒にサッカーをしていただけの女性に嫌がらせをし、女性の上司に彼女は犯罪者だと伝える手紙を出していた。さらにピカツィオの子どもの一人にまで手紙を送ってきた。

ピカツィオの話によれば、嫌がらせが数カ月にわたって続いた後、ホルムセスはピカツィオに、陸上競技会で彼女の友人のティーンエイジャーの弟を写した写真を送ってきたが、写真には斜めに大きく「登録性犯罪者」と書かれていた。[20] ホルムセスは、彼女がカミングスの失踪についての質問に答えてくれないなら、この青年に性犯罪者のレッテルを貼る記事を書いて、彼の名を検索エンジンで調べたら悪質な結果が出るようにし、青年の住む小さな街で彼の顔に泥を塗ってやるとピカツィオに告げた。ピカツィオは精神的に参ってしまい、とうとうホルムセスに自分から電話をかけた。直接話をすれば自分への嫌がらせをやめてくれるかもしれないと思ったからだ。そしてカミングスの事件についての突飛な質問に答えてやり、これでようやく彼からの嫌がらせも終わるだろうと思っていた。

「私は本当に泣いていて、真夜中にあの男に電話をかけたんです。誰かの一生を台無しにしてしまうような、あんな恐ろしい嘘を広めるのをやめてほしくて」とピカツィオは言う。

ところがピカツィオが降参しても、ホルムセスは止まらなかった。弁護を依頼してくれそうな人たちがホルムセスの記事を目にすることで、彼女の商売も打撃を受けた。ピカツィオは自分も弁護士を雇い、ホルムセスに対して行政当局の停止命令を書いてもらったが、それでホルムセスが思いとどまることはなかった。それどころか今度は彼女の弁護士、それからその弁護士の会社の誰も彼もに嫌がらせを始めた。「こんな恐ろしいことはありません。誰かが自分の周りの誰も彼もに、自分の人生のすべてに、とことん侵入してくるなんて」とピカツィオは言う。「そうなったら仕事でもプライベートでも自分の知っている人全員から距離を置きたくなるんです。その人たちを守るために。だからそのとおりにしました」

名誉毀損でホルムセスを訴えても意味がないのはピカツィオにもわかっていた。彼には財産などほとんどなかったからだ。そこでかわりにホルムセスを彼の住むミネソタ州の地元警察に告訴することにした。そして二〇一一年、フロリダ州で保護命令を勝ち取ったが、それはホルムセスに彼女への攻撃を一切やめるよう要求するものだった。とはいえ保護命令があっても、ホルムセスがそれに違反したら警察が彼を逮捕しなければ意味がない。

結局ホルムセスはこの命令に違反し、オンラインでの攻撃を続けた(21)。そこでピカツィオは一年近くかけてフロリダとミネソタの両州の法執行官を、ホルムセスの攻撃に真剣に対処するよう説得しなければならなかった。ホルムセスによる連日の攻撃をその目で見るのはうんざりだったので、ピカツィオはオハイオ州の犯罪専門ブロガー、アレクサンドリア・ゴダードに頼んで、ピカツィオが後日警察に証拠として提出できるようホルムセスの名誉毀損の文言をリストアップしてもらうことにした。ゴダードはホルムセスが法律に違反していることを証明すべく、ピカツィオへの攻撃の証拠を集めることにした。警察がネットでのハラスメント容疑でホルムセスを逮捕するには、疑いの余地のないほど彼にとって不利な証拠を集める必要があることをゴダードは承知していた。

「警察や検事の多くは「パソコンを閉じたらもうそこには存在しない」といった時代遅れの感覚でいるんです」とゴダードが私に語る。「でもそんなことはありません。自分の知っている誰も彼もがオンラインにいるんですから。どうしたってこのたわ言を目にしてしまうでしょう」

二〇一二年一二月、ようやくホルムセスに一年の保護観察が言い渡された。だが保護観察期間が終わったとたん、ホルムセスは再びピカツィオについてブログに書きはじめた。ところが今度は、彼女の名前にアステリスク（＊）をちりばめた。フルネームを書かなければ禁止命令をなんとか免れると思ったからに相違ない。この狡猾なブロガーとの法廷闘争に何年もかけたピカツィオは、このアステリスクは自分のささやかな勝利だと宣言し、先に進もうと思った。ホルムセスが「K*m P*cazio」という名の児童人身売買をする弁護士についてブログに書きたいと思っても、それは彼女のグーグル検索には出てこないから、それで手を打つことにした。

ホルムセスのピカツィオへの執着は一〇年近く続いたが、彼女を標的にした「聖戦」に加わるよう彼は誰一人説得できなかったようだった。ツイッターでこの弁護士への怒りをぶちまけることはできたが、それでもフォロワーは二〇人にも満たなかった。ところがそれからQアノンが始まると、ティモシー・ホルムセスはブログを書いている変わり者から、一躍、秘密結社と戦う勇敢な内部告発者になった。

二〇一八年の前半にQアノンが成長するにつれて、ホルムセスは、これを児童人身売買や虐待にまつわる自分の話に大いに興味を持ってくれる聞き手《オーディエンス》だと直感で見抜いたようだ。何しろ彼の話はどれほど薄弱だろうと現実の児童失踪事件と結びつけることができるからだ。ホルムセスはまもなくこの新興の陰謀論ムーブメントを利用して、ピカツィオにまつわるツイートやユーチューブの動画のすべてにQ

アノンのハッシュタグをちりばめた。なんでも信じやすいアノンたちは、ホルムセスのような人間にとって良いカモだった。ホルムセスはカミングスの失踪について、たとえばかげた内容でも体裁だけは整った自説をすでに持っていたからだ。またホルムセスの方も、Ｑアノンの世界観に染まったかに見えた。小児性愛者にまつわる陰謀論についての彼の説は、はるかに凝ったものになった。だが何にもまして重要なのは、怒りの矛先を向ける対象を求めていた新入りのＱアノン信者に、彼が格好の標的を与えたことだ。それがキム・ピカツィオだった。

ホルムセスのツイッターのフォロワーは急増し、わずか数カ月で十数人から二万人に膨れ上がった。ホルムセスのファンが拡大するのを見たゴダードは――自身もインターネット上の確執には何年も慣れっこだったが――ピカツィオが困ったことになるとわかった。

「あなたを怖がらせるつもりはないんだけど、これはまずいことになるよ」とゴダードは彼女に告げた。

これまでＱはピカツィオについて触れたこともなかったし、大半のＱアノンは彼女にまつわるホルムセスの発言をまともにとりあわなかった。ところがＱアノンのハッシュタグと妄想的なブログの投稿によって、ホルムセスは自分の目的のためにＱアノン支持者の一部を味方につけ、彼らを凶器のごとくピカツィオに差し向けた。一〇年にわたる孤独な恨みつらみをＱアノンの副次的目的《サイド・クエスト》に仕立て上げたホルムセスは、他のＱアノン・インフルエンサーとネットワークを築くようになった。そして自分は秘密結社を倒す任務をトランプから与えられた政府の最高機密機関「ペンタゴン小児性愛機動部隊《ペドファイル・タスクフォース》」を率いているのだと吹聴した。さらに自分の車の窓にＱの文字を描き、ファンのために車と一緒に写真に収まった。

「あの男は私にとってますます危険な存在になっている」ホルムセスのフォロワーが増えるにつれてそう思ったとピカツィオは振り返る。「あの男にとうとう軍隊がついたと思ったら気が変になりそうでした」

だが時はすでに遅かった。二〇一九年にピカツィオは再度ホルムセスに対する禁止命令を執行させようと試みた。二〇一二年のホルムセスの最初の逮捕は陰謀論者のネット界でまだ知られておらず、彼を闇の政府に迫害された被害者だと曲解するQアノン信者は誰一人いなかった。ところが警察が今度もホルムセスを逮捕すると、彼は一気にQアノン信者の注目の的になった。

二〇一九年八月の裁判を前に保釈されたホルムセスは、ウィスコンシン州の陰謀論者、フィールド・マコーネルが運営するユーチューブの番組に出演したが、この陰謀論者は自分のチャンネルをいわばQアノンのトーク番組に変えていた。プラム・シティという小さな街のオフィスから、マコーネルはQアノンの伝道師たちとのインタビューを主催し、秘密結社の下で働くソーシャルワーカーに子どもたちが誘拐されているといった話を語って視聴者を恐怖に慄《おのの》かせていた。彼の番組には、「ドクター・グッドヴァイブス」とか「エージェント・マルガリータヴィル(22)」といった名前の人物が交替で登場しては、それぞれ自分は闇の政府の悪行を見抜いていると宣言した。

マコーネルにはユーチューブの登録者が四万人いて、それは陰謀論のチャンネルにしてはかなりの数で、彼の動画はそれぞれ五〇万回以上視聴されることも少なくなかった。二〇一九年の七月にホルムセスは初めてマコーネルのオフィスに現れると、自分はドナルドとメラニアのトランプ夫妻からこの番組に出るよう命じられたのだと言った。ホルムセスはマコーネルが新たに見つけたスターとなり、今やピカツィオは彼らの共通の獲物になった。

マコーネルは顎ひげを生やした、アロハシャツの好きな年配の男で、必要な精神医学的検査を受けなかったため二〇〇七年にノースウエスト航空の機長の職を失った。航空業界関連の知識を使って、マコーネルは九・一一陰謀論者としてセカンドキャリアを築き、自分は謎の勢力が飛行機を操りテロ攻撃の最中に爆発させた証拠を持っていると断言した。Qアノンが現れてまもなく今度はこれに舵を切り、自らのキャリアアップを図るべく、人気のあるこの新たな陰謀論を利用しはじめた。

マコーネルは視聴者の怒りをピカツィオに向け、彼女を「ミズ・ピギー」と呼び、彼女に嫌がらせをするよう支持者たちに命を下した。彼女の身柄を拘束するようフォロワーたちにけしかけ、彼女の住所と電話番号を読みあげ、彼女がどのように処刑されるか微細にわたり推測し、絞首刑か銃殺隊による処刑になるかを論じ合った。

この戦いを続けられるようマコーネルとホルムセスが支持者に寄付をつのるうち、殺害予告がピカツィオのオフィスに殺到した。だがピカツィオが懸念するQアノンの伝道師は彼らだけではなかった。国家安全保障担当の元大統領補佐官マイケル・フリンのようなトランプ陣営の有名人がQアノンを非難するのを拒んだり、さらに陰謀論は真実だとほのめかしたりするたびに、ピカツィオに向かってくるQアノン信者は、それを自分たちが正しいことのさらなる証拠とみなし、ますます図に乗るようになった。

攻撃が増すにつれて、ピカツィオの望みはただただホルムセスの裁判が始まって、そこでおそらく彼が有罪判決を受けて、Qアノン信者からの攻撃が止むことだった。ところがホルムセスはまた新たな陰謀論を持ち出し、自分の熱狂的支持者たちの怒りを掻き立てようとしていた。ピカツィオは子どもたちを誘拐しているだけではない、子どもたちの血を飲んでいるのだ、と。

ホルムセスのようなQアノン信者にとって秘密結社の活動とは、想像するに、悪魔をただ崇拝するよりもっと具体的な何かを追求することだった。つまり、連中はアドレノクロムと呼ばれる謎めいた物質を欲しがっているのだ[23]。最も急進化したQアノン信者に言わせれば、なかなか手に入らないこの物質は、悪魔崇拝の儀式で性的に虐待された子どもの脳内にのみ見つかるもので、活力を高めるその性質により喉から手がでるほどこれを欲しがる者がいる。

子どもたちから採取されたアドレノクロムは、秘密結社に属する民主党幹部やハリウッドのセレブや銀行家に配られ、この液体が若さの泉となり、彼らはいつまでも活《い》き活きとしていられるのだ。

アドレノクロムは現実に存在する物質で、体内でアドレナリンが酸化されると生成される。一九六〇年代に研究者らは、これが統合失調症の発現に関連があるかもしれないと推測した。とはいえQアノンの物語に出てくるアドレノクロムは、カウンターカルチャー小説で描かれた究極の幻覚剤というその不当な立場に由来するようだ。たとえばアントニイ・バージェスの『時計じかけのオレンジ』などの本に出てくる架空の非合法物質の代わりとなるものだ。

ハンター・S・トンプソンが『ラスベガスをやっつけろ！』で、アドレノクロムを生きている人間からしか採取できない超レアなドラッグと説明したことに触発され、この物質がQアノンのファンタジーでその地位を得たと思われる。ユーチューブにアップされた映画『ラスベガスをやっつけろ』のクリップについたコメントには、いかにも訳知り顔のQアノンの情報が溢れている。

実際のアドレノクロムはとくに面白みのない化学物質だ。薬物使用体験を語り合うフォーラムでは、この薬を試してみた人たちが頭痛を訴え、総じて退屈な体験だったと語っている。映画『ラスベガスをやっつけろ』を監督したテリー・ギリアムは、アドレノクロムの効果は自分がでっちあげたのだとトンプソンから聞いたと話している[24]。

アドレノクロムを手に入れるために秘密結社が世界規模のネットワークを築く必要などないだろう。これはアドレナリンを酸化させる単純なプロセスを利用するだけだから、アレルギー反応に備えてアドレナリンを詰めたエピペンを持っている誰もが、アドレノクロムを酸素に触れさせてこのドラッグをつくることができるのだから。

二〇一六年にピザゲート信者が、コメット・ピンポンで行なわれていると彼らの信じる児童の性的拷問とアドレノクロムを結びつけるようになった。4ちゃんのピザゲート探偵たちは小児性愛者とアドレノクロムにまつわる古い動画を掘り起こし、なぜこんなに多くの有力な民主党員が児童虐待に興味を持つのかを説明した。そしてアドレノクロムに明確に触れたQドロップは存在しないにもかかわらず、ピザゲートの支持者は、こうした陰謀論が混じり合った際にアドレノクロムをQアノンの神話に持ち込んだ。

以来、ヴァーモント州の人々が樹木を傷つけてメープルシロップを抽出するように、グローバルエリートが子どもたちを傷つけてアドレノクロムを抽出しているといった話が極右に広く拡散したため、理由の説明すら必要ないことも多い。Qアノンの集会で抗議者たちは、アドレノクロムの化学式を書いたプラカードを掲げる。メル・ギブソンが監督した映画『パッション』でイエス・キリストを演じたことで有名な俳優のジム・カヴィーゼルは、二〇二一年のインタビューで、自分は「児童のアドレノクロミング」を暴きたいと思っていると発言した。[25] Qアノン信者の中には、モンスターが子どもを脅かしてエネルギーを得るピクサー社のアニメーション映画『モンスターズ・インク』を、アドレノクロムにまつわる真実を暗に明かした擬似ドキュメンタリーだと解釈する者もいるほどだ。

またQアノンのアドレノクロムへの執着は、このムーブメントの中心にある反ユダヤ主義をも浮き彫りにする。エリートたち——そして有力なユダヤ人たち——が子どもを拷問して採取した物質を悪魔崇拝の儀式に使うといった発想は、ユダヤ人がキリスト教徒の子どもの血を儀式に使用したとする、中世に遡る「血の中傷」の発想の生き写しだ。

一一四四年、イングランドの街ノリッジの郊外でウィリアムという名の一二歳の少年が遺体で発見された。ウィリアムを殺した犯人は見つからなかったが、彼の死は地元で途轍もなく重要な意味を持つことになった。[26] ある修道士の書いたウィリアムの死亡調査報告に、少年は地元のユダヤ人たちが彼の血を採るために殺害されたとあったからだ。年に一度の彼らの儀式に少年の血が必要とされたという。

この修道士がウィリアムの殺害をこう説明したことで、ユダヤ人が犯人の児童殺害事件が他にもあるはずだとの声が上がった。そしてユダヤ人がその血を欲しさに子どもたちを殺しているとのデマがヨーロッパ中に広まり、一三世紀にローマ教皇がこれを否認した後もユダヤ人に対するポグロムや暴力が発生した。

数世紀にわたって「血の中傷」は続き、反ユダヤ主義に立ち向かうドイツのある組織によれば、一九世紀の一〇年間で中欧と東欧で「血の中傷」の申し立てが七九件を数えたという。[27]「血の中傷」は一九四六年になっても変わらず人命を脅かし、その年、ポーランドのユダヤ人が子どもの血を用いて儀式を行なっているとの噂からポグロムが発生し、四〇人以上のユダヤ人が殺害された。[28]

アドレノクロムを採取するといったQアノンの発想と「血の中傷」という作り話に類似点があるのは偶然ではない。二〇一四年、4ちゃんのボード /pol/ の陰謀論者たちは、「血の中傷」は「アドレノクロムの採取」だったと主張する反ユダヤの動画をシェアしていた。[29] この動画は拡散し、最初はピザゲート、その後はQアノンにおいて陰謀論者が拠り所にする情報源になった。それはまたQアノン内で反ユダヤ主義を煽るのにも一役買い、億万長者の民主党献金者ジョージ・ソロスやロスチャイルドの銀行一族などのユダヤ人は、世界を支配する黒幕《パペットマスター》とみなされている。

何カ月もピカツィオは、ホルムセスとマコーネルが彼らQアノン一派を自分に差し向けるさまを慄きながら見つめていた。二〇一九年八月、彼女はホルムセスの裁判で彼に不利益な証言をすべくミネソタ州に飛んだ。夫からは行かないでくれと懇願されていた。ホルムセスを牢屋に送ることが自分の命を危険にさらすほど価値のあることなのかと、彼女は自問した。そして法廷に行かない選択肢は捨てて、かわりに武装した護衛を雇い、自分が寝ている間、ホテルの部屋の外で見張ってもらうことにした。

裁判の前にオンラインでこの二つのコミュニティのチャットを観察していたゴダードとピカツィオは、ホルムセスの支持者たちが裁判をなんとかして妨害しようと話しているのを目にしていた。ピカツィオの話では、裁判を控えてFBIと連邦保安局がともに裁判所の警備に携わっていたという。ホルムセスの支持者が数十人、バスでミネソタ州の裁判所に到着したが、なかにははるばるヨーロッパからやってきた者たちもいた。彼らはこの裁判を祝祭のようにとらえ、ピカツィオと、ホルムセスを追及する検事のどちらも処刑されるはずだと思っていた。ピカツィオがまもなく殺害されると始終話していたマコーネルは、霊柩車に乗って裁判所に到着した。

マコーネルの支持者はQアノンのプラカードやジェフリー・エプスタインの拡大した顔写真を掲げて裁判所の外で待っていたが、結局ホルムセスは自身の裁判に現れないことがわかった。彼はすでに逃亡していた[30]。

当初、ホルムセスの支持者は訳がわからずとまどった。ところが、それは歓喜に変わった。ホルムセスは闇の政府からの逃亡者になっていた。今や逃走中の身となり、マコーネルのメディアネットワークに迎えられたホルムセスは、全米でQアノンの犯罪を呼びかけ、Qの逃亡者の全国的なネットワークに火をつけることだろう。

ピカツィオは何年もQアノンによるヘイトの嵐の標的となり、その間、このムーブメントは少数のばらばらなインターネットの陰謀論者から、脅威の存在へと成長した。そしてQアノンは現在も拡大を続け、Qアノンの名のもとに進んで犯罪をおかす人間をさらに仲間に加えている。もとをたどればユダヤ人の「血の中傷」やサタニック・パニックに行き着く、このオカルト的な児童虐待といった古臭い発想は、非道な犯罪とみなすものを阻止するためなら喜んで何でもやる人間を相変わらず引きつけることができた。彼らの多くは、まもなくピカツィオにもわかるのだが、子どもたちを守るために自ら法を破ることもやぶさかでなかった。Qアノンの奥底へと降りていく彼女の旅は、まだ始まったばかりだった。

第9章／Qアノンの誘拐犯

シンシア・アブツァグが手に入れたのは、新しいピストル一丁、自分のボディガードを務める熟練のスナイパーが一人、そして秘密結社が自分の息子を匿っている里親一家の住所だ。アブツァグの一五歳になる娘ジェシカがコロラド州デンヴァー郊外にあるアパートメントで目にしたのは、母親と彼女の新しくできたQアノンの友人たちが、里親の家を武装して襲う計画を立てているところだった。ジェシカは母親に、どんな「襲撃」も流血の惨事になるに決まっていると忠告した(1)。アブツァグは娘にこう言った。里親たちが怪我をしても、おまえは気にするんじゃないよ。どのみちあいつらは悪魔崇拝者なんだから。

アブツァグの人気はここ数カ月のうちにユーチューブのめくるめく陰謀論の世界で急上昇していたが、ここにきて彼女はついに、Qへの信仰を暴力を伴う現実に変えるために必要なものを手に入れた。とはいえ警察が自分に迫っているのではないかと心配にもなっていた。それに一度、あるQアノン信者が政府に抱いた妄想じみた疑いが実際に当たっていたこともあったのだ。

Qアノンの世界の外のアブツァグは、暮らしに行き詰まっていた。二年前に金銭や人間関係の問題を投げ出してフロリダ州を去ると、重い病気を患う七歳の息子マイケルに治療を受けさせるべくコロラド州に引っ越した。アブツァグの説明によれば、マイケルは赤ん坊の頃から原因不明の病気に悩まされていた。うまく物が飲み込めないし、天気の悪い日に外に出ると発作を起こした。コロラド州のケースワーカーが、息子のために訪問看護師に来てもらってはどうかと尋ねると、アブツァグはどのみちマイケルは脳腫瘍でまもなく死んでしまうからそんなことをしてもらっても意味がない、ときっぱり断った。

ところがマイケルに会ったことのある大人なら誰もがその説明には納得がいかなかった。彼女以外の誰に話を聞いても、マイケルは正常で健康な少年で、ただし自分の母親の気分が変わりやすいことをひどく心配しているようだった。まだ幼児のときにマイケルが妙に気だるそうにしていたため、ある医師は彼がマリファナを摂取してしまったのではないかと疑った。アブツァグがコロラド州のケースワーカーと脳腫瘍の件でやりとりした後、地元の福祉局の職員は、アブツァグがわざと息子を病気にして自分に注意や同情を集めようとする「代理ミュンヒハウゼン症候群」に違いないとする報告書を作成した。(2)

二〇一九年一月、児童保護サービスの職員がマイケルを一時的に保護し、ある里親家庭に預けた。

そのときアブツァグが頼ったのが、Qアノンのユーチューブ仲間だった。息子の親権を取り戻す方法を調べるうちに、彼女は児童サービス機関が秘密結社のために誘拐犯として動いていると訴えるオンラインのQグループをたまたま見つけた。そして政府が自分から息子を取り上げたのは、里親家庭を窓口にして児童をさらう悪魔崇拝の「闇の政府」の工作員が息子に性的いたずらをするために違いない、と思うようになった。そこでフィールド・マコーネルのような陰謀論者が司会を務めるオンラインの番組で我が子の親権争いの話を繰り返し披露すると、秘密結社による児童誘拐の被害者として大いにもてはやされた。マコーネルはアブツァグを助けるためにお金を送るよう視聴者に頼み、この件で弁護士は雇わないほうがいいと彼女に忠告した。かわりにマコーネルが彼女の件をトランプ・ファミリーに直接持っていってくれるという。

「それほど腹に据えかねることなら――あなたの件はそうに違いないと私も思いますが――トランプとメラニアのところにまで行くでしょう」とマコーネルは言った。

Qアノン信者が周囲に集まりだすと、彼女は陰謀論の世界にどっぷり浸かるようになる。そして娘と自分のアパートメントにこもって、仲間のQ支持者と会うときだけ外に出た。[3] アブツァグは自らも信者を獲得し、ジョセフ・ラモスというコロラド州の医学生は、ユーチューブで彼女を見てからアブツァグのいわば副官になった。マコーネルはライアン・ウィルソンという、アーカンソー州から来た経歴不詳の白髪のQアノン活動家を送ってよこしたが、アブツァグは娘に彼のことを「狙撃手」で、住み込みのボディガードをしてくれるのだと紹介した。[4] アブツァグは拳銃を購入し、射撃練習場に行く予定を立てた。[5]

ウィルソンとアブツァグと他のQアノン支持者たちは、娘の話によれば、二〇一九年のハロウィンが近づく頃に里親の家を武装して襲撃するつもりだった。[6] ところがこの襲撃を実行する前に、アブツァグは警察が自分を逮捕しに来るのではないかと被害妄想に陥った。選択肢は一つだけだ、とウィルソンが彼女に言った。皆で逃げるしかない。

警察が迫っているとアブツァグが疑ったのは、実のところ正しかった。アブツァグが知らないうちに、母親の計画が暴力沙汰になるのを恐れた娘のジェシカが、ソーシャルワーカーにこっそり知らせていたのだ。だが数日後に警察が令状を持ってアブツァグのアパートメントに来たときには、すでに彼女の姿は消えていた。警察が空になった部屋を調べたが、アブツァグがどこにいるのか手がかりはほとんど得られなかった。そのかわり「嵐が近づいている」とのメッセージが刻まれたQアノンのゴム製ブレスレットが山ほども見つかった。

アノンたちはこの世界を食肉処理場だと考えている。ハリウッドのセレブたちがシワのない顔を維持するために、無辜の子どもたちが性的に拷問される場所なのだ。そんなことが起きている世界だからこそ、大胆な、ときに犯罪にすらなる行動を起こすことが必要だ。それでもQのフォロワーの大半は、Qのために暴力事件を起こしてはいない。Qを信じる者全員に集団での暴力をけしかけるのではなく、この陰謀論は個人がQの名のもとに犯罪をおかすよう働きかけるのだ。

この世界がQアノンの暴力に直面したのは二〇一八年の夏で、そのとき三〇歳のネヴァダ州の自動車修理工マシュー・ライトは、「嵐」を待つのはもううんざりだと思った。心的外傷後ストレス障害（PTSD）を患い、双極性障害の疑いもあり、さらに未払いの医療費が二万ドルも溜まっていたライトにも、楽しみにしていることが一つだけあった。ヒラリー・クリントンの電子メールに関する司法省の調査報告書が二〇一八年六月に発表されるのだ。

ライトは非公開の医学的理由から軍隊を解雇されて以来、社会の片隅で生きてきた。修理工の技術と道具を用いて、彼は自分のトラックを映画『マッドマックス』から抜け出たような即席の装甲車に変身させ、車にはライフル銃AR15と数百発分の弾丸、そして防御しながら的を狙うのに使えるガンスロットも積んでいた。[7] のちに警察がこの車両を「ブリンクス〔米国の警備現金輸送会社〕のトラックさながらに装甲されていた」と説明した。

二五〇〇マイル先での監視機関による報告書の公開が、ネヴァダ州の落ちぶれた修理工の人生を左右する瞬間になるなど、普通はまずないだろう。だがQは事前に何カ月にもわたってフォロワーたちに、この報告書はクリントンの電子メールについての予想のつく退屈な捜査結果にはならないと話していた。それどころかこの文書には、秘密結社の詳細や「嵐」の幕を開けるお待ちかねの新事実がたっぷりと載っているはずだ。

ところが報告書が公表される予定の二〇一八年六月一四日の前日、Qは自らの予想と距離を置いた。まるで自分の予言が自爆するのがわかっていたかのように。Qアノン信者が待ち望む衝撃的な報告書は存在するし、トランプがそれを持っているのは確かだと、ここにきてQは語った。ところがロシア介入疑惑の捜査に果たしたその役割からトランプ陣営がただでさえ嫌悪する、元司法副長官のロッド・ローゼンスタインが介入してきて、報告書の公表を阻止したのだ。公開される報告書は期待はずれのものかもしれないが、信者たちには辛抱してもらいたい。そうQは説明した。

結局のところ司法省の報告書は、Qの予言撤回が示唆したとおり、Qアノン信者を落胆させるものだった。FBIの捜査について議会で民主党と共和党が議論するに十分な材料は含まれていたが、報告書はクリントンを一発で起訴できるものではなかった。まして「嵐」を発動させるものではまったくなかった。それはライトにすれば我慢ならないことで、だから抗議すべく自作の装甲トラックでネヴァダ州とアリゾナ州の境のフーバーダムにかかる幹線道路を封鎖したのだ。

五つの法執行機関の警官たちが包囲するなか、橋の上にいたあるドライバーに、マスクで顔を隠したライトがトラックの外にライフルの銃口を向けているのが見えた。車の中でライトは、「本物の」報告書の公表を要求するプラカードを自分が掲げているところをライブ配信し、「またもう一つのたわ言《ブルシット》」で自分を失望させたとトランプに怒りをぶちまけた。

「自分が選ばれたら連中を監禁するってあんたは言っただろうが！」

橋の上で四五分間、警察と睨み合いを続けた末に、ライトはトラックを運転してアリゾナ州の砂漠に逃げようとしたものの、峡谷から抜け出せなくなった。彼が降伏したのち、警察はトラックの車内で銃とライフルをそれぞれ数丁、さらに起爆装置も発見した。二〇二〇年一二月、ライトはテロの脅威をもたらした罪を認め、七年以上の禁固刑を言い渡された。

ライトは始まりにすぎなかった。二〇一九年、刀を所持した男が一人、アリゾナ州のカトリック教会を荒らし、「Q」と印された「人身売買捜査官」の名刺を手渡した。[8] シアトルでは、自分の兄弟が「爬虫類型」宇宙人に違いないと考えた信者が、刀で彼を殺害した。[9] 首都ワシントンでは、男がコメット・ピンポンを燃やそうと、店に子どもたちが大勢いるときにカーテンに火をつけた。[10] だが暴力を触発するQアノンの真の威力がついに広く世間の注目を集めたのは、二〇一九年三月一四日の夜、Qのフォロワーの一人がマフィアのボスを殺害したときだ。

フランク・カリは死ぬ直前まで自分は無敵《アンタッチャブル》だと思っていたかもしれない。「フランキー・ボーイ」はアメリカで二番目に強大なマフィア一族、ガンビーノ・ファミリーのボスで、シチリア・マフィアとも個人的な繋がりを持っていた。彼はトッドヒルにある大邸宅に住んでいたが、ここは成功者のマフィアに人気のスタテンアイランドの洒落た地区で、かつて映画『ゴッドファーザー』でコルレオーネ・ファミリーの物語上の故郷とされた場所だ。カリの人生が突如終わりを迎えたのは、組織犯罪にかかわった前歴もなく漫然と暮らす二四歳の青年アンソニー・コメロが、自宅前にカリが停めていたキャデラック・エスカレードに自分のトラックを衝突させたときだった。[11] カリがこの侵入者と対決しようと走って表に出てくると、コメロはピストルを取り出し、このマフィアのボスを一〇発撃った。

カリが殺されたことに、ギャングのメンバーと法執行官のどちらも仰天した。ニューヨークの五大ファミリーのボスが殺害されるなど、ここ三〇年以上なかったことだ。カリが殺害されて混乱状態の数時間に、慌てふためくマフィアのボス代理たちが交わす電話がＦＢＩに盗聴され、ＦＢＩはコメロが誰に雇われたのか、そしてどんな抗争の引き金を引いたのかを必死で突き止めようとした。[12]

一方コメロはというと、自分を尋問する刑事たちに、自分の犯した殺害について矛盾する説明をした。

カリの死を望む誰かから、自分がストリッパーとセックスしてHIVウイルスに感染したことをバラすと脅され、このボスを撃ち殺すよう命じられたのだとコメロは言った。そうかと思うと、カリの身内の一人と付き合いたかったのに、このゴッドファーザーがそれを許さなかったのだとも言うのだった。コメロの真の動機がはっきりわかったのは、その数日後、法定審問が行なわれたときだった。判事が部屋に入ってくるのを待つ間、コメロはにっこり微笑むと、記者たちに向けて片手をあげた。[13] 手のひらの中央に彼はQの文字を書いていた。Qはインターネットから抜け出して、この国で指折りの力を持つ犯罪者を殺害したのだ。

法廷審問がのろのろと進み、自分の家族がガンビーノ一族からの報復を恐れて身を潜めるなか、コメロは依然としてQアノンにのめり込んでいた。法廷のある場面で、彼は自分の携帯電話には児童の性的人身売買や「モッキンバード作戦」、すなわちCIAがメディアを支配しているとのQの主張を裏付ける証拠があると判事に向かってわめいた。のちにコメロは裁判を受けられる状態ではないと判断され、現在も勾留中だ。

Qアノンは、現代アメリカの陰謀論のうちでも暴力を誘発する力において類を見ない。メリーランド大学の研究者がまとめたデータによれば、二〇二一年九月の時点で一〇一人のQアノンのフォロワーがその信念に触発された犯罪をおかしたが、このリストには議会議事堂襲撃事件の被告六一人も含まれた。[14] 九・一一陰謀論からバーセリズムまで他のどんな陰謀論も、これほどの暴力を触発するには程遠い。

モントリオールのコンコルディア大学で過激主義について研究する博士候補生のマーク＝アンドレ・アルジェンティーノは、Qアノンは暴力を触発する力において陰謀論の中でも際立っていると私に語った。アルジェンティーノによれば、その理由の一つは、ソーシャルメディアでQアノンが高い普及率を獲得できたことにあり、そのためオンライン上で常時存在し、それまでの陰謀論の場合よりもっと広く浸透しているように人々が感じてしまうのだ。その結果、フォロワーのマインドへの影響力がさらに増すことになる。

「JFKがなぜ死んだか知りたくて殺人を犯した者など誰もいませんでしたよ」とアルジェンティーノは言う。

さて、FBIもアブツァグの捜索に加わった。彼女の息子を預かる里親家庭は、失踪した母親と彼女の武装したQアノン信者チームとやらにいつ襲われるかもしれないと怯えて自宅の警備を厳重にした。とはいえフィールド・マコーネルのユーチューブチャンネルをフォローする多くの信者から見れば、アブツァグの失踪は、いわば連続ドラマのちょっと意外な展開といったものにすぎなくなっていた。アブツァグがコロラド州に逃げてから数日後に投稿した動画でマコーネルは、ウィルソンが彼女と一緒にアメリカのどこかにいて、暴力的なミッションを遂行中であると視聴者に請け合った。マコーネルの話では、ウィルソンは「私が所有する銃を持って私の車の一台に乗っていて、我ら仲間全員、とりわけトランプ大統領が喜ぶことをしてくれている」という。

翌日、アブツァグはウィルソンとラモスを伴いウィスコンシン州のプラム・シティ、すなわちミネソタ州との境にある小さな村のマコーネルの家に着いた[15]。この三人組は、警察に追われていないか後ろの窓をしょっちゅうチェックしながら、どこにも停車せずに一〇〇〇マイル近くを運転してきた。そして今、ここにじっと隠れてマコーネルとともに成り行きを見守ることにした[16]。

Qアノンのおかげですでにマコーネルは、今やユーチューブの陰謀論者から、結束の緩い犯罪ネットワークの中心人物になっていた。二〇一九年にマコーネルは「子どもたちの聖戦《チルドレンズ・クルセイド》」と称するQの組織を立ち上げた。こうして新たな地位を築いたことで、「計画を信じろ」とか「ショーを楽しめ」といった

Qアノンの心地よいスローガンだけに頼るのに飽き飽きしていた信者たちを、闇の政府と武力対決することで実際に行動を起こすようけしかけるためのプラットフォームを手に入れた。さらに「チルドレンズ・クルセイド」のおかげで、視聴者を虜にするスパイドラマを増産する好機も得た。

チルドレンズ・クルセイドの触手はヨーロッパにまで伸び、その証拠に二〇一九年にはウェールズで、マコーネルの新興ネットワークの支持者のために発足記念パーティも開かれた。のちにラモスが振り返るに、マコーネルの家にいたとき彼がイギリスの工作員たちと長電話しているのが聞こえたが、マコーネルは彼らのことを、ラモスいわく「陳腐なコードネーム」で呼んでいた。とはいえ世界的な権力組織と戦うとの野望をよそに、「チルドレンズ・クルセイド」はもっぱら子どもの親権にまつわる件に傾注していたようだった。マコーネルの支持者や仲間の陰謀論者が担当するフェイスブックのグループでは、子どもの親権を取り戻したいがどうしてよいかわからず途方に暮れる母親たちが、正規の法制度に頼るのは諦めて、Qアノンのメディアを通じて世間の注目を集めるようにと発破をかけられていた。

アブツァグのような母親たちにチルドレンズ・クルセイドが喧伝するQアノンの話は、現実世界よりも心地よい真実を差し出した。母親たちが子どもの親権を失った理由は精神疾患でも薬物中毒でもなかった——彼女たちは子どもを誘拐する闇の政府の被害者なのだ。そして政府のどの部署も同じだが、ソーシャルワーカーもまた人喰いの小児性愛者らの手下として動いているのだ。

法の手から逃げて一週間、アブツァグはいまだチルドレンズ・クルセイドの手にがっちりと握られていた。マコーネルの家に隠れて八日後、ラモスとアブツァグが近くのプラム・シティの店で買い物をしていると、マコーネルから電話がかかってきた。FBIが家に来ていると彼が告げた。二人とも逃げたほうがいい。

アブツァグとラモスはプラム・シティを出て、またも地下のQアノンの情けにすがった。

アブツァグを見つけたいFBIは、誰よりもQアノンのことをよく知る女性に助けを求めた。二〇一九年一〇月、FBI捜査官がキム・ピカツィオに電話をかけ、彼女と彼女の家族に現在も殺害予告を送ってくるこのネットワークの情報を提供してほしいと頼んできた。

「シンシア・アブツァグという名の女性を探しているのですが」とFBI捜査官が言ったとピカツィオは振り返る。「彼女は逃走中でして」

捜査官はピカツィオがチルドレンズ・クルセイドの追跡を手伝ってくれるかどうか知りたがった。そこで自分には他にもできることがもっとあると答えた。FBIから電話をもらう頃には、すでに自分の法律事務所を、Qアノンをオンライン上で追跡する即席の情報機関に変えており、マコーネルのような主要なQアノンの有名人について調査資料も同然のものを集めていたのだ。

「連中については何もかもわかってますよ」とピカツィオは捜査官に言った。

ピカツィオは何年もの間、FBIにQアノンのことを真剣に取り合ってもらおうと奮闘してきた。フーバーダムでのマシュー・ライトとの睨み合いのような一匹狼による事件と緩くかかわる集団以上のものだとわかってほしかった。Qアノンを国内テロの潜在的発生源にリストした二〇一九年のFBIの内部文書では、信者は「暴力をときに伴う犯罪行為を行なう」べく感化されるおそれがあると書かれている[17]。ところがいまだFBIは、連携して動くQアノンの犯罪者らを追うことにまるで関心がないかに見えた。

たとえばホルムセスは逃走中もピカツィオへの攻撃を続け、マクドナルドの駐車場のフリーWi-Fiを使って、彼女を秘密結社の手下だとなじる動画を送っていた。ミネソタ州警察は、接近禁止命令を破ったことでホルムセスを逮捕することを別段優先すべき仕事とは思っていないようだった。ところがまたも殺到する殺害予告に悩んでいたとき、ピカツィオはふとあることに気がついた。マコーネルとホルムセス、それからチルドレンズ・クルセイドは、ＦＢＩの興味を引きそうな活動を他にも山ほどしていそうではないか。

　そこで自分の法律事務所のスタッフを集めると、ピカツィオは皆に告げた。今度こそ、ＦＢＩにも理解できる手法でＱアノンに反撃するときがきたのだ、と。「あなたは金銭詐欺について、あなたは脅迫について調べて」とピカツィオは秘書やリーガルアソシエイトに指示し、彼らにそれぞれ一つの分野を割り当てた。「あなたはソヴリン市民〔１８６ページ参照〕を、あなたは無資格での弁護士業務を調べてちょうだい」

　たとえばフィールド・マコーネルはフォロワーにほぼ価値のないジンバブエの「Ｚｉｍ」という通貨を売っていたが、それはネサラ式の世界金融のリセットによって、まもなく世界の通貨は等価になり、Ｚｉｍの保有者はとんでもない金持ちになるという理屈からだ。トランプ政権の国防長官ジム・マティスに扮《ふん》したある男がマコーネルの番組に呼ばれると、このリセットが自分の口座にまで届いたら、自分の保有していたＺｉｍの価値が急騰したと熱く語った。彼に倣って視聴者がマコーネルからＺｉｍを購入すれば、彼らもまもなく大金持ちになれるだろう。

「これは実に儲かる詐欺でした」とゴダードが言う。彼女は数千人にのぼる熱心なマコーネルの視聴者が、頻繁に放映される番組で彼とやりとりする様子を監視していた。「あの年配のご婦人たちは彼に夢中でしたよ。今にも自分の長下着《ブルーマー》を画面の彼に投げるんじゃないかってくらいにね」

　さらにマコーネルは自分の熱狂的な支持者に「マコーネル退役軍人牧場《ヴェテランズ・ランチ》」に投資するよう頼んでいた。これはＰＴＳＤを抱えた退役軍人と秘密結社から救出された子どもを一緒に回復させると称する、空想上のユートピアコミュニティだ。マコーネルのチャットルームには、牧場で働きたいと希望する支持者からの履歴書が殺到したが、牧場はいつまでたっても実現しなかった。

マコーネルの活動をもっと詳しく知ろうと、ピカツィオの職員たちはマコーネルの本拠地プラム・シティの住人にフェイスブックで友達リクエストを送った。そしてある簡易食堂の主人を選んで、この小さな街で怪しげな人物がいたら報告してほしいと依頼した。ピカツィオのスタッフの一人は、プラム・シティの偽の住所を使って出会い系サイトにアカウントをつくり、地元の消防士とマッチングした。オンラインで彼と知り合いになると、職員は本当の目的を電話で明かした。自分はデートがしたいのではなくて、実はスパイを探していたのだと。彼は同意し、マコーネルの本部を調べるネットの追跡網の一つになってくれた。一同は戦果を挙げた――たとえばマコーネルの盟友らは泡沫議員候補を匿い、ウィスコンシン州のモーテルに彼女を泊めることで万引容疑による逮捕令状から逃がれるのを助けていた。(18)

FBIがピカツィオに助けを求める頃には、すでに彼女はプラム・シティの「目も耳も」備えていた。ピカツィオはこの情報をFBIに提供し、マコーネルがどうやって金をつくっているか、そして誰と一緒に動いているかを説明した。

「離婚専門法律事務所の女性陣にお任せあれ」とピカツィオが言った。

再び逃走中の身となったアブツァグとラモスは、チルドレンズ・クルセイドの地下ネットワークを転々とした。二人は「ドクター・グッドヴァイブス」と名乗るマコーネルの支持者と一緒にウィスコンシン州のまた別の小さな街に滞在し、それからヴァージニア州北部に住む裕福なチルドレンズ・クルセイド支持者の大邸宅まで車で移動したが、この支持者はアブツァグが外交旅券で国外に逃亡できるはずだと話していた。

数週間が経つにつれてアブツァグは、チルドレンズ・クルセイドが自分のことを、心底助けたい人間というよりも、秘密結社との戦いのシンボルとして役立つ存在としか見ていないと感じるようになった。マコーネルがあれだけ約束してくれたのに、親権はいっこうに取り戻せそうになかった。家庭裁判所の審議は止まったままだし、しかも重罪となる誘拐未遂事件まで起こしてしまったことが頭から離れず、息子は今もこの国を横断したはるか先の里親の家にいる。

逃亡してひと月後の二〇一九年一〇月下旬、アブツァグはもううんざりだと思った。マコーネルが息子を取り返せなくても、ひょっとしたらマコーネルの盟友で弁護士かぶれのクリス・ハレットにならできるかもしれない。

子どもを取り戻すため弁護士を雇うかわりにチルドレンズ・クルセイドに助けを求めてくる母親たちは、結局はハレットに頼ることになるのだが、それで損害を被ることも少なくない。正式な法曹の訓練を受けたことがないにもかかわらず、ハレットは合衆国憲法の「報酬条項（emoluments clause）」にちなんで「E条項《クローズ》（E-Clause）」と自ら名付けた運動の発想から、トランプが自分にアメリカの法制度そのものをひっくり返すに等しい権限を与えてくれたと信じるようになった。このお粗末な策は法廷で試みるたびに完膚なきまでに否定され、ある連邦判事は彼の主張を「折り紙つきにくだらない」と評した。だがこれほどの非難を浴びても、ハレットは自分に助けを求めてくる悩める母親たちから何千ドルも稼いでいた。

「このミスター・ハレットと彼のEクローズにすごく興味があるんだ」アブツァグがそう言っていたとラモスがのちに振り返る[19]。

アブツァグとラモスはハレットに会いにいこうとヴァージニア州から南に向かい、車を道路脇に停止させられないよう速度を落として運転し、チルドレンズ・クルセイドの人たちからもらった現金で安モーテルの部屋代を払ったが、他の寄付も足すと全部で約七五〇〇ドルがアブツァグの逃亡生活を助けていた。

チルドレンズ・クルセイドはどこでもアブツァグたちに手を差し伸べることができ、この二人組は道中でこの組織の使者と接触した。ウィルソンが再び現れ、幹部からのメッセージを二人に届けた。ラモスの話では、二人はチルドレンズ・クルセイド版のジョン・F・ケネディ・ジュニアのなりすましにも会ったが、この男はファン・O・サビンという偽名で知られていた。マコーネルの信者たちは、もっと有名なJFKジュニアの代役ヴィンセント・フスカではなく、ここにきてこのサビンこそがケネディ家の真の継承者に違いないと考えていた。

アブツァグとラモスがハレットに会ったのはフロリダ中部の街オカラで、ここで彼は自宅でEクローズを運営していた。Eクローズは、アブツァグがオカラに着く頃には全米に広がっていて、新たな母親たちを顧客として集め、カーク・ペンダグラスという名の、アイダホ州に住む、これも法をかじっただけの人間を雇って、ハレットの主張をオウム返しに言わせていた。

ハレットの法理論の大半は「ソヴリン市民」という、他の過激主義組織にも人気がある反政府ムーブメントに由来する。ソヴリン市民は全員、同じ基本的なことを信じている。彼らは自ら選択してか、あるいは生まれながらにしてか、あるいは言葉の綾かはわからずとも、どういうわけだか自分は「ソヴリン（主権を有する）」であり、合衆国の法律からは独立していると考える。たとえば脱税容疑をかけられたソヴリン市民は、法廷に掲げられた金の縁取りのある国旗は、判事が海事法のもとで務めを果たすことを意味し、よって陸では法を執行できないはずだと訴える。この戦法で行けば、ソヴリン市民は、警察に止められたり、法廷審問に出たりする際に、勝算のない、ときに滑稽な状況に陥りかねない。「敗北したソヴリン市民（Sovereign citizens getting owned）」という名のついたまとめ動画《コンピレーション》がユーチューブで数百万回も視聴されている。

よくある動画の一つでは、不注意運転によって道路脇に停車させられた一人のソヴリン市民が、自分が運転していたことを警官に認めるのを拒否している。代わりに彼は、自分はただ「移動《トラベリング》していた」だけだと言い張った――この手の無意味な法的区別によって、自分は不都合な結果と無縁でいられるとソヴリン市民たちは信じているのだ。あいにくこのソヴリン市民の場合、作戦は功を奏さず、警官にあっさり逮捕された。

だがソヴリン市民が基本的な法律にすら従うのを拒否した結果、暴力沙汰になることもある。ソヴリン市民は、交通違反の取り締まりを受けている最中、あるいは郡保安官代理が法裁判所の判決を実行しようとしたときに警官を殺害したことがある。

オカラで数日を過ごすうちに、アブツァグはハレットに失望を感じはじめた。するとラモスとアブツァグのもとに、フロリダに来る前に滞在していたヴァージニア州の邸宅にFBIが来たとの知らせが届いた。そろそろまた出ていくときがきた――そして次に二人の庇護者になってくれるのは、なんとトランプ政権が任命した人物だった。

二〇一九年一一月初旬、アブツァグとラモスはアーカンソー州に車で向かったが、ここはチルドレンズ・クルセイドの役員を務めるサラ・ダンクリンの故郷の州だ。二人の逃亡にはこれまでマコーネルやハレットのような末端の人間が中心的役割を果たしていたが、このダンクリンは彼女の州で共和党の政治家に幅広い人脈を持っていた。

当時、ダンクリンはアーカンソー州のデシェイ郡で共和党の郡議長を務め、農務長官のソニー・パーデューから米国農務省の委員に指名されていた。ダンクリンの父親はこの州の上院議員候補にもなったことがある。

ダンクリンは逃亡中のこのQアノン二人組にドゥーマスという小さな街に隠れるよう指示したが、ここはあまりに寂れた場所で、二〇一二年にはマシュー・マコノヒー主演の田舎のクライムスリラー映画『MUD－マッド－』の舞台にもなっていた。ラモスとアブツァグはアーカンソー川沿いのうら寂しいモーテルに数週間泊まっていた。そこは隠れるのに最高の場所とは程遠かった――モーテルの部屋の半数は、数年前に酸素ボンベが爆発したため吹き飛んでいた。だがダンクリンをはじめチルドレンズ・クルセイドの人間は、アブツァグを急いで元の生活に戻してやろうという気はどうやらなさそうだった。

彼らの考える最善の案とは、ラモスが蚤の市に行って偽造パスポートを購入し、国外に逃亡するというものらしかったが、この案を自分は拒否したと後からラモスが振り返る。ダンクリンはドゥーマスでいかに人目につかないようにするかを説明するラモスとアブツァグ宛のメモで、店には近寄らず、携帯電話は処分し、それから見知らぬ人間にアブツァグの子どもたちの話はしないようにと命じた。「今は出費を抑えて、おとなしくしていていい、いい、いいて」とダンクリンは書いた。「川から離れちゃだめよ！」

アブツァグはドゥーマスで意気消沈していたが、それでも今のところ逮捕は免れていた。だがマコーネルはさほど幸運ではなかった。二〇一九年一一月、ウィスコンシン州でマコーネルは逮捕され、ピカツィオが獲得していた接近禁止令に違反した容疑でフロリダ州に引き渡されるのを待っていた。[20]ウィスコンシン州の拘置所から移送されるに先立ち、支持者たちはリーダーが捕まったのは違法だと息巻いた。ある者はマコーネルが収容されている拘置所を撮影し、これは川岸にあると告げた――マコーネルの支持者たちの捻った理屈では、それは彼が川船の「荷物」として扱われ、よって解放される証拠に違いなかった。

二〇一九年の大晦日の前日、アブツァグの逃避行はモンタナ州のカリスペルでついに終わりを迎えた。[21]FBI捜査官が銃を手にラモスの車を取り囲んだ。アブツァグは降伏し、息子を里親家庭から誘拐する計画を立てたことで誘拐の共謀という重罪で起訴された。アブツァグに保釈を認めるかどうかを検討した判事は、Qアノン信者が「法執行機関による逮捕から彼女が逃れようとしたのを助けていた」ことに注目した。本書の執筆時、アブツァグは裁判を待っている。

Qアノンはアブツァグがコロラド州に送還される前からすでに彼女を見限っていた。アブツァグは、Qの名のもとにこれまで犯罪をおかして訴えられた多くの人間と同様、すでにこのムーブメントにとってはた迷惑な存在になっていた。アブツァグの逮捕が報道されたのちに仲間に送ったメールで、JFKジュニアの偽者サビンは、アブツァグのせいでQアノンが「ヒルビリーの武装集団《ミリシア》」とか「ネットの変人愛国者」みたいに見えてしまうと文句を言った。

「Qの組織はこの手のアホを認めるなんてできないし、助けているとみられるのもごめんだ」

当初の報道では、アブツァグの逮捕は、また別の一匹狼のQアノンが破れかぶれの行動を起こしたといったふうに説明された。だが私がデイリー・ビーストの記事で彼女の最初の逮捕を報じた後、ゴダードが私に連絡をくれて、アブツァグは一人で動いていたわけではないことがわかる、チルドレンズ・クルセイドの人間たちの数十時間にも及ぶ映像を提供してくれた。チルドレンズ・クルセイドは切羽詰まった人々を自分たちのQアノンに誘い込み、それは今も続いていた。

三三歳のQアノンの熱狂的支持者ニーリー・ペトリー＝ブランチャードは、Qアノンが現れる数年前に子どもたちの親権をその祖母二人に奪われており、チルドレンズ・クルセイドとEクローズの手中に落ちるタイプに見事に当てはまった。彼女はオピオイド中毒とメンタルヘルスの問題に長年苦しんでいて[22]、娘の一人を学校から誘拐しようとして一年間刑務所に入っていた。

「あたしや子どもたちにちょっかいを出すのはやめて。拳銃で頭をぶち抜くよ」親権争いが過熱したとき、彼女は実の母親にそう言った。「あんたを切り刻んで、絶対見つからないところに捨ててやる」

ハレットは彼女のもとに子どもたちを返してやると言い、自分には連邦保安官に子どもたちの親権を取り戻してもらうための法的な計画があると前々から約束していた。自身の子どもたちの親権争いも抱えていたハレットは、ペトリー＝ブランチャードの長引く親権争いを解決できる魔法の手があると請け合った。彼女はハレットこそがQではないかと思いはじめたほどだった。そして彼の大義に身を入れるようになり、ソーシャルメディアで彼のために数千ドルの寄付を集め、自分の車に「ECLAUSE」のナンバープレートをつけ、面会中の娘にEクローズのTシャツまで着せた。ハレットはQアノンの混乱した世界で彼女のメンターになり、彼女との関係は「父と娘以上のもの」だと自ら語っていた。

二〇二〇年三月、パンデミックに入って数週間経つ頃、ペトリー＝ブランチャードはケンタッキー州の母親の家から双子の娘を誘拐した。数日後、郡保安官代理はペトリー＝ブランチャードと娘たちが隣の郡でEクローズのまた別のメンバーやソヴリン市民の集団とともに隠れているのを発見した。郡保安官代理が家に入って少女たちを確保し、母親を逮捕する間、この家にいた人間は新型コロナにかかって具合の悪いふりをしていた。ペトリー＝ブランチャードが逮捕されたのち、ハレットの仲間の一人が彼女を保釈し拘置所から出してやった。

二〇二〇年にデイリー・ビーストで私は初めてチルドレンズ・クルセイドについて記事を書いた。その数カ月後、マコーネルやチルドレンズ・クルセイドについて頻繁に報じていたカンザス州のフリージャーナリスト、ミコ・ヘイズから電話をもらった。私はヘイズがよく掘り出す類いの新情報をさらに聞けるのではないかと期待した——誰かがまた逮捕されたとか、ひょっとしたらまた別の母親が自分の子どもを誘拐したのかもしれない。

「ニーリーがクリスを殺したよ」と彼が言った。

誘拐の容疑で逮捕後に保釈されたニーリー・ペトリー＝ブランチャードは、我が子の親権問題にまた戻ると、クリス・ハレットに直接会ってその件について話し合いたいと伝えた。そしてオカラにいる彼に会うため車で向かった。ハレットにしてみれば、自分がこれまで煽って血迷わせた母親の一人がまた訪ねてくるだけのことと思ったに違いない。ところがペトリー＝ブランチャードの長いことくすぶっていた法制度への不満は、ここにきて密かにハレットに向かっていた。[23] 彼女はハレットがヒラリー・クリントンやジョージ・ソロスと同様に、Qの言う秘密結社の仲間に違いないと思うようになっていた。考えてみればハレットは、法律上の工作をわざと遅らせ、自分を家族から遠ざけようとしていたではないか。

夕方、ハレットのオフィスに着くと、ペトリー＝ブランチャードは彼にコーヒーが飲みたいと言い、キッチンに行く彼の後ろをついていった。そしてハレットが背中を向けたとき、ペトリー＝ブランチャードは拳銃を取り出したとハレットのガールフレンドと彼女のティーンの娘の証言にある。

「あんたはあたしの子どもたちを傷つけてるんだ、このちくしょうめ」とペトリー＝ブランチャードは言った。それから、目撃証言と警察の報告によれば、彼女は引き金を引いて彼の肩を一発撃った。ハレットは痛みで顔を歪めながら、リビングに転がり込んだ。ハレットのガールフレンドと娘が慌てて逃げ出すと、ペトリー＝ブランチャードがさらに数発ハレットの頭部に弾を撃ち込む音がした。刑事たちが現場に到着すると、家は空っぽで、ハレットだけが「無数の」銃創を負って息絶えていた。警察はジョージア州でペトリー＝ブランチャードを逮捕した。ハレットの殺害容疑で逮捕された後、ペトリー＝ブランチャードは、軍ないしCIAがEクローズを捜査していないかと警察に尋ね、この組織を家庭裁判所が子どもたちを誘拐するために利用しているのだと訴えた。

アイダホ州にいるEクローズの生き残った首謀者、カーク・ペンダグラスは、ハレットの死を説明するために、また新たな陰謀論を採用することにした。彼はペトリー＝ブランチャードこそが秘密結社のために働いていたのだとうそぶいた。

「闇の政府が正体を暴かれるのをどれだけ嫌っているかおわかりでしょう」とペンダグラスは視聴者に語った。

　ペトリー＝ブランチャードの弁護士ジャック・マロは、彼女の裁判で精神異常による無罪を主張する計画を立てている。

「あの男が彼女を破滅の道に導いたんですよ」とマロが私に言った。

　二〇二一年九月、キム・ピカツィオは法廷でマコーネルと直接顔を合わせた。このQアノンの首謀者はとりあえず今のところ反省していて、ピカツィオの保護命令に対する違反についての司法取引に応じ、一年間の執行猶予と、ピカツィオならびにいまだ逃走中のホルムセスへの接近禁止命令を宣告された。判決を下す際に、ピカツィオは自分を散々苦しめてきた相手に対して発言を許された。

「私が児童を人身売買していると、私が子どもたちを食べていると、私がこの世界で身の毛もよだつことをしているとあなたが話したら、あの人たちは私を殺しに行きたいと思いますよね」ピカツィオはマコーネルに呼びかけ、海兵隊と自分の支持者がこの「ミズ・ピギー」なる女性をハチの巣にするといった彼の空想話《ファンタジー》を語ってきかせた。ピカツィオは、長い年月にわたり狂わされた世界における、この平穏な瞬間を噛み締めた。今度ばかりは、Qアノン信者の群れに誰かを殺すようけしかけて罪を免れることなどできないと法制度がはっきりと告げたのだ。

「あなたは海兵隊が来て私の頭を七回撃つと言いましたよね、私が裁判所の前に現れたら彼らが木々の間から出てきて私を捕まえると」ピカツィオがマコーネルに言う。「ですが、私には海兵隊なんて一人も見えませんよ。私に見えるのは、あなたにたった今判決を下した判事だけです。あなたにはルールに従うことを学んでもらう必要がありますから」

チルドレンズ・クルセイドは数年間、急成長したのち、ここにきて衰退しているかに見えた。アブツァグは誘拐事件での裁判を待っていて、ペトリー＝ブランチャードは殺人罪に問われている。ソーシャルメディア企業がQアノンを取り締まったことで、ホルムセスのような人間がオンラインで暴徒を組織したり、Eクローズが新人を見つけたりすることも難しくなっている。ピカツィオは法廷陳述でQアノンによる殺人の話にも触れたが、それはマコーネルにさらに衝撃を与えることになった。彼の友人で法律関係の相談役だったクリス・ハレットが最近惨殺された一件だ。ハレットの死には明らかに皮肉なものがあった。彼はQアノンを利用して、隙だらけの、しばしば心の不安定な人たちにつけ込み、自らの目的のために彼女たちの妄想を煽り立てた。そうして狂った暴力が今度はハレットの自宅の玄関に向かったのだ。

「あなたのソヴリン市民の弁護団の一人も、ここに同席すらしていませんね」とピカツィオが言った。「あなたの信者の一人に殺されてしまいましたから」

マコーネルの有罪判決は、Qアノンに対して法的に勝利した珍しい例となった。だがQアノン信者の暴力や嫌がらせが何年も続いているというのに、連邦法執行機関はいまだにQアノンに対して曖昧な態度をとっているかに見える。

二〇二一年四月、議会議事堂襲撃事件の後に開かれた議会聴問会で、FBI長官のクリストファー・レイは、FBI当局はQアノンと暴力事件とのつながりを「極めて深刻に」受け止めていると議会に語った。それでもレイは、このムーブメントに対し、FBIによる広範な捜査はいまだ実施されていないと述べた。

「我々は今のところ、この説そのものについての捜査はしておりません」とレイは言った。(24)

第10章／パパがレッドピルを飲んだなら

新たにQのフォロワーになった誰の人生にも、ある瞬間が訪れる。そのとき彼らの一番身近な人間が、彼らがジョークを言っているわけではないと気づくのだ。それまでフェイスブックにのめり込み、突如ドナルド・トランプを崇拝しはじめても、さほど気にはされていなかった。行方不明の子どもとか実験的なワクチンについてとりとめもない話をしても、前からちょっと変わったところがあったからと片付けられた。ところがとうとう否定する余地もなくなった。あなたの妻、あるいはあなたの息子、あるいはあなたの父親が、今やQアノンを信じていて、あなたも仲間になってほしいと思っているのだ。

そこでQアノンの外にいる人間は、大慌てでインターネットに向かうことになる。その何週間も何カ月も前から、Q信者自身が躍起になってオンライン検索していたのとそっくりに。アドレノクロムって何だ？　地下の基地だって？　何アノン？

五〇代のブルーカラーの組合加入労働者であるデイヴィッドにとって、その瞬間はパンデミックに入ってひと月後に訪れた。息子のネイサンがシカゴ郊外にある実家に戻ってきて、ある宣言をしたときだ。二〇代後半のネイサンは珍しく真剣な面持ちで、両親に向かって重大なニュースがあるから先にテレビで見る前に心の準備をしてほしいと言った。

「あのさ、父さんたちに知ってほしいんだけど、ハリウッドの連中が大量に逮捕されるんだってよ」とネイサンが言った。

ネイサンは、小児性愛の容疑でまもなく逮捕されるセレブの名前を挙げた。トム・ハンクス、スティーヴン・スピルバーグ、オプラ・ウィンフリー。デイヴィッドは息子が冗談を言っているのだろうと思った。

「そうかい、でもトム・セレックは違うといいな」とデイヴィッドが言った。「トム・セレックは好きだから」

ネイサンは冗談を言っていたわけではなかった。そして、この逮捕がどのように起きるかを、まるで秘密の使命のもとに両親に明かしているといったふうに説明した。デイヴィッドはメモを取りはじめた。こうしたすべての言い回しや暗号の奥に、デイヴィッドがこれまで聞いたこともない発想があるかに見えた。それはグローバルな秘密結社がこの世界を支配していて、トランプがまもなくこれを倒すだろうというものだ。数週間前にネイサンのノートパソコンから始まった旅は、とうとうオフラインの世界、デイヴィッドのリビングに姿を現した。息子はQアノンを信じている。家族は二度と元の家族には戻れないだろう。

二〇二一年の前半、デイヴィッドはQアノンについて書いた私の記事を何本か読んだ後、息子のことで私にメールを送ってきた。私たちは定期的に話をするようになり、デイヴィッドが私に最新情報を伝える間、ネイサンはQにはまったり抜け出したりを繰り返していた。息子の子ども部屋に新たに住み着いたこのデジタルソルジャーに困惑したデイヴィッドと妻のルーシーは、自分たちもQアノンに詳しくなっていった。デイヴィッドは、自分の家族にQが根をおろすのを眺めるという稀有な絶望を雄弁に語り教えてくれた。彼は息子のこれまでの人生を幾度となく振り返り、なぜネイサンがこんな道に進んでしまったのか、そのきっかけを探していた。デイヴィッドはネイサンに対する失望と怒りを隠すことなく私に伝え、ときにはQというネットの匿名の投稿者、すなわち家族の誰も知らない何者かのせいで息子と口も利けなくなりかけた皮肉な運命を眉を曇らせつつどこか面白がってもいた。

デイヴィッドとルーシーとネイサンの一家は、新種の自己解明の旅に深く迷い込んでしまった。Qアノンを介して生じた家庭内の孤立だ。ネイサンがハリウッドでの集団逮捕について初めて語ったあの運命の日以来、一家は出口の見えない荒野に放り出されてしまった。

「これに巻き込まれた家族や恋人がいない人には、どんなにひどいものか到底わからないでしょうね」とデイヴィッドが言う。

Qアノンがもたらした災いでとりわけ目を引くのは、殺人、暴徒による米議会議事堂襲撃、あるいは数百万人がファシストによる乗っ取りを受容する気になることなどだ。とはいえ何より頻繁に起きる悲劇は、それよりはるかに目に見えにくい。それは人とのつながりが壊れてしまった無数の物語、国中のキッチンやオフィスの休憩室、張り詰めた車中で日々繰り広げられる物語だ。

外から見ればネイサンは、Qアノンを見つける前とほぼ変わらぬ生活を送っていた。それでもごく身近な人間から見れば、Q以前のネイサンはもうそこにはいない。かわりにいるのは、「嵐」についての夢想に偏執狂的な関心を持つ、いらいらして怒ってばかりの青年だ。Qアノンはネイサンの人生を前よりもっと狭くて、もっと悲しいものにし、周囲のすべての人との関係に緊張をもたらした。

ネイサンがあの日に予想した逮捕はいつまでたっても起きなかったが、あの家族会議は彼が両親をレッドピリングないし改宗させる試みの始まりにすぎなかった。ネイサンは両親と四六時中《しろくじちゅう》口論になり、何かにつけて二人を陰謀論に引き入れようとした。デイヴィッドは、Qアノンがこの世界をすっかり説明できることにある意味感銘を受けたと自分でも認めざるをえなかった。暴露されたメッセージから人気俳優のアーミー・ハマーにカニバリズム的性行為への願望があるのがわかったって？　これもまたハリウッドの精神異常者《シッコ》についてＱが正しいことを言っていた証拠だ。イーロン・マスクがロケットを宇宙に飛ばすって？　これもまた月面着陸がフェイクだとネイサンが言いだすきっかけになる。

　ネイサンの残っていた数少ない友人も離れていった。Ｑアノンと縁を切らないなら息子の未来がどんなものになるか、デイヴィッドには目に浮かぶようだった。息子をかつて愛してくれた誰も彼もに見捨てられ、橋の下で段ボールの家で暮らすのだ。

　私は数十人ものデイヴィッドのような人たちと話をしたが、彼らも身近な人間がＱアノンにはまって周囲の者を片っ端から仲間に引き入れようとするせいで、彼らとの関係が壊れていた。ある母親は一〇歳の息子に、おじさんともう会えないことをどう伝えたらいいか訊いてきた。おじさんはＱアノンに取り憑かれてしまったのだ。ある女性は、夫がＱドロップを解読して夜中まで起きているために再びコカインに手を出し、Ｑ懐疑派との結婚生活では見出せない理解を得たくてオンラインで知り合った信者仲間と浮気を繰り返していた。Ｑアノン信者になったパートナーが子どもにワクチンを接種させるのを突如嫌がったことに驚いて、私に連絡をくれた人も一人ではなかった。

　Ｑアノンが誰かの人生をめちゃくちゃにすると、その外にいる人間は、それまで想像もつかなかった立場に立たされる。そこにいるのは、怖くて自分の子どもに話しかけられない親たち、それから、この世で誰より信頼していた人が現実とのつながりを失ったと気づく子どもたちだ。Ｑアノンは自分とは遠い世界の話、トランプの集会やインターネットの最も暗い片隅だけに限ったものに見えるかもしれない――それが異国の不治のウイルスのごとく襲いかかり、あなたの知っている誰かをすっかり別人にするまでは。デイヴィッドは、ネイサンがＱアノンに洗脳されたのは息子の人生に何かが欠けていたからだと感じたが、それが何かはわからずにいた。

トランプに対するデイヴィッド自身の反応は、だいぶ違うものだった。デイヴィッドは政治にとくに関心のない、中西部の白人のブルーカラーの労働者で、まさしくトランプに魅力を感じると思われる有権者のタイプだ。だが彼が「ケチな詐欺師」と呼ぶ男が選挙に勝ったことはデイヴィッドを逆の方向に押しやった。彼はニュース専門のケーブルテレビ局MSNBCの番組を熱心に視聴するようになった。そしてトランプの仲間が抱える数々の訴訟に注目し、誰かがトランプの件でいつかは寝返ってくれて、ネイサンのようなQ信者にかけられた魔法を解いてほしいと願っていた。

二〇二一年一月六日、デイヴィッドがMSNBCを見ていたとき、暴徒が米国議会議事堂を突破した。同じくテレビを見ていた友人から電話が来て、こう訊かれた。ネイサンもワシントンで暴動に加わっているのか？　デイヴィッドは息子が家にいてくれてほっとしたが、たしかにそれはいかにもネイサンがしそうなことに違いなかった。

「うちに拳銃がなくてほんとによかったよ」とデイヴィッドが私に言う。

ネイサンはこれまでも常々奇妙な発想に惹かれていた。一〇代の頃は、ビッグフットや宇宙人に夢中だった。だが陰謀論への関心に熱が入ったのは、パンデミックが始まってからで、ネイサンは実家に戻り、それから社会生活が家の中の世界だけになってしまった。ルームメイトも身近におらず、ノートパソコンの前で多くの時間を過ごしていた。Qアノン支持を公言すると、ネイサンは現実世界で生きるふりをするのもやめてしまった。実家の自室に引きこもって何日も過ごし、マリファナを吸って、Qの掲示板を読みあさった。部屋から出るのは何か食べ物を取りにくるか、両親にQアノンの動画を見るようしつこく勧めるときだけだ。口論が繰り返されるようになり、それはいつもネイサンが何か大それた話を始めたのがきっかけになった。たとえばジョン・F・ケネディが生き返ってトランプの副大統領に立候補する、といった話。

デイヴィッドは、ちょっとばかり変わっていた息子が、Qにかぶれた見知らぬ同居人へと変貌してしまったせいで、自分は一体どんな父親だったのかと自問するようになった。完璧な父親でなかったことは認めるが、ネイサンがQアノンにはまるまでは、ごく普通の父と息子の関係だと思っていた——多少ぎくしゃくしていたかもしれないが、こんなことになるような関係ではなかったはずだ。

デイヴィッドは、ネイサンと共有できる政治に関係のない数少ない話題にすがった。たとえば家族で楽しむファンタジー・ベースボール・リーグ〔実在の選手からなる野球チームをつくって競い合うゲーム〕とか。ところがネイサンはまもなく野球に興味を失い、自分にとってはそんなものよりずっとQアノンのほうが「現実的《リアル》」だと言うのだった。

「まったく理解できません」とデイヴィッドが私に言う。「理性のある人間がこんなたわ言に騙されるなんて、そんな気持ちわかるわけありませんよ。どうしたら共感できるんですか？」

Qアノンのことでネイサンとの関係がますますピリピリしてきて一年になろうとする頃、デイヴィッドの妻が二人でセラピーを受けてはどうかと提案した。ところがデイヴィッドとネイサンがカウンセリングの場に座ってわかったのだが、このセラピストはQアノンについてそれまで聞いたこともなかったのだ。最初のセッションをデイヴィッドはQについてセラピストに説明するのに費やしたが、自分も息子と同じくらい錯乱して見えやしないかと心配になった。カウンセラーが最後に下した判断は、ネイサンの抱えるQアノンの妄想はマリファナをそんなに吸わなければ消えるだろう、というものだった。

この陰謀論に捕まった多くの家族も同じだが、デイヴィッドと彼の家族にとって、Qアノンとは伝統ある組織や機関の手に負えないものになっていた。メンタルヘルスの専門家はその拡散に不意打ちをくらい、Qの手中に落ちた家族を助ける有益なアドバイスをなんら提供できなかった。だがそれは彼らだけではなかった。

アメリカ政府もQアノンの拡散を見落としていた。だがたとえ政府が介入したくても、合法的にできることがあるのかどうかは定かでなかった。ソーシャルメディア企業は、Qアノンが喚起したエンゲージメント〔ユーザーがコンテンツを熱心に見る程度〕から利益を得ていて、それで儲からなくなりかける直前までやめなかった。今や収拾のつかないこの混乱状況が、これほど多くの人間がはまる前にQアノンを止めるべきだった全員の失敗の数々が、デイヴィッドとネイサンに降りかかったのだ。

デイヴィッドはQアノンにはまった人間を脱出させる助けになりそうなものをオンライン上で探したが、利用できそうなものはほとんど見つからなかった。家族をQアノンに奪われた人たちが大量に生まれたことで、Qアノンのメンバーを脱急進化させると請け合う小さな業界も生まれていた。愛する人をQアノンなどの陰謀論から「ブルーピリング」する秘訣を提供する本や記事もあるが、ほとんどがQアノン信者と良好な関係を維持し、衝突したり彼らが信じるものを頭ごなしに否定したりしないことをまず勧めていた。そうすればやがてQアノン支持者が自分から陰謀論の外に出て、Qアノンから去るための助けを求めてくるだろう。

Qアノンの急進化に対するこの消極的な戦略は、たしかに最善のアプローチかもしれない。だがほぼ不可能に近いとも言える。それはQアノン信者の家族に途方もない重荷を背負うよう求めるもので、彼らに心理学者や疫学者、歴史家、論客、そしてソーシャルワーカーになれということだ――しかもその間にも熱っぽくまくしたてるたわ言や言葉による虐待を我慢する途轍もない忍耐力が必要となる。

「ほぼ毎晩、支離滅裂な話をとめどなく聞かされてごらんなさい。こっちも黙っていられませんよ」デイヴィッドは息子についてそう語る。

うまくすれば息子はいつの日か自分でＱアノンと決別するかもしれないとデイヴィッドは考える。あるいは興味を失ってまた別の何か奇妙なものに執着するか。だがそれが近いうちに起きることはなさそうだとデイヴィッドは予想する。Ｑアノンは、それがなければ目的のない息子の人生で、たった一つずっと続いているものだった。奇《く》しくもネイサンはようやく一つの目的を見つけたのだ。

「あの子がこんなに何かに打ち込むなんて、これまでなかったことですから」とデイヴィッドは言う。


カリフォルニア州に住む二七歳のジェイクは、母親のブレンダと昔からずっと仲が良かった。ブレンダはセージを焚いて、ローフードを食べる「緑の党」のヒッピーだった。母親はスムージーにウィートグラス・ショット〔小麦若葉の青汁粉末〕を入れて飲むのが好きだった。ゲイのティーンエイジャーであるジェイクは、母親のことを自分を守ってくれる存在だと思っていた。

「母はいつも僕にとってヒーローだったんです」とジェイクは言う。

ところがパンデミックが始まると、ブレンダは恐るべき変化を遂げた。二〇二〇年の春が来て数週間のうちに彼女はノイローゼになった。そして５Ｇセルタワーの電波のせいで自分は新型コロナウイルスに感染するだろうとジェイクに話した。

「僕のママ、いったいどうしちゃったの？」ジェイクはそう思ったという。

以前からトランプが好きな保守派の人間がＱアノンを知ってトランプこそ救世主に違いないと思いはじめる、というのがＱアノンにはまる経緯で一番よく聞くものだ。ところが二〇二〇年になると、Ｑアノンははるかに進化を遂げて、健康食品や秘儀的スピリチュアリティを愛する左派のニューエイジのヒッピーたちを引きつける「パステルＱアノン」という形も生まれていた。

ジェイクは知らなかったのだが、母親はＱアノンにはまってすでに何カ月も経っていた。彼女がＱアノンに入ったのは、勤めていたエッセンシャルオイルの販売会社を通じてだ。それはマルチ商法、いわゆるネズミ講と似たようなものだった。ブレンダを引き入れた女性――マルチ商法用語で言えば彼女の「アップライン」――は、あるときからネサラやそれがもたらす経済的救済についてフェイスブックに投稿するようになった。

ネサラのある一点がブレンダの興味を引いた。ネサラのユートピア的世界が実現すれば、借りている家を借家人が自分で所有できるとの約束だ。ブレンダは同じアパートメントを一〇年以上借りていた。だがネサラが実現したあかつきには、なんと部屋が無料《ただ》で自分のものになるのだ。ネサラについて調べるうちに、彼女は「セーブザチルドレン」という形のＱアノンを発見した。

この装いによりＱアノンは、もっと好ましい体裁のものに変わっていた。フェイスブックのセーブザチルドレンにはまったブレンダのような人たちにとって、それはパンくずを解読するとか、グアンタナモ収容所での軍事裁判といったものではなかった。初めのうちは、なんだか子どもたちを保護するらしいといった曖昧なものにすぎなかった。ブレンダとフェイスブック上の彼女の革新的な友人たちはこぞってセーブザチルドレンについて投稿しはじめたが、まもなくＱアノン支持のメッセージを大っぴらに交わすようになっていく。

「母や彼女の友人グループの心をつかむように、うまくできてるんですよ」とジェイクは言う。

ブレンダは支離滅裂な話をするようになり、ニュースになる出来事の裏にはすべて陰謀があるのだと息子に警告するようになった。ワクチンに反対し、新型コロナワクチンの接種を拒否した。ジェイクはＱアノンになった家族への対応について書かれた記事を片っ端から探して読んでみた。だがどのアドバイスも、Ｑアノンから母親を脱出させるためには、途方もない時間をかけて辛抱強く努力するよう求めるものだった。Ｑアノンになった母親とのかかわりがいわば副業になり、ジェイクはくたくたに疲れてしまった。

それでも自分の置かれた状況を友人に打ち明けることはできなかった。頭のイカれたQアノン信者が議会議事堂に殺到したり、JFKジュニアを崇《あが》めたりといった記事を見るたびに友人たちが笑っていたからだ。けれどジェイクにとってQアノンは、クリックして忘れてしまえるニュース記事ではなかった。それは彼の人生そのものになっていたのだ。ジェイクはどうしようもなく孤独を感じていた。

夜になるとジェイクは母親のツイッターの投稿を読み、Qアノンにのめり込む母親の足取りを追った。ブレンダは一月六日の暴徒はアンティファの手下だと書いていた。冬の大嵐でテキサス州の各地が停電すると、母親は、この雪は人工雪だとする陰謀論を投稿し、雪はレッドステイト〔共和党支持者の多い州〕を罰するために天気制御マシンによって製造されたのだと吹聴した。とうとうツイッターから締め出されたブレンダは、仕方なくもっと人目につかないオンラインのコミュニティに移った。メッセージアプリのテレグラムや保守派のソーシャルメディアネットワークのパーラー（Parler）などだ。そうした場所で母親を追跡するのはもっと厄介だとわかったが、その頃になるとジェイクはほぼ諦めの境地に達していた。

ジェイクはパンデミックで親を亡くした人たちの記事を読み、その気持ちがよくわかると思った。自分もまた親を失って悲しんでいるような心地がした。そして世間がQアノンの脅威を軽く見ていて、家族が共和党員でなければQアノンの影響とは無縁だと思っていることも気になった。

「これは共和党のコミュニティをはるかに超えてるんです」とジェイクは語る。「極右と聞いて思い浮かぶものを、もっとはるかに超えたものなんですよ」

Qアノンに新たに引き寄せられた人たちがオンラインのコミュニティで歓迎される頃、Qアノンが残した爪跡から、その拡散に苦しむ人々のオンラインのコミュニティも並行して生まれている。元Qアノンの「背教者」や悲嘆にくれる家族が、レディットの「Qアノン被害者」のボードなどのフォーラムで経験談やアドバイスを交換し合っている。[1] だが稀有な成功談をはるかに数で凌ぐのは、Qアノンから脱出するよう誰かに説得を試みて挫折したという投稿だ。

Qアノンの記事を書くたびに、Qアノンに奪われた愛する人を助ける方法を探す人たちから私にメールが届く。けれど私は答えを持っていないため、困りきった家族の何かの助けになればと思って、おのおの独自の考えを持つ専門家に尋ねてみた。Qアノンの被害を減らすことにかかわる人たちの話を聞いてわかったのは、酷ではあるが避けられない事実だった。Qアノン信者を思いとどまらせる確実な方法は存在しないのだ。

「実のところ、Qアノンから誰かを抜け出させるのに何が有効なのか、そもそも効果を持つものがあるのかどうかもわかりません」とQアノンを研究する精神科医でカリフォルニア大学ロサンゼルス校のジョセフ・M・ピエール博士は私に語った。[2]

第一に、Qアノンからの離脱者がセラピストや精神科医の治療によってこのムーブメントから抜け出すケースはめったにないとピエール博士は言う。むしろQアノンから離れる人は、家族や恋人やメンタルヘルスの専門家の努力とは一切関係ない理由から、個人的に「目を覚ます」経験をしたと説明することが多い。それは、他の信者と喧嘩したとか、敬愛していたQアノン組織のリーダーへの信頼を失ったとか、たまたま目にした嘘を暴く《デバンキング》動画が、現実を否定する彼らの心の壁をなぜか貫いたといった、ごく簡単な理由だったりもする。

ただしQアノンを抜け出す方法を研究する専門家のほぼ全員が賛同することが一つある。いかにも当然に見えて、ひとまずの満足感が得られる選択肢——容赦なく偽りを暴く《デバンキング》攻撃——は最悪の手段だということだ。Qアノン信者の言うことに対して、怒ったり、嘲笑したり、彼らのかぶる電磁波避けのアルミ箔の帽子《ティンホイルハット》を侮辱したりすれば、かえって彼らは心を閉ざしてしまうか、彼らとの関係を悪化させるだけだろう。多くのQアノン信者が陰謀論に引き寄せられる理由は、自分が社会から取り残されたり、ばかにされたりしていると感じるからだと、偽情報を信じる動機を研究するデラウェア大学コミュニケーション・政治学教授のダナガル・ヤングは語る。Qアノンを彼らの前でばかにすれば、現実世界のコミュニティで彼らが評価されていないことをまたも証明するだけだ。彼らがQアノンを信じるのは、この世界を真に理解したいとの思いに心から駆られてのことではないため、事実を示して信者を説得しようとしてもおそらく無駄骨になる。

「それでどうなるかというと、自分はアウトサイダーだし、世間は信用できないといった彼らの世界観を裏書きするだけなのです」とヤングは言う。

それよりも、Qアノンに大事な人を奪われて悲しむ人々は、たいていの場合、その人との関係を続けて、Qについて話すのは避けることを勧められる。信者はこのムーブメントが偽りであると自分で気づくことがおそらく必要になるが、Qアノンの体験を経ても切れなかったつながりがあれば、そのプロセスはもっと楽なものになるだろう。とはいえ、これは理屈では確かに良いアドバイスかもしれないが、ときにQアノン信者がどんなに頑固で攻撃的になるかを考えると、実行するのは得てして恐ろしく我慢の要ることだろう。誰かをQアノンから引き離すのは「途方もなく難しいこと」だとヤングは言い、そのつもりがある人は、まずは自分がそのQ信者との関係を維持したいかどうか費用対効果分析をしてみることを勧めている。

フェイスブックでつながる高校時代の友人や、年に一度クリスマスにしか顔を合わせない変わり者のおじさんのために、こうした苦難に耐える意味はないかもしれない。けれど、微かな望みにかけて夫や妻や両親を現実世界に連れ戻そうと奮闘する場合、ヤングの言うところの「長丁場の試合《ゲーム》」を行なうのは理にかなったことだろう。ヤングをはじめとする脱急進化の研究者が提案するのは、Qアノン信者と直接対決するのではなく、もっと直接的ではないアプローチであり、それは彼らを精神的にも物理的にもQアノンからただ遠ざけるというものだ。散歩や夕食に連れだすとか、彼らをオフラインにするどんなことでもかまわない。また過去のポジティブな記憶を思い出させて、Qアノンの外で生きる自分を想像する手伝いをすることをヤングは提案する。

「Qアノンに一極集中したアイデンティティを薄めるべく働きかけるのです」とヤングは言う。「やんわりと薄める方法とは、自分に対する見方をいわば多様化できるよう、彼らのマインドに他の記憶や複合概念、経験や感情を加えるのです」

メリーランド州の精神科医ショーン・ヘファナンがQアノンの研究を始めたのは、米海軍兵学校のあるメリーランド州アナポリスの郊外の高級住宅街を車で走っているときに、Qのバンパーステッカーに気づいてからだ。メディアでのQアノンにまつわるイメージだと、信者は無学の田舎者や筋金入りのトランプ・ファンであることが多かった。ところが彼が目にしたQの文字やWWG1WGAと書かれたバンパーステッカーは、幹線道路でサッカーママ〔子どものお稽古事の送り迎えに忙しい典型的な白人中流家庭の母親を指す比喩表現〕にすれ違う富裕地区の車に貼られていたのだ。

自分のコミュニティでQアノンが増殖しているのを「異様なこと」に感じたヘファナンは、Qアノンから人々をいかに抜け出させるかを研究した。そして次第に分かってきたのは、多くの人がQアノンに惹かれる理由は、現実世界で社会的なつながりが少ないため、かわりにオンラインのコミュニティを探すようになるからだった。従ってそこから抜け出すには、彼らの求める社会的なつながりをQアノンの外に見出す必要があるだろう。

他の専門家と同じくヘファナンも、最善の選択とは、Qアノン支持者が自ら直感的な悟りを得たときに、精神面で彼らに寄り添ってやれるということだ。
「無理に引き離せるようなものではないと思います」とヘファナンが私に語る。「自分から離れる気になることが必要なんです」

デイヴィッドはQアノン信者との関係を維持することの難しさを嫌というほどわかっていた。二〇二一年七月に彼は再び電話をくれた。ここにきてネイサンは、中国軍がカナダとの国境を越えてメイン州に突入してくると語る新たなQアノンの流言にはまっていた。暗闇に奇妙な光が映る動画がある。ついに戦いの火蓋が切られ、その後トランプが復権するだろう。とうとう「嵐」がすぐそこまで来ているようだ。

ネイサンがQアノンへの関心を初めて両親に語ってからすでに一年以上が過ぎ、デイヴィッドはそれまでにもたくさんの予言が外れたのをその目で見てきた。バイデンが大統領選に勝利したときデイヴィッドは大喜びし、トランプがホワイトハウスを去ればネイサンのQアノンへの関心も萎むはずだと考えた。ところが大統領就任式から半年後、Qアノンへの息子の関心は新たなニュースが出るたびに浮き沈みを繰り返したが、いつまでたっても完全に消えることはなかった。そして今また最高潮にあって、ネイサンはトランプが明日にも大統領に返り咲くに違いないと考えている。

デイヴィッドはというと、ネイサンがQアノンを信じていると知った当初のショックと、この問題を解決するための必死の努力は、ここにきて諦めに変わっていた。ネイサンを見ていると、新聞の連載漫画『ピーナッツ』に出てくるライナスを思い出す。いつまでたっても出てこない「かぼちゃ大王」が現れるのを、毎年たった一人で待っている子どもだ。

「かぼちゃ畑にいるライナスがしょっちゅう頭に浮かぶんです」とデイヴィッドは言う。「息子はまさにあれですよ。ただ息子がそれに腹を立てているってこと以外はね」

夏も終わりに近づく頃、デイヴィッドは再び私に電話をくれた。ネイサンはまだQアノンを信じていた。ホワイトハウスで皆が見ているバイデンは代役で、本物のバイデンはすでに死んでいるか投獄されているはずだと言うので、その件で口論したばかりだという。ネイサンは社会機能が停止《ソーシャル・シャットダウン》する前にペットボトルの水と発電機を買いだめしておくよう両親に忠告した――ネイサンはデイヴィッドに「あんたのニュース」では間違いなく見つけることができないものだよ、と見下すように言った。

「私の予想ははずれて、トランプと一緒に終わらなかったんです」とデイヴィッドが私に言う。「批判的に考えてみるってことをしないんですから、まったく呆れますよ」

八月になると、ネイサンのQアノン熱はやや落ち着いたかに見えた。ここにきて彼は牛肉しか食べない食事療法にはまっていた。これは保守派の大学教授で作家のジョーダン・ピーターソンのお気に入りの食事療法で、彼は途方に暮れた若い男性たちの父親的存在になっている。

デイヴィッドはQアノンの家族との暮らし方を学びつつあって、どんなときもその話題を慎重に避けている。息子が感情を爆発させないよう家庭内のルールもこしらえた。

「ごく普通の日常的なことだけを話題にするんです」と彼が説明する。「議論になりそうなものは控えてね」

二〇二一年一一月、デイヴィッドと家族がQアノンと同居して二年目を終える頃、彼は再び私に連絡してきたが、こんどの知らせは希望の持てるものだった。ネイサンにガールフレンドができて、オンラインで過ごす時間が減ったのだという。ネイサンがついに現実世界に戻ってきてくれるかもしれないとデイヴィッドは期待していた。

その一週間後、彼はさらに最新情報を送ってきた。大したことではないのですが、と。ネイサンがまたQアノンのことを口にしはじめ、今度はオンラインで何か読んでから地球は平面に違いないと考えているそうだ。

第11章／Qの議員連盟《コーカス》

二〇二一年一月六日、共和党下院議員のアダム・キンジンガーは職場に自分の銃を持参し、妻に首都ワシントンのアパートメントから出ないようにと忠告した。ドナルド・トランプを批判して当選した稀有な共和党議員のキンジンガーは、トランプの台頭が保守派の「草の根」にどんな類いの人間を解き放ったか自党内で誰よりもわかっていた。ここにきてプラウドボーイズ〔262ページ参照〕や極右武装集団《ミリシア》、さらに選挙が盗まれたとの共通の嘘によってのみ団結する数千人の怒れるアメリカ人という、まさにその一団が議会議事堂を目指して行進していた。

その朝、議会のオフィスから抗議の様子をテレビで見ていたキンジンガーは、目にしたQのTシャツやプラカードのあまりの多さにショックを受けた。Qアノンの信奉者がかなりの数いることで、その日に暴力行為が起きるのではないかとますます心配になってきた。この日は議会で選挙人団の票を集計しジョー・バイデンの大統領選の勝利を確定することになっている。キンジンガーはQアノンの信奉者の誰にも鉢合わせしないことを祈った。

「この群衆の中に飛び込みたくはないと感じたのです。私はこのたわ言《ブルシット》に喧嘩を売る共和党の顔みたいになってましたから」とキンジンガーはのちに振り返る。

共和党がこんなふうでなかったなら、彼はこの党の希望の星だったかもしれない。政治闘争を好む四二歳の元空軍パイロットのキンジンガーは、二〇一〇年に共和党が圧勝した中間選挙で初めてイリノイ州の議席を獲得した。だがQアノンやトランプ時代の常軌を逸したあれこれに反対の立場をとったことで、キンジンガーは保守派の活動家の間だけでなく、しだいに同僚の共和党下院議員からも除《の》け者扱いされるようになっていた。

キンジンガーはQアノンのことを、少なくともオバマ政権以降に右派で活気づいた陰謀論への狂信が行き着くところまで行った結果と捉えていた。彼は二〇一五年の「ジェイド・ヘルム」[1]という、南部諸州で行なわれた一連の軍事演習をめぐるパニックを思い出していた。のちにQアノンを生むことになるインターネットの陰謀論カルチャーの先駆けとして、公式発表されたジェイド・ヘルムの目的には裏があるのだと流言屋たちが言いだした。彼らが言うに、バラク・オバマは実はこの演習にかこつけて、連邦政府によるテキサス州の武力での乗っ取りを企て、ウォルマートの即席の刑務所に保守派の人間を投獄するつもりなのだ。テキサス州知事は、こうした陰謀論者が情報を何かつかんでいるのではないかと懸念し、軍が勝手な行動をしないよう州兵に演習を監視させる旨を命じた。

キンジンガーが最初にQアノンについて調べはじめたのは、二〇二〇年にWWG1WGAという暗号メッセージで終わるツイートを幾つか目にしたときだ。まもなく保守派の間でそれが拡散するのを見てひどく驚いた。「地下の秘密結社」がこの世界を支配しているといったQアノンのメッセージには、それを信じる人間を挑発する特別な力がありそうだとキンジンガーは気になった。月面着陸はフェイクだと考える陰謀論者が自らの信念のために銃を手にすることはまずなかったし、それはキンジンガーもわかっている。だが、この世界で最も力を持つ者たちが悪魔崇拝の儀式で子どもを性的に虐待していると信じた人間ならそうしないとも限らない。

その年の八月、キンジンガーは自党内で増え続けるQアノンに対して、のちに「孤独な戦い」となるものを開始した。Qアノンを支持する候補者マージョリー・テイラー・グリーンが共和党の決選投票で勝利し、まもなく下院で自分と同席することがほぼ決定すると、キンジンガーはQアノンには「議会に居場所はない」と宣言した。そしてQアノンを非難する決議案を共同で提出し[2]、Qアノン信者の主張の嘘を自ら暴く動画を収録した[3]。

動画でキンジンガーは、このムーブメントから抜け出す気になってほしいとQアノン信者に呼びかけ、政治家たちにはこれを否定するよう求めた。Qアノンの伝道師たちはこの陰謀論に加えられるものならなんでも飛びつくとわかっていたので、キンジンガーは自分の背後にかかっていた額入りの絵を指差すと、これは「私からイルミナティへの秘密のメッセージ」などではないと断っておくのも忘れなかった。「皆さんがこうした話を信じるのなら、自分自身でリサーチするようお勧めしますし、先入観を持たずにそれをしていただきたいのです」とキンジンガーは言った。

だがこうした努力はQアノンの拡大を止めるのにさほど役には立たなかった。トランプ陣営のあるスポークスパーソンは、Qアノンではなくむしろキンジンガーを攻撃し、この議員は民主党の陰謀論の方を標的にすべきだとツイートした。トランプ陣営は選挙前に共和党員たちにあるメッセージを送っていた。Qアノンについては沈黙を守ること。くれぐれも連中を怒らせてはならない。

キンジンガーが自党内の傍流《フリンジ》と対決する際に範としたのは、共和党上院議員の故ジョン・マケインだった。マケインが二〇〇八年の大統領選に出馬したとき、タウンホールミーティングで一人の女性がマケインにこう言った。自分はオバマを信用できないが、それは「彼がアラブ人だからですよ」と。彼女の発言を聞き流すかわりに、マケインはさっとマイクをつかむと、すぐに彼女の間違いを訂正した[4]。そしてオバマは「良識があって、家族を大切にする人です」と彼は言ったのだ。

Qアノンの件で共和党員たちにはマケインを見習うチャンスがあるはずだ、とキンジンガーは考えた。彼らがほんのちょっとでも勇気を出すことができたなら。キンジンガーは共和党の政治家たちがQアノン信者を説得する動画をつくることを想像してみた。自分のつくった動画みたいなものを。そうすればQアノンの嘘を暴き、現実に戻るよう支持者を説得できるだろう。メッセージは批判したり裁きを下したりするようなものではない。むしろ和解を生むものになるだろう。ただし動画は、キンジンガーいわく「QアノンはBS《デタラメ》だ」と断言するものがいい。

「皆さんがそれを信じたことを怒っているわけではありません。それとは違うことを誰も皆さんに語ってこなかったのですから。けれどこれこそが真実なのです」とキンジンガーは言った。

仲間の共和党員がこうしたメッセージを送るつもりがないのはキンジンガーにもわかっていた。彼らの生きる世界では、党の規則に従わない現職議員は予備選挙でライバル候補に脅かされるし、しかもFOXニュースの司会者のほうが上院議員よりも力を持っている。現職に留まりたいなら、Qアノンや自党の右派にまつわる問題には目をつぶっておくのが最善の策なのだ。

一月六日に議会議事堂前にいた群衆もまた、この手の穏やかな訂正を受け入れる気は毛頭なかった。この選挙は生き血をすする小児性愛者によって盗まれ、神様とトランプがこの連中に裁きを与えるべく選ばれたのだと信じる人間がかなりの数にのぼっていた。嘘を暴きファクトチェックを行なう時期はとうに過ぎていた。

暴徒は自分たちの世界観を議事堂内の議員たちに押しつけたいと思ったが、一方、その逆はありえなかった。数日前にキンジンガーにもわかったことだが、むしろ同僚の多くは選挙についての彼らの意見にすでに賛同していたのだ。

集計に先立つ下院共和党のある議員連盟の電話会談で、この組織の最高位の共和党員である少数党院内総務のケヴィン・マッカーシーは、バイデンの勝利を確定する採決に対し議員たちにどう対応してほしいかを伝えた。バイデンの選挙人票の確定に異を唱えても、民主党が議会両院を支配していることから無駄だと決まっているし、たとえ共和党が成功したところで、何らかの法的な力を持つかは定かでなかった。とはいえバイデンの勝利の確定に反対票を投じれば、おそらく議員生命を断たれずにすむ共和党の政治家もいて、彼らはトランプやQアノンによって怒りを掻き立てられた有権者からの反発をなんとしても避けたいと思っていた。

この電話会談でマッカーシーは、この結果に自分自身は反対すると述べた。キンジンガーは仰天した。さらに何人かが自分たちも反対すると宣言した。バイデンの勝利を議会の小手先の技で覆そうといった考えは、当初この議員連盟の最も過激なメンバーに支持されていただけだった。ところが今やキンジンガーの目の前で数十人もの仲間の共和党員が、その院内総務も含めて、この嘘っぱちに同調していた。

キンジンガーはマッカーシーに、選挙が盗まれたという作り話を支持する判断を下せば、一月六日に暴力沙汰が起きる可能性が高まるだけだと警告した。

「選挙が盗まれたのだと皆に思い込ませるつもりですか」そうマッカーシーに言ったとキンジンガーは振り返る。「そんなはずはないことをあなたは百も承知でしょうが」

キンジンガーにすれば、この共和党の院内総務の計算は明々白々だった。マッカーシーは選挙が盗まれていないことなどわかっているが、トランプが選挙で合法的に敗北したと現職の共和党員が認めれば、将来、ライバル候補にこてんぱんに負けると思ったからだ。Qアノンとその陰謀論的思考はこの党にすでに浸透していた。共和党員は脇にどいて自分がQの次の犠牲者にならないことをただ願っていればいいだけなのだ。

「間違っているとわかってても、自分が生き残るのに必要だと思えば、なんだって納得しちゃえるんですよ」とキンジンガーは語る。

共和党がQアノンのような過激主義者と結んだ悪魔の取引がこの国をどこに導くのか。キンジンガーのこの不安は一月六日の午後早くに的中した。最初の襲撃が始まったとき、キンジンガーは外で何が起きているのかわからず、状況を把握しようとオフィスの外に出た。すると通りがかった議会警察官から警告を受けた――「ブルー・ライブズ・マター（労働者の命も大切）」の一団が暴徒と化し、熊よけスプレーで警官を襲っています、と。

キンジンガーが携帯電話でこの暴動に関する最新情報を探してみたところ、自分のツイッターのメンションがQアノンの荒らし軍団《トロール》で溢れているのがわかっただけだった。メッセージには脅迫の文言や首吊り縄の絵まであった。それらは暴徒自らが送ってきたものであるかのような内容だった。《俺たちがあんたを見つけてやるからな》《あんたがオフィスにいることを願うよ》とあるメッセージにあった。

Qアノンが寄生虫のごとく自党にくっついたとき、共和党の上層部は選択に迫られた。共和党は早い時期にこれを攻撃することもできた。Qアノンがまだソーシャルメディアに現れたばかりの頃に。二〇一八年にフロリダのトランプ集会をQアノンが乗っ取ったとき、あるいはQアノンのフォロワーが殺人に手を染めだしたときに、共和党の政治家は連携して断固たる態度を示すことができたはずだ。Qアノンは哀れな茶番だと言ってやれたかもしれないし、そうするだろうとキンジンガーも思っていた。さらに右派のユートピアをもたらすためにトランプと協力して動くQチームなど存在しないと、きっぱり言ってやれただろう。

Qアノンと真っ向から戦えば、Qアノンの有権者を遠ざけて一時的に党を二分することにもなっただろう。だがそれによってQアノンの拡散を妨げたかもしれない。私は悲嘆に暮れるQアノン信者の家族と何度も繰り返し話をしたが、彼らによれば、Qの虜になった家族は、共和党がこの陰謀論に対して沈黙を続けたせいでいっそう強固にこれを信じるようになったという。信者たちはこう言うのだ。Qアノンの隠れた戦いが存在しないというのなら、権力を持つ人間がなぜそうだと言わないのか。

それどころか共和党の幹部はQアノンに見て見ぬふりをし、厄介物になる前に消えてほしいと願っていた。こうしてQアノンが共和党内に居心地よくおさまるあいだ、彼らはよそを向いていた。わずかな政治的損失すらも必死で避けようとした。

Qアノン信者が共和党内で歓迎されるとわかると、今度は自ら議員に立候補しだすのも当然の成り行きだった。

二〇一八年一二月、それまで一年近くQアノンを取材してきた私は、Qアノン信者が信じがたいことに政治に足場を築いた最初の兆候を目にするようになった。その頃には、Qアノン支持者がトランプの集会に頻繁に押し寄せていて、Qアノンの伝道師の一人が大統領執務室でトランプと撮った写真を投稿していた。とはいえQアノン信者が政治の力を本当に行使するとはいまだに想像できなかった。

その考えを変えたのが、パメラ・パターソンというカリフォルニア州の小さな街サン・ファン・カピストラーノの市議会議員で、彼女は公選職に就いた最初のそれとわかるQアノン信者になった。(5) 二〇一八年に再選をめざし立候補して敗れると、パターソンは市議会会議で行なった別れの挨拶をQへの愛を伝えることに捧げた。会議の場でQのヒントの一つを読み上げると、Qアノンをはっきりと支持するメッセージで締めくくった。

「アメリカに神のご加護がありますように」と彼女は言った。「Qに神のご加護がありますように」

地方自治体というまさに現世の場にレッドピルをオーバードーズした人間がいたのだ。私には信じられなかった。それでも選挙政治へのQアノンの進出はまだ序の口だった。そして二〇一九年の春、Qアノンの候補者たちが初めて連邦議会に立候補するようになる。

当初それはいかにもQアノンの顔になると予想される面々だった。勝ち目のない風変わりな泡沫候補たちだ。

二〇二〇年の選挙で最初に議員に立候補したQアノンは、マシュー・ラスクというフロリダ州に暮らす政治のど素人だった[6]。ラスクは「選挙の争点」のリストにQの項目を入れ、連邦議会が「予言的」情報源としてQのことを真剣に考えるよう求めていた。当選しても、法の制定にQアノンのパンくずを使うことはないとラスクは私に請け合った――もちろん、議会の調査に利用できる何らかの証拠をQが明かしてくれたら話は別だが。

Qの議員志望としてまもなくラスクの仲間に加わったのは、ミネソタ州に住むQアノン信者のダニエル・ステラだ。ラスクと同様にステラも民主党議員イルハン・オマルの座を奪える可能性はゼロだった。立候補を宣言したとき、ステラはアメリカの大手スーパーマーケット「ターゲット」から万引容疑で何度も訴えられていた。この告発により逃亡者となった時点でステラの公認候補への道は断たれ、彼女は州境を越え、Qアノン組織のリーダー、フィールド・マコーネルの支持者からの助けによりウィスコンシン州のモーテルに隠れていた[7]。

候補者名簿に載るアノンがラスクやステラの類いならば、Qは選挙に関していえば党のはるか片隅に留まり続ける運命に見えた。こうした候補者は投票用紙に名前が載ることもなければ、まして予備選挙に勝つ見込みなど当然なかった。

ところがあるときからQアノンの候補者が勝利するようになったのだ。オレゴン州に住む歯に衣着せぬ熱心なQアノン支持者のジョー・レイ・パーキンスが、アメリカ上院議員候補を選ぶ共和党内の予備選挙を勝ち抜いたのだが、これはすなわち彼女が本選挙に進む稀有なQアノン信者になるということだった。

このことは首都ワシントンの共和党幹部にとって問題となった。選挙に勝利したことで、パーキンスは、議員に何度も立候補しては予備選挙で負けて世間の前から消える無数のあらゆる変人と段違いの存在になった。彼らがどんな世界観を持っていようと、彼らが代表したいと願う党に責任はないが、指名候補となれば話は別だ。民主党の強いオレゴン州で、パーキンスが州を代表する議員の座を勝ちとる見込みはまずないが、彼女が党から指名された連邦議員候補となった今、彼女のQアノンへの傾倒を見過ごすわけにはいかなかった。

共和党のお偉方にとってさらにまずいことに、この新人の上院議員候補は、この国で指折りの声高で臆面もないQアノンのようだった。一八万人近い共和党員が予備選挙でパーキンスに投票すると、彼女はQアノンの応援動画のような勝利のスピーチを収録した。

「私はQとそのチームを支持しています」とパーキンスは動画で語った。「アノンの皆さんありがとう、愛国者の皆さんありがとう。さあ一緒に私たちの共和国を救いましょう」

パーキンスがQを信奉することへの反感を抑えようと、彼女の選挙陣営は、この候補者は「Qアノンの何もかも」を信じているわけではないと伝える声明を出した。するとパーキンスは自分の選挙陣営から距離を置き、ある記者に、自分の陣営がQを否定することに「嘘じゃなく本当に涙しています」と語った。自分は今もこのムーブメントに傾注しているとパーキンスは言う。

「私がキリストを信じるようにQを信じていると思ってる人もいるんですよ」とパーキンスは言った。(8)

その年の一一月にパーキンスは本選挙で二〇ポイント近い差をつけられて敗北したが、それでも一〇

○万近い票を獲得していた。共和党を支持する有権者にしてみれば、Qアノンを支持することはさほどの問題ではなかったのだ。

Qの立候補者は彼女だけではなかった。リベラル派のメディア監視団体メディア・マターズ・フォー・アメリカの研究員アレックス・カプランは、この選挙の数カ月前から、候補者名簿にQアノンの候補者が急増していることに気づきはじめた。カプランはQアノン支持者が何人立候補しているかを調べ、候補者がQのTシャツを着た写真や、「計画を信じろ」とツイッターに投稿するのを見るたびにリストを更新していった。カプランによれば、選挙当日、連邦議員に立候補したQアノン支持者のリストは九八人を数えた(9)。

ただし候補者全員がパーキンスのような筋金入りのQアノン信者というわけではなかった。増えていく候補者の名簿を調べたカプランは、ラスクやパーキンスのような本物の信者と、Qアノンに合図《シグナル》を送れば選挙に勝利する確率が高くなると考えているだけの野心家の共和党員とを区別した。

数人の候補者はただ予備選で抜きん出る手段としてのみQアノンに関心を示しているかに見えた。二〇二〇年になると、Qアノンの信者たちは、選挙陣営がそっくりそのまま利用できそうなソーシャルメディアの組織を築いていた。すでにQアノンは労働組合や商工会議所のように、要は候補者が支援を頼める強固な組織と政治献金を擁する支援団体になっていたのだ。

政治家志望の者には、ノンストップでライブ配信されるユーチューブのQアノンの番組「愛国者の演説台《ソープボックス》」に登場する者もいたが、この番組はこの陰謀論を世に出すのに一役買っていた。とはいえQに興味のある候補者はそこまでする必要もなかった。「#WWG1WGA」や「#TrustThePlan」を投稿すればいいだけで、これは信者たちに歓迎されるメッセージだし、なおかつムーブメントの外にいる有権者には気づかれずにすんだ。

Qアノンに秋波を送る候補者はオンラインのその組織力に目をつけているのではないかとカプランは考える。

「彼らが利用できるインフラがあったからです」とカプランは言う。

Qアノンをただ利用したいだけの候補者と熱心な支持者との違いは、二〇二〇年に連邦議会入りを果たした二人のQアノンの候補者を見ればよくわかる。コロラド州のローレン・ボーバートとジョージア州のマージョリー・テイラー・グリーンだ。

ボーバートにとってQアノンとは、どうやら票を獲得するまた別の方法にすぎないようだ。ボーバートは誰かをソーシャルメディアのスターに押し上げる文化戦争の類いに精通していた。彼女の経営するレストラン「シューターズ・グリル」の一番の売りは、ウエイトレスが銃を携帯していること⑩。政治的な注目を集めるために物議を醸すことを進んでやるボーバートはQアノンにも目をつけた。Qアノンの有名人アン・ヴァンダースティールの番組に登場したボーバートは、ヴァンダースティールと彼女のファンをただ怒らせないためにQアノンをぎこちなく推奨しているかに見えた。

「Qのムーブメントをご存じですか?」ヴァンダースティールがボーバートに尋ねた⑪。「それが何だかよくおわかりですか?」

「よくわかってますよ」ボーバートが答えた。「母のほうがよく知っていますけど。彼女はちょっと極端《フリンジ》なんで。私はただ物事をきちんとやって前向きでいようと思っているだけです。でも前からよく知ってますよ」

ヴァンダースティールは、ボーバートがQアノンは年寄りと「フリンジ」の人間限定の、ばかげた考えだとほのめかしたことに眉をひそめた。おそらくその場の空気を明るくしようと、ボーバートはすぐに話題を変え、Qアノンは「私たちの国にとって真に偉大なものになれるでしょう」と言った。

「Qについて私が聞いたことはすべて――きっと真実だと思います」と続けて彼女は言った。「だってアメリカがもっと強くて、もっと優れたものになるって話ですから」。ボーバートの選挙陣営はのちに彼女がQアノンを支持したことを否定した。

ボーバートのQアノンへの関心と比較にならないのはグリーンのそれだった。グリーンはほぼ当初からこの陰謀論にかかわっていた。ボーバートと違ってグリーンは献身的なQアノン支持者で、その証拠に彼女はQアノンを支持するデジタル痕跡《トレイル》を延々と残している。[12]

グリーンは二〇一八年の前半にQアノンに加わったが、それは政治的な利点が生じるよりだいぶ前のことだ。グリーンのソーシャルメディアの投稿からは、Qアノンの世界にどっぷり浸かった人間の姿がうかがえる。二〇一八年六月、彼女はフェイスブックに投稿し、「今日のQの最高の投稿」を褒め、さらに「WWG1WGA」やQアノンのフォロワーがトランプを指して使う暗号「Q+」にも触れていた。グリーンはQの個々の投稿の信憑性にまつわるQアノンの論争にも積極的に参加し、二〇一八年五月の《計画を信じろ》と書いたツイートで、Qの投稿は本物だと断言していた。

グリーンはQアノンを構成する種々雑多な陰謀論も受け入れた。彼女は九・一一の「真実」の追求者で、「飛行機と称するもの」が米国国防総省《ペンタゴン》に衝突したと発言し、九・一一のペンタゴンへの攻撃は政府による捏造だとの説に明らかに言及していた。[13] また二〇一七年にヴァージニア州シャーロッツヴィルで起きた白人至上主義者による襲撃も「内輪の犯行」だと主張し、二〇一八年にフロリダ州パークランドのマージョリー・ストーンマン・ダグラス高校で起きた銃乱射事件のサバイバーで銃規制活動家のデイヴィッド・ホッグを自分が嘲笑する動画を撮っていた。

グリーンはQアノンの中心にあるレイシズムや反ユダヤ主義をその行動で示していた。[14] ムスリムの議会議員のような革新的な民主党員は「イスラム法《シャリーア》を支持するなら中東に戻る」べきだと言い、黒人の有権者は「民主党の奴隷になっている」と発言した。二〇一八年のフェイスブックの投稿では、カリフォルニア州の山火事はロスチャイルド家――反ユダヤ主義の陰謀論で昔からお約束のように言及されるユダヤ人一族――を含む組織がコントロールする宇宙レーザーによって引き起こされたものだとうそぶいた。

二〇二〇年八月、グリーンは予備選挙の決選投票で従来の共和党員を破った。保守の強い一帯でついに共和党の指名候補者となったグリーンは、連邦議員の椅子を保証されたも同然だった。グリーンが決選投票で勝利したことは、その時点までQアノンを認めることを避けてきた共和党上層部に挑戦を突きつけた。筋金入りのQアノン信者がなんと連邦議会で自党を代表すべく立候補することになったのだ。

当初、グリーンの勝利がきっかけでQアノンを超党派で否定する動きが生まれた。キンジンガーが共同で提案したQアノンを非難する決議案に対し、下院では一七人を除く共和党員全員が民主党員に加わり賛成票を投じた。

とはいえ、この象徴的な決議案の他は、共和党はただグリーンの勝利を無視するか、もしくは彼女を支持するかのどちらかだった。共和党候補者への資金調達を担う全国共和党下院選挙委員会のスポークスパーソンは彼女を擁護した。トランプは彼女を「共和党の未来のスター」と呼んだ。

共和党の上層部がQアノンに目をつぶろうとしたのをマッカーシーほど如実に示した者はいない。下院少数党院内総務という立場のマッカーシーは、この国で指折りの重要な共和党員になっていた。グリーンが予備選挙の決選投票で勝利した当初、マッカーシーはQアノンに強硬姿勢をとり、とうとう共和党上層部にQアノンの存在を認めさせた。[15]

「共和党にはQアノンの居場所などありません」とマッカーシーは語っていた。

ところがその三カ月後、マッカーシーは恣意的な記憶喪失の発作に襲われた。なんとQアノンが何かを思い出せなかったのだ。民主党とわずか一一名の下院共和党員が過去の発言からグリーンの委員会の任務を剝奪する票を投じてまもなく、記者と話したマッカーシーは、共和党にとってQアノンが問題になったことなどこれまで一度もなかったかのように振る舞った。この陰謀論を「Qオン（Q-On）」と呼び、グリーンはこの陰謀論を非難していたと繰り返し言った。舵を切るときが来たのだ。

「Qオンを非難していましたよ――私にはこれが正しい呼び方かはわかりませんし、それが何かも知らないんですがね」とマッカーシーは言った。

　Qの黒幕ではないかと疑われていることで何より知られる元8くんの管理人ロン・ワトキンスは、二〇二一年一〇月に自分は新たな肩書きを使いたいと宣言した。それはアリゾナ州選出の下院議員《ジェントルマン》だ。二〇二一年が明けて数カ月間、ワトキンスは日本で暮らしていた。だが右派の間で人気が高まるとアリゾナ州に移り住み、連邦議員への立候補を画策しはじめた。ワトキンスは不正投票の素人専門家という立場に就いたのち、Qの顔とはまた別に右派メディアのスターになっていた。カウボーイハットをかぶったワトキンスは、親トランプのケーブルチャンネル「ワン・アメリカ・ニュース」に登場し、「サイバーアナリスト」と紹介された。トランプは彼をリツイートし、この最大級のQアノン推進者の注目度が一気にアップした。トランプの弁護士ルディ・ジュリアーニは、トランプの選挙が盗まれたとのメッセージを喧伝するのに頼れる盟友として、ある作戦計画書でワトキンスの名を挙げていたほどだ。[16]

　ここにきてワトキンスは連邦議員になりたいと思っていた。カリスマ性に溢れてもおらず、過去に銃乱射事件の犯人の犯行声明が載ったことで知られるフォーラムの管理人を務めたこともあるワトキンスは、もっと資金に恵まれた予備選挙のライバル候補たちからすれば反対候補調査の格好のターゲットになった。とはいえ彼の出馬はある意味筋が通っていた。すでに連邦議会にはQアノン支持者が入っていた。だとしたら仲買人を飛ばしてQとされる本人をワシントンに送ったらどうだろうか？　ワトキンスが立候補を表明してまもなく、私は彼の政治に対する抱負を聞かせてほしいと電話をかけた。そしてワトキンスと彼の選挙運動本部長のトニーという男と話をしたのだが、そのときワトキンスは自分はQではないと言い張った。ワトキンスはQアノンの候補者として出馬するわけではない、とトニーが付け加えた。

　ワトキンスにすれば、議員に立候補するなら、Qアノンと相変わらずほどよい距離を置いておく必要がある。とはいえQと完全に縁を切ることはできなかった——彼がQの黒幕ではないかと疑われていなければ、私を含めて誰も彼の選挙運動に関心など持たないだろう。だがQそのものに限った公約では、選挙に勝つことも、それどころか共和党の予備選挙に勝利することすら叶わないだろう。つまりQアノンのファン層に理解を示しつつも、大っぴらにこれを受け入れはしないということだ。

　この戦略上、厄介な問題は、ワトキンスの選挙運動の日程表にあった。そこには数週間後にラスベガスで開かれる、カードゲームにちなんだ名のQアノンの大会「パトリオット・ダブルダウン〔「愛国者の倍賭け」の意味〕」への出席が予定されていたからだ。Qアノンが提携している催しとわかるサインだらけのイベントで、宣伝ポスターには17の数字も描かれている。私はワトキンスにこの数字のことを尋ねてみた。

「17は幸運の数字ってだけですよ」とワトキンスが言った。

　これにはトニーも黙ってはいられなかった。

「ロン、ロンったら、ああ、まったく」トニーがあたふたしながら言った。

　一月六日の襲撃事件でQアノンが果たした役割について尋ねると、ワトキンスはそそくさと電話の会話を終わらせた。二〇二二年のワトキンスの選挙運動はこうしておぼつかないスタートを切った。

ボーバートやグリーンとは違ってワトキンスは、いつまでたっても連邦議会の椅子に届きそうになかった。資金をなんとか集めることにも、従来の候補者より目立つことにも苦戦していた。アリゾナ州の共和党のある情報筋は、彼には本選挙はおろか予備選挙にも勝つ「見込みはない」と私に言い切った。だが権力めいたものをつかもうとするQアノンの有名人はワトキンスだけではなかったし、ときにはそれが成功する場合もあった。陰謀論を広めるのに重要な役割を果たしたユーチューブのQアノン伝道師、トレイシー・"ビーンズ"・ディアズは、サウスカロライナ州の共和党執行委員会の席を勝ちとった。[17] Qアノン界のリーダーでジョン・F・ケネディ・ジュニアになりすますファアン・O・サビンは、州務長官候補者を集めた複数州の連合を組織したが、彼らが勝利すれば選挙に決定的な力を持つことになる。[18] 候補者の一人で、Qアノンを推進するアリゾナ州のある州議会議員は、トランプからの推薦をもらっていた。

公職選挙に立候補するQアノンがいるのみならず、共和党内でのQアノンの人気は、党のエリートが対決を拒否するうちにますます高まっている。自分をQアノンの信奉者とは思っていない人ですら、Qアノンをそれなりの政治的立場を持つものとみなすようになっている。トランプに反対する共和党参謀のサラ・ロングウェルは、同党内でQアノンがどの程度感覚的に受け入れられているかを調査している。二〇二一年の一部の報道では、証拠がほとんどないことも少なくないのだが、バイデンが大統領に就任し、Qが姿を消して以来、Qアノンは壊滅状態になっていると言われていた。それでもバイデン就任後に共和党の投票者を対象にフォーカスグループ調査〔調査対象を少人数集めて討論させることで情報を得る調査〕を実施したロングウェルは、Qアノンが同党内でかつてないほど人気を得ていることを発見した。それは自分をQアノン信者だと思っていない、ごく普通の共和党員の間でも同じだった。

トランプ政権時代が陰謀論的思考を共和党の主流に招き入れ、ついにQアノンは一つの所属政党ないし政策選好とみなされるまでになった。共和党の投票者は減税や中絶、あるいはQアノンを焦点とすることができた。党内でQアノンはまた別の派閥にすぎなくなっていた。

「彼らはすでにQがはるかに主流になった文化のなかで右往左往しているのです」ロングウェルはインタビューした共和党員たちについてそう語る。

共和党内の「草の根」における陰謀論的思考の台頭は、Qアノンだけにとどまらなかった。誰もがQのTシャツを着たり、地元のピザ店でピケを張ったりするとは必ずしも限らない。フォーカスグループ調査でロングウェルは、インタビューした共和党員がますます「ポストトゥルース・ニヒリズム」と彼女の呼ぶ世界に生きていることに気がついた。彼らは現実を多項選択式の問題としてとらえ、自分が一番好む事実を選べるものと考えていた。フェイスブックや保守派のソーシャルメディアから受けとるものが真実か否かをわざわざ調べてみようとはしない。彼らにとっては唯一の真実など存在しなかった。最も心地よく信じられるものを選ぶことができるのだから。

「彼らは何がおおむね真実かという感覚を失ってしまっているのです」とロングウェルは言う。

共和党が陰謀論的思考に深く落ちていくなか、キンジンガーは暴動から九カ月後に、自分は再選をめざして立候補はしないと宣言した。キンジンガーにとってQアノンと戦った日々が政治的に実を結ぶことはなかった。一月六日の事件を調査する下院の特別委員会に加わったわずか二名の共和党員の一人になったことで、自党の投票者や仲間の議員たちから嫌われたキンジンガーには、この先の政界での未来に希望はなかった。

キンジンガーが退場口へと向かう間も、彼が戦った陰謀論は党内で優勢を保っていた。トランプも党内で優勢を維持したままで、自分が正式に敗北したことをほのめかす共和党の政治家を誰彼かまわず攻撃していた。洪水のように現れるQアノンの候補者も止まることがなかった。メディア・マターズの研究者アレックス・カプランが二〇二二年の初めにQアノンの候補者を数えたところ、Qアノンとつながりのある五二人の候補者が中間選挙に立候補していたとわかった。

議員としての最後の数ヵ月を終えたキンジンガーは、一月六日の事件が自党に衝撃を与えたと楽観的に考えてはいなかった。それどころかQアノン信者や他の陰謀論者は、かつてないほど党内で力を持っているかに見えた。

「共和党が本物のQアノン信者に乗っ取られてしまったらどうなるのか、私には想像もつきません」とキンジンガーは言う。

Qがすでに共和党の最上位層に食い込んでいる証拠もある。トランプが選挙で負けた数日後、ジニー・トーマス――最高裁判事クラレンス・トーマスの妻で自身も積極的な活動家――がトランプ大統領の首席補佐官マーク・メドウズにメッセージである朗報を伝えた。トランプが敗北したように見えて、実はこの選挙は民主党上層部を逮捕するための策略だった可能性があると、たった今わかったのだと彼女は書いていた。(19) トーマスはQアノンのウェブサイトから引用したその計画を伝えてきた。「バイデンとその共謀者は軍事裁判にかけられるため、まもなくグアンタナモ収容所に送られるでしょう」

第12章／ベビーQ

二〇二〇年が明けて数カ月の間、ケイシー・メイヤーは姉のカイリーのインスタグラムの投稿が、夕日とブランチの写真からQアノンとトランプに変わっていくのを見つめていた。夏が来る頃には、カイリーはQと――少なくとも自分をQと名乗る男性と――暮らすようになった。「姉がかなり危ない状況にあるようで心配なんです」とケイシー・メイヤーは私にメールで書いてきた。

Qアノンの記事を書くようになってから、私のもとには、このムーブメントから友人や身内を脱出させることに関する問い合わせがたくさん来るようになった。誰もが自分たちの人生にQアノンがもたらした諸々の問題を解決する術を探していた――息子がアドレノクロムや小児性愛者のことに執着しすぎてとうとう音信不通になってしまったとか、どこかのユーチューバーから新型コロナはフェイクだと吹き込まれたパートナーが、店を再開してもマスクの装着義務に従わないといったナイトクラブのオーナーの悩みまで。こうしたメールには、苦悩の言葉や、Qアノンにはまる以前の自分がよく知っていた相手にまた戻ってほしいとの切実な思いが溢れていた。それでもこの手のメールを受けとったのは、今回が初めてだ。

カイリーはAT&Tからの請負で営業の仕事をしていたときに、彼女いわく、この電気通信大手が情報機関に顧客の電話を盗聴させている証拠を見つけた。そして自分がそれを発見したことを闇の政府は知っていて、そのために自分を懲らしめにくるに違いないと思い込むようになった。通りで見かける見知らぬ人々が自分の跡をつけていた。カイリーはオンラインで自分のことを「標的にされた個人」と呼ぶようになったが、これは、自分たちが影の勢力に追跡されていると信じる、インターネットで成長するコミュニティが使う言葉でもあった。

ケイシーの説明はもっと単純明快で、姉は「精神的に」不安定になってしまったのだと私に話す。カイリーが陰謀論に興味を持っているのを知っていた友人がある動画を見せてくれたのだが、それをつくったのはオースティン・スタインバートという最近出てきたばかりのQアノン推進者で、背が高くて気味の悪いほど自信に満ちた、髪をオールバックにした二九歳の男だった。スタインバートはオンラインでQを後押しするどんな陰謀論者とも違っていた。Qアノンを宣伝するだけでなく、なんと自分こそがQだと名乗っていたのだ。スタインバートの話によれば、二〇年か三〇年先の未来の自分がタイムトラベルできるコンピュータを使って8ちゃんに投稿したメッセージこそが、今のQの投稿なのだという。「僕の言うことをよく聞きなよ、ヘイターたち」スタインバートは最初の頃の動画で呼びかけた。「僕はQと関係があるだけじゃなくて、この僕がQなんだ。僕自身がね。これは僕の作戦だ。掲示板に投稿してこの作戦を指揮しているのは、実は未来の僕なんだ」

私たちの時間軸に戻るとすれば、この若い方の、すなわちスタインバートの現在のバージョンのファンたちは、彼を未来の彼と区別して「ベビーQ」と呼んでいた。二〇二〇年の夏、スタインバートはフェニックス郊外の一軒家に信者たちを集めるようになった。スタインバートの信者たちはこのにわかづくりの本部を「牧場《ランチ》」と呼んだ。彼らはまた、エアビーアンドビー（Airbnb）の貸家ではなく重要な軍事拠点のようにも聞こえるもっと勇壮な名をつけた。「前進作戦基地《フォワードオペレーションベース》ジェロニモ」

カイリー・メイヤーや他のスタインバートの信者たちは、二〇二〇年三月のある動画を見たことが彼をQだと悟った瞬間だと話すことも多い。それは「隠密作戦入門講座《ブラックオプス101》」と称するものだが、彼が一人の男を焼き殺したと豪語する動画としてのほうが有名だ。

野球帽を後ろ前にかぶり、ハッカー集団「アノニマス」のロゴの前に座ったスタインバートは、彼いわく世界を股にかけるスパイというよりも、ビデオゲームの攻略法を小出しに教えるユーチューバーみたいだ。彼はスタインバート流の世界を語ってみせ、そこではタイタニック号は連邦準備銀行を批判する人間たちを殺害するためにわざと沈められたし、スウェーデンのDJ、アヴィーチーが死んだのは自殺ではなく、秘密結社を暴こうとして殺されたのだ。それからスタインバートはカメラに向かってこう宣言する。自分がここにいるのは、米国防情報局（DIA）の捜査官としてこの世界をまっとうなものにするためだ。

スタインバートは、当時はまだ存在すらしなかった視聴者に向けて、自分は一七歳のときにDIAにリクルートされたのだと説明した――これはQと数字の一七とのつながりから、Qアノン信者にとっては重要な年齢だ。ジョン・マケインの携帯電話をハッキングしたり、ドラッグを密輸したり、さらには誰かを燃やしたりまでした隠密作戦に数年間携わったのち、スタインバートは自分の訓練が何のためだったかをついに理解した。それは自分がベビーQだと悟ることだ。未来の自分からの時間を超えたメッセージのおかげで彼は先見の明を得て早くからビットコインに投資し、現在では「とんでもない大金持ち」になり、数十億ドルの暗号通貨を保有し、それを使って宇宙空間を対象とするトランプによる新たな軍事部門、すなわち米国宇宙軍に出資することができた。

「僕たちは隠密作戦《ブラックオプス》の資金を調達するために乱行パーティを開いたり、ドラッグを売買したりなんかしない」とスタインバートは言った。「僕は自分で払えるからね。それって最高だろ？」

二〇二〇年の春、カイリーはこの「ランチ」に移り住んだ。

「姉は何もかも持って車で出ていって、あそこに住んでるんです」とケイシーが私に教える。

スタインバートによるタイムトラベルの話は、アドレノクロムや地下牢での性売買が既成の事実とされるムーブメントの基準に照らしても、すこぶる突飛なものだった。ケイシーはスタインバートの動画を見てみたが、彼は自分がまもなく宇宙軍を指揮すると宣言したり、裏切りがあったと信者たちを罵ったりしていた。彼女はカイリーがインターネットの生んだ二一世紀版チャールズ・マンソン・ファミリーに入ってしまったみたいな気がしていた——とうとう姉はマンソン・ガールズの一人になってしまったのだ。だがスタインバートは、これまで現れたどんなQアノンの伝道師よりもとりわけ目に見える形で人々を虜にしていた。ネオン・リヴォルトのような人物はソーシャルメディアでもっと広く手を伸ばし、もっと多くの信者を獲得していたが、それでもスタインバートのように現実世界でQアノンのコミュニティを築いたことなどなかった。

Qアノンとは何かを理解しようとする人は、これをカルトと呼ぶことも少なくない。確かに明らかに類似点はある。その発想が新たに信者になった人たちの頭の中で膨らんで、彼らの人生で最も重要なものになると、こうした運動のリーダーは懐疑的な家族と縁を切るようメンバーたちを焚きつけるからだ。

精神科医のロバート・ジェイ・リフトンは米国の主要なカルト研究家でもあるが、彼は組織をカルトと判断する基準を三つ挙げている[1]。「カリスマ性を持つリーダー」、このカルトにとどまるよう信奉者の思考を変える「思想改造」の手法、そして信奉者の「甚だしい搾取」。

Qアノンは三番目の基準を楽々と満たしている。信者たちは騙され、身近な人間を遠ざけ、いんちき療法やQアノンの関連商品に金を注ぎ込んでいる。Qアノンはまた「思想改造」のツールを持ち、信者にこのムーブメントへの疑問を持たせないために「思考を停止させる決まり文句《クリシエ》」(2)とリフトンが呼ぶものを頻繁に用いている。リフトンはこれを、深い思考をさせないために反復の可能な「きわめて還元的な、決定的な響きのする、しかも容易に記憶され、容易に表現される句」であると説明する。この世界のあらゆることが「計画」など存在しないことを示していても、Ｑアノンの信者は互いに「計画を信じろ」と声を掛け合う。Ｑの予言がはずれると、「偽情報はときに必要だ」という文句で互いを納得させる――つまり何にせよＱアノンの予言がはずれても、それは敵を混乱させるためのＱの作戦にすぎないというわけだ。

Ｑアノンにもたしかに中心となる人物はいて、この匿名のＱはカリスマ性のある危険なカルトリーダーの名簿にぎこちなくだがおさまっている。Ｑは一人かもしれないが、大勢いるかもしれず、その正体はいつまでたってもはっきりしない。だがＱの信者の多くは崇拝の目をＱではなくトランプに向けている。彼らはトランプを「世界を変える救世主」とみなし、Ｑは、たとえ未来を事前に知ってはいても、トランプのただのメッセンジャーにすぎないと考える。

大半のカルトのリーダーは、信奉者の金と性を搾取するが、ＱがＱアノンを煽ることで何を得ているのかは今もってよくわからない、とカルト専門家のリック・ロスが私に語る。Ｑアノンを生んだことでＱが何を得たにしても――何らかの政治的利点にしろ不和を煽る病的な楽しみにしろ――その目標はリーダーの典型的なそれではなかった。「カルトのリーダーが匿名で姿も見せず、信者が見たり崇めたりできないという点は、大半のカルトリーダーの場合とは正反対です」とロスが言う。

そもそもＱアノンはカルトと呼べるのかという論争に、スタインバートは自分のＱアノン組織を一九七〇年代の古典的なカルトに変えることで決着をつけようとするかに見えた。彼の組織にも屋敷に拳銃、激しい内部抗争、連邦法執行機関との対決が揃っている。私の「ランチ」の説明は、ロスから見ればまさに新興のカルトを示唆するものだった。

「ある組織が破滅的なカルトだと示す明らかな危険信号は、メンバーを社会的に孤立させたがっていることです」と彼は言う。

カルトであろうとなかろうと、とにかくケイシーは姉にスタインバートの組織とかかわってもらいたくなかった。カイリーはもう大人だし、どんなおかしな組織でも姉が入りたいのなら入る自由があるのはわかっている。それでもファンタジーの世界に生きることを選んだ姉を見るのは辛かった。

「姉にはあんなものに入ってほしくないんです」とケイシーは言う。「私に何かできることはないのでしょうか?」

Qアノンは諸々の派閥や個性的な人物によって分裂しており、彼らが外部の人間よりも互いを憎み合っている場合も少なくない。陰謀論者たちは、私が彼らについての記事を書くと激怒し、私のことを、小児性愛を行なう闇の政府の黒幕のために働いているのだと支持者に説き聞かせる。ところが電話でオフレコを条件に話したり、メッセージを暗号化してやりとりしたりすると、彼らは嬉々としてライバルの犯罪歴や詐欺的な副業に私の注意を引こうとするのだ。ケイシーの力になるには、私はまずスタインバートの組織がいかに運営されているかを知る必要があった。そこでQアノンの別の組織のリーダーで、スタインバートの天敵でもあるダスティン・ニモスに電話をかけた。ニモスに言わせれば、スタインバートは詐欺師であり、彼をQだと信じる人々は、偽物の預言者にとっては良いカモだった。ニモス自身もQアノンをドル箱にし、自分をQの専門家とみなす視聴者に関連グッズや栄養補助食品を売って数百万ドルを稼いでいると話していた。また彼はこのムーブメントのライバルたちをよく観察していて、かなりのゴシップ好きだった。スタインバートについてQアノン界で喜んで話してくれる人間がいるとしたら、それはニモスに違いないと私にはわかっていた。

そして案の定、ニモスは手伝う気満々だった。「僕は敵を破滅させてやるのが大好きなのさ」

スタインバートが自分をQだと断言したことには、ニモスだけでなくQアノンの他のリーダーたちはぼ全員が激怒していた——スタインバートがこの生態系《エコシステム》全体を乗っ取ろうとしているのは明らかだった。彼のライバルたちは、Qになりすます彼の言い分にはっきり異を唱えるか、さもなくばベビーQの傘下という下っ端の立場に甘んじるほかなかった。彼らはスタインバートにオースティン・〝スタインLARP《ラープ》〟のあだ名をつけ、彼が自分をQだと名乗るのは何か企んでいるのか、あるいは「ライブアクションロールプレイング〔参加者が現実世界でゲームの登場人物を演じて遊ぶ即興のロールプレイングゲーム〕」のようなファンタジーゲームに興じているのだと嫌味を言った。スタインバートは彼らに真っ向から反発し、自分の正当性を否定し続けるなら彼らには悲惨な、おそらくは命にかかわる事態が待ち受けているだろうと警告した。「僕はQプラスほど善人なんかじゃないからね」とスタインバートはある動画でトランプに触れて言った。「それにあんたらの誰に対しても善人でいる義務はない」

私と同じくニモスにもスタインバートのやっていることは謎だった。スタインバートはどこからともなく現れて、Qアノンの新顔の有力な代弁者になったが、彼がどうしてそんな立場につけたのかはよくわからなかった。拠点にする物件を借りる金や、ソーシャルメディアでプロ顔負けの制作物をつくる金をどうやって手に入れたか誰も知らなかった。けれどニモスも、またQの世界で私が話を聞いた全員も同じく、スタインバートが一体何を企んでいるのか知りたがっていた。

「あいつが実際にカルトをつくろうとしていても驚かないな」とニモスは言った。「どうだかわからないよ。あいつはちょっと危険だ。あいつはどうかしてる、正気とは思えないね」

スタインバートとその信奉者たちは、Qアノンに限界ぎりぎりまでコミットしていて、彼の思い描く世界を実現すべく過去の生活を捨て去っていた。Qの支持者の誰もが、従来の世界で教わってきたすべてのことを否定する世界観を受け入れている。とはいえQの名のもとに実際に犯罪をおかした者を除けば、これまで彼らは大したことはしていない。ところがフェニックスの華氏一〇〇度（摂氏約三八度）を超える猛暑のなか、Qアノンの新たな生き方に最も近いものを築きつつある男が一人いた。スタインバートには参謀長と新興のデジタルメディア帝国があった。「ランチ」にはざっと一〇人のクルーが交代で住み込み、他にも数人の信奉者が一帯の別の場所に暮らし、オンライン上にはさらに多くの人間がいた。スタインバートの支持者は自らも多大なリスクを負い、自分の金を彼の大義に投資していた。そして今、パンデミックがピークを迎え、Qアノンに押し寄せた新顔が支持を待つなか、彼はQアノンを乗っ取ろうとしていた。

私はケイシーに姉をQアノンから助け出してほしいと頼まれていた。しかし自分勝手な話だが、正直なところ、彼女の依頼を引き受けることで、Qを信じるとはどういうことか間近で見る貴重な機会が得られるとも思った。スタインバートの組織は、他のQアノン組織のたわ言や無駄話の域を超えていた。彼らは徹底したQアノンのライフスタイルを実践している。スタインバートの世界をこの目で見るためには、フェニックスまで出かけるしかない。

オースティン・スタインバートは、テキサス州の州都オースティンの郊外にあるラウンドロックで、熱心なクリスチャンの裕福な家庭に育った。高校時代のある友人の話では――スタインバートの信者からの嫌がらせを恐れて、彼女からは自分の名前を伏せてほしいと頼まれた――彼は人気者の生徒で、同級生やガールフレンドを操る力が自分にあることに酔っていたと振り返る。

「頭はよかったけど、彼はどう見ても、成績より周囲の人間を出し抜くことのほうに関心がありましたよ」と彼女は言う。

スタインバートはアリゾナ州立大学に進学し、そこで将来、妻となる女性に出会った——彼女はのちに夫の新たな人格《ペルソナ》となるベビーQとは一切関係を持ちたがらなかったが。その数年後に退学すると、IT技術者になり、ホテルや会議場でテクノロジー関連の問題を処理していた。のちにスタインバートは、自分が大学を去ったのは隠密の作戦を実行するためだったと話していた。

スタインバートは、また別のQアノン起業家に近づいたことで初めてQに足を踏み入れた。彼らの関係はQアノンに典型的な形で決裂した。スタインバートは善良な愛国者を貶めようと企む回し者だと責められたのだ。

二〇一八年五月、ルイス・アーサーというアリゾナ州に住むQアノン信者が、ツーソン付近で空き家になっているホームレスの収容施設を見つけた。アーサーは、この長らく放置されていた廃墟が、実は児童の性的人身売買を行なう秘密結社の奴らの中継地に違いないと思うようになった。(3) 彼の大義を信じて世界中からQ信者が集まってきた。アーサーはQアノンの将軍だとばかりに、集まった支持者を組織し、砂漠を一緒にパトロールして闇の政府の工作員を探すようになった。

アーサーのパトロールが始まってまもなく、スタインバートがこれに志願してきた。ところがある日の午後、基地に戻っているときに、チームメイトたちは、スタインバートがフェイスブックにあげる派手な場面をとるために——あるいはもっと穿《うが》った見方をすれば、Qアノン信者を灼熱のアリゾナで幽霊を追うガンマニアの狂人みたいに見せるために——銃を撃つよう自分たちをけしかけたと非難した。

この武装集団の内部に政府の工作員や密告者がいるのではないかとの被害妄想がすでに広まっていたのだが、彼らの疑いの目はここにきてスタインバートに向けられた。銃の発砲を持ちかけて、スタインバートはこの集団の世間での評判を失墜させようとしていたと昔の仲間も語る。アーサーと彼の部隊は数週間かけて秘密結社のスパイを探していたが手がかりはなかった。だがここにきて、ついに自分たちの中にその一人を見つけたのだ。

「あいつはどうしたら向上できるかってことばかり話している」とアーサーはフェイスブックのライブ配信で文句を言った。

スタインバートが秘密結社狩りをする者たちに銃を発砲しろとけしかけたことで、アーサーと険しい顔の武装自警団員たちが彼を問い詰めた。アーサーの仲間に加えて、フェイスブックの動画チャットを怒りの絵文字で溢れさせた怒れるアーサーのファンのどちらにも数で負けたスタインバートは、こそこそと逃げだした。

大敗を喫したのち、スタインバートはQアノンの組織から姿を消した。そして二〇二〇年三月、アーサーが彼をアリゾナ州のQサークルから締め出すのに成功して二年後に、スタインバートはユーチューブで人目につかないチャンネルを立ち上げ、あることを宣言した。自分はQなのだ、と。スタインバートはQアノンに戻ってきた理由を真面目に説明しようともせず、自分が復帰したのは軍の情報部にいる自分の指示者《ハンドラー》からまた別のミッションが下ったためだということにした。

Qアノンはスタインバートが自分をリメイクできるコミュニティを生みだし、そこで彼は、ある年は砂漠の自警団員、お次はベビーQになりすますことができた。だがQアノンの喧伝屋の中でもスタインバートが際立つのは、自分がQのために手を染めた犯罪についてべらべらとしゃべっていたことだ。南の国境を越えてドラッグを密輸したと話したり、デンマーク女王がグリーンランドを合衆国に譲渡しないなら彼女を殺害すると動画で脅したり。スタインバートが嬉々として法を無視することこそ、彼のファンから見れば、彼が本物のQだという証拠で、だからこそ法の裁きを受けずにすんでいるのだと納得できた。

自分を疑う者がいたとしても、それは間違いだと証明すべく、スタインバートはちょっとした連続犯罪をおかすことにした。まずは以前、医師の診察室で盗み撮りした映像から始めることにした。

二〇二〇年一月、スタインバートがQとしてデビューする二カ月前、彼の母親は息子をカリフォルニアにあるエイメン・クリニックに行かせたのだが、このクリニックはダニエル・エイメン博士が設立した世界でも有名な精神医療施設だった。[4] スタインバートの母親がどうして息子をこのクリニックに行かせたかは不明だが、そのタイミングは——彼が自分はQだと公言するようになり、未来の自分と交信していると皆に語りだす直前のことだ——まったくの偶然だったとは思えない。一方スタインバートの話では、母親が自分をこのクリニックに行かせたのは自分の注意欠如障害を心配してのことだという。

クリニックでコンピュータを使ったテストを受けたとき、スタインバートはここに通っていた患者の記録を自分も見られることに気がついた。多くはプロのアメリカンフットボール選手で、この同じ施設で慢性外傷性脳症（CTE）の治療を受けていた。スタインバートが急いで見たデジタル記録には、元アメリカンフットボールのスター選手で解説者に転身したテリー・ブラッドショーのものもあった。スタインバートはこのピッツバーグ・スティーラーズの元クォーターバックの脳の断層写真《スキャン》と医師のカルテを、視聴者が解読できるよう拡大して撮影した。

スタインバートはその映像を、最初の頃にアップしたQアノンの動画で公開し、これを自分が法を超越して行動できることの証としたが、自分も患者だったことには触れなかった。MI6がジェームズ・ボンドに殺しのライセンスを与えたように、Qアノンもまたこのオースティン・スタインバートに、それほど高尚とは言えなくとも、セレブの脳画像を撮影するライセンスを与えてくれたので、自分は「起訴の明らかな免除」なるものを享受できるのだと証明したかったのだ。

「脳にちょっとばかり穴が多いね、ロイ、ぶっちゃけて言えば」そう言ってスタインバートは別の選手のMRI画像で脳の損傷とおぼしきものを指差した。

エイメン・クリニックの職員から動画の削除を求められると、スタインバートはこのクリニックを自身のファンタジーの世界に引きずり込もうとした。つまり、動画を削除する唯一の条件は、この脳画像が「軍事情報作戦」の一環としてDIA捜査官からハッキングされたと報道発表することだと告げたのだ。そこでクリニックがかわりに彼の両親に苦情を言うと、彼は病院にメールを送り、「核兵器によるハルマゲドン」が待っているぞと脅迫した。

「もし僕がQでないなら、この有名人たちをハッキングしたせいでひどく困ったことになるはずだよね？」スタインバートはカルテについての動画でそう言った。

スタインバートはどんな犠牲を払ってでも、たとえそれで自分の人生を破滅させかねないとしても、Qアノンの名声を追い求めることに執着しているようだった。オリジナルのQはその突拍子もない主張で株を上げたが、スタインバートは何食わぬ顔で犯罪をおかして逃げ切ることで自分がQだと証明しようとした。

その戦略が自分にどんなリスクをもたらすかがわかったのは、スタインバートが動画を公開して六日後にFBIが彼の家のドアをノックしたときだ。

このときはまだスタインバートは「ランチ」には移っておらず、妻と別の家に住んでいて、自動拳銃のデザートイーグルを手に持って玄関に出てきたとFBI捜査官が語っている。スタインバートは拳銃を手から放して謝ると、自分は「たくさんの頭のおかしな人間《サイコ》」を相手にしなくちゃならないのだと弁解した。そして訪問者がFBIだとわかると機嫌を良くし、自分も政府の職員なのだと話した。

スタインバートの聴取はすぐさま自己負罪〔自分に不利な証言をするなどで自らを有罪にさせること〕という、いわば弁護士にとっての悪夢に変わったと、彼を逮捕しようとしたFBI捜査官がのちに法廷で証言した。スタインバートはメキシコとの国境を越えてマリファナを密輸したと話し、またこのクリニックの記録にアクセスしたことを認め、それは「朝飯前だった」と言った。脳画像の動画について訊かれたスタインバートは、「突拍子もない」ことをしたのは自分がスパイだと証明するためで、脳内に埋め込まれた装置を通じて送られる未来の自分からの命令に従ったのだと説明した。そして自分が犯罪をおかしたのは、自分はすでに宇宙軍のリーダーだから「面倒な目に遭うことはないと皆に教えてやる」ためだったと捜査官らに語った。

FBIが来たことでスタインバートが思いとどまることはなかった。二日後、彼はまたも喧嘩をふっかけ、ダット（Datto）というクラウドストレージ会社に嫌がらせをするよう支持者たちをけしかけた。この会社は、スタインバートが保存したデータを、著作権に違反するため削除していた。会社のカスタマーサービス回線を渋滞させて一万ドルを超える損害を与えたファンたちを止めるようダットのCEOに要請されると、スタインバートはこのCEOに、おまえは「Qアノン作戦」を邪魔していて、まもなく裁きを受けるだろうと告げた。

《サイコを何人かおまえに会いにいかせよう》とスタインバートは彼にメッセージを送った。

一〇日後、FBI捜査官がダットへの恐喝容疑でスタインバートを逮捕した。だがスタインバートには「治療されていない深刻な精神衛生上の問題がある」との検察側の警告にもかかわらず、判事は彼を拘置所から釈放し、足首にモニターをつけた状態での自宅軟禁を許した。

軍の最強《スーパー》スパイとしてのスタインバートの人物設定《バックストーリー》は起訴後に崩壊しはじめた。検察は彼の雇用主とされるDIAで彼が働いた証拠を見つけられなかった。ところがQアノンの世界では彼の名はかつてないほど広く知られるようになった。逮捕前に投稿した一握りの動画のおかげで、彼はユーチューブで二万人の登録者を獲得し、法廷審問にも十数人の信者が姿を見せてQの旗を振っていた。

ある審問の後、スタインバートは法廷の外でジェイコブ・チャンスリーに遭遇した――この「Qシャーマン」の化粧した顔と角のついた被りものは、その数カ月後、彼が連邦議会議事堂に侵入した暴徒の一人になった際に悪名高きものになる。このときすでにオンラインゲーム『ワールド・オブ・ウォークラフト』から出てきたような未開の呪術師ふうの姿だったチャンスリーは新聞の一面やパロディの格好のネタに見えたが、彼はスタインバートをQアノンの長老政治家のように扱った。スタインバート――裁判に出るためにスーツを着て顔に化粧もしていない――が思わずたじろくなか、チャンスリーは槍を掲げ、我々の想像を超えた形而上学的な真実と世界についての自説を力強く訴えた。

「俺たちのほうが優位な立場にいるんだから、あの最低のマザーファッカーどもの鼻をあかしてやろうじゃないか」とチャンスリーはスタインバートを励まし、それから背後の連邦裁判所に向かって雄叫びをあげた。「我々は一致団結して進んでゆくぜ、マザーファッカーどもめが!」

マイケル・コーリーは化学療法の影響で朦朧としているときにQアノンに出会った。そして本当に久しぶりに、この世界が筋の通ったものに見えてきた。

ミシガン州で住宅ローンのセールスマンをしていたコーリーは、二〇一八年にリンパ腫を発症した。ベッドに横になり、癌の治療から回復の途中で、また別の病気のせいで皮膚にあちこち穴があき、ミイラのように包帯で体をぐるぐる巻きにされていたとき、コーリーはドナルド・トランプの動画を見はじめた。そしてこう思った。ここに戦う気満々の男がいるぞ。

「自分も見習おうって尻に火がついたんです」と彼が私に語る。

コーリーは自分の頭が化学療法の影響を受けていると感じるようになった。物事を忘れっぽくなって、仕事をやめた。だが政府から障害者給付金の受給資格を認めてもらえず憤慨したコーリーは、トランプを支持する陰謀論に一層のめり込んだ。失業したばかりで家に引きこもりネットサーフィンしていたとき、彼はQドロップを見つけた。

コーリーはQの明かす新事実に胸躍らせた。社会保障を拒否されてすでに自分は社会の除け者になったみたいに感じていた。自分が生きようが死のうが政府はまったく気にしていないとわかってショックを受けた。極悪な秘密結社というQの話は、コーリーの人生にぴたりと当てはまった。人生がこんなに不公平なのは、ただの偶然ではなかったのだ。秘密結社がこの世界をそんなふうに歪めてしまい、普通の人間はいつまでたっても踏みつけにされるのだ。文無しの、怒りに満ちた、ネットに費やす時間だけは無尽蔵にあるコーリーは、Qアノンにとって格好の新人候補だった。

コーリーはQアノンから学んだことに納得していたが、それでもスタインバートの動画を見るまでは、もっと大きなその目的をなかなか理解できずにいた。ところがその動画のおかげでとうとうQアノンとは何なのかをコーリーは悟った。それは秘密結社を倒して、オースティン・スタインバートがQとしての使命をまっとうするのを手伝うことだ。

「突然、こう言ってくれる男が現れたのです。『それは私だ!』と」コーリーは言う。

Qは現実に存在し、コーリーは彼に会うことができた。しかも彼のもとに引っ越すことまでできたのだ。コーリーの癌が小康状態になってまもなく、足首モニターを装着した状態で自宅軟禁中のスタインバートが、「ランチ」に自分の信者たちを集めはじめた。その計画とは、宇宙軍を始動させ、秘密結社を倒し、スタインバートがベビーQとしての使命をまっとうするのを助けること。コーリーはミシガン州にフィアンセを残して、スタインバートや彼の支持者と一緒に暮らしはじめた。

スタインバートはサブリナという名の参謀長を連れていて、彼女はスタインバートをなんとしても宇宙軍のリーダーに就かせたいと始終仲間に語っていた。また「ミズ・Qニバース(Qniverse)」としか皆に知られていない女性や、ＵＦＯに夢中になり妻に捨てられた男性もいた。同居するルームメイト以外にも、流れついた居候もいた——民主党の若手女性下院議員アレクサンドリア・オカシオ＝コルテスに反対すべく、むなしい書き込み投票〔投票用紙に正式に載っていない候補者の名前を書くこと〕作戦を行なったニューヨークの共和党員が数週間滞在し、スタインバートをキリストの再来だと断言した。この組織にはタミー・タワーズ・パリーという医師までいて、彼女は二〇二〇年にサウスダコタ州のマウントラシュモアでトランプが開いた独立記念日を祝う式典にも出かけてＱの旗を振っていた。

カイリーのルームメイトはテイラー・スティラーというニューエイジの二四歳の女性で、彼女は二〇一六年の大統領選以降に陰謀論をリサーチしていた。組織のメンバーは、二人を「クリスタル・シスターズ」と呼んでいた。スティラーがＱアノンにたどり着いた道は、スタインバートの支持者に典型的なものだ。何年もオンラインで陰謀論をリサーチしていたので、Ｑアノンが現れると、それもわけなく信じることができた。スティラーはＱアノンへの自らの信仰を神秘主義的な言葉で語っていた。彼女によれば、Ｑの話は、「ダークフォース」が「意識の牢獄」に人間性を閉じ込めていることを証明していた。スティラーは陰謀論を見出した前と後で自分の人生にはっきりと線を引いた。

「私は二度と戻ることはありませんでした」と彼女は言った。

Ｑアノンの顔になるというスタインバートの基本計画《マスタープラン》の第一弾は、ユーチューブの動画をたくさんつくること。スタインバートとその侍者たちは、「Ｑエイム・セオリー（Qame Theory）」とか「Ｑになんでも訊いてみよう」といったタイトルをつけたＱアノン関連のユーチューブチャンネルを幾つも立ち上げた。チャンネルはそれぞれ特定の人口集団をターゲットにしていた。たとえばミレニアル世代、あるいはＦＯＸニュースを愛するベビーブーマー世代など。番組には「量子インターネット」という発想をテーマにしたものも多かったが、このテクノロジーはスタインバートいわく未来の自分が時間を遡ってメッセージを送るのに使っているという。グルテンフリーの料理番組の企画もあった。

コーリーと他二人がQアノンのトーク番組をつくって、そこでスタインバートの最新の声明について長々と論じ合い、「Qのパリサイ人〔パリサイ人はキリスト迫害の主導的役割を果たした、規律を厳格に守ることを主張する古代ユダヤ教の一派〕」――スタインバートがQであることを疑うQアノンのリーダーたちを指して信者が使う言葉――を激しく非難した。カイリーとスティラーは「量子意識」という番組をスタートさせたが、これはミレニアル世代やニューエイジのスピリチュアリスト向けのもので、番組で二人は新たなQアノンの発展を祝って炭酸アルコール飲料「ホワイトクロー」で乾杯した。あるエピソードのテーマは、どうすれば量子インターネットを使ってタイムトラベルできるのか、さらにはユリウス・カエサルやジョン・F・ケネディのような歴史上の人物の脳の中まで見られるのか、というものだった。「あたしたちはただコンテンツを発信するだけです」とカイリーはある動画で語り、スタインバートの計画を説明した。

スタインバートの組織には、どういうわけだか資金がたっぷりあるようだった。むやみやたらと広い家や、フェニックスのオフィスビルにユーチューブの動画制作用のスタジオを借りていたが、見たところ彼らの収入源はQアノンについてのほとんど視聴されていない動画だった。

後からわかったのだが、資金の大半は信者たちから送られてきたもので、彼らはスタインバートの乗っ取りが成功したあかつきには、宇宙軍の要職に就けると約束してもらっていた。コーリーはおそらく自分の金の少なくとも四万ドルをスタインバートのメディア作戦や「ランチ」に投入したと言うが、その数字にスタインバートは異議を唱えなかった。

コーリーのスタインバートへの献身ぶりはおそらく理解しにくいだろう。彼は自分の思いを説明できたが、それは私にはまったく腑に落ちないものだ――まるで彼はQアノン信者だけが理解できる周波数で話しているみたいだった。一度私は、スタインバートが自身について語るどう見てもありえない話をなぜ信じるのかと尋ねてみたが、彼はスタインバートが「私のDNAに何か奇妙な点があるのを知っていた」からだと答えた。コーリーが最近、DNA検査を受けた結果、自分の母親と父親が遠い親戚だったとわかったという。

コーリーたち信者が送ってくる金のおかげで、スタインバートの作戦はQアノンのコミュニティでは見たこともないような一風変わったプロ意識を身につけていた。「ランチ」の訪問者や新たに創設された「スタインバート・メディア・グループ」のボランティアは、この家で行なわれていることを公言しないと誓う秘密保持契約書（NDA）にサインするよう求められた。スタッフは企業っぽく聞こえる肩書きをもらったが――コーリーはアシスタント・ディレクター・オブ・コミュニケーションになった――彼らは宇宙軍で自分たちが同じ地位に就けるものと期待していた。

ケイシーは、今ではフェニックス郊外にある実家からほんの数ブロック先に住む姉が、女子力を活かしたQアノンのブランド化に取り組んでいるのを眺めていた。カイリーは電話で何度か妹に、「ランチ」に来てスタインバートや自分のルームメイトたちに会ってほしいと頼み、Qアノンに偏見を持たないでと訴えていた。二〇二〇年の七月に私がケイシーと話をしたとき、それは彼女が私に最初に助けを求めてからひと月後のことだったが、ケイシーは姉がスタインバートの組織をもう抜け出せないのではないかと希望を失いかけていた。最近になってQアノン信者は、家具通販サイト「ウェイフェア」が家具の中に子どもたちを入れてこっそり運んでいるとの噂を世間に広めていて、スタインバートのチームが、何かの間違いでその手柄を認められていた。

「姉はかつてないほどのめり込んでいるんです」と彼女は言った。

ケイシーは、七月四日にトランプ大統領の元国家安全保障担当補佐官マイケル・フリンとその家族が

「Qアノンの宣誓」をする動画を投稿したことに猛烈に腹を立てていた。フリンの動画に感化されたスタインバートやカイリー・メイヤー、さらにスタインバートの支持者六人が、グリーンスクリーン〔ウェブカメラの背景を隠すための緑色のパネル〕の前で厳かに誓いを立て、それからどっと笑いながらハイタッチする自分たちの姿を動画に撮っていた。ケイシーからすれば、こうした動画はスタインバートの信奉者たちが「ランチ」でいかに楽しい時間を過ごしているかを見せつけるためのものに見えた。そう思うと背筋が凍った。

私との電話でケイシーは、フリンなどのトランプの取り巻きがQアノンと調子を合わせていることに、そしてスタインバートと自分の姉や死んだ目をした彼女の友人たちがQアノンの誓いを立てる動画を投稿したことに激怒していた。

スタインバートの弟子たちはアドレノクロムにまつわる話をオンラインに投稿しはじめ、ハリウッドのセレブたちが若さを保つエキスを入手すべく子どもを拷問しているのだと、自分たちのフェイスブックの友達に信じ込ませようとした。ケイシーは、カイリーがますますQアノンがらみの投稿をしているのを見た共通の友人たちから、あなたのお姉さんは大丈夫なの？　と尋ねられた。

その後、ケイシーから私に連絡が来ることはなかった。七月に電話で話した後、彼女は私の電話にも携帯のメッセージにも応答しなくなった。ところがスタインバートの組織が投稿した動画の中で、カイリーは自分の妹が最近亡くなったことを伝えていた。こうして私は彼女に何が起きたか知ることになった。ケイシーは心臓発作により二七歳の若さで亡くなっていたのだ。

ケイシーが亡くなったため、私はスタインバートの組織との一番近い接点を失ってしまったのだが、それはちょうどスタインバートがさらに多くの信者を集め、Qアノンでさらに発言力のある人間になっていたときだった。とはいえスタインバートの拠点は内部からすでに崩壊しはじめていた。

「ランチ」の一団はオンラインで陽気なイメージを印象づけ、ルームメイトの一人にタイムトラベラーが加わった『ザ・リアル・ワールド』〔若者数人が同居する様子に密着した米国のリアリティ番組〕の一シーズンのようにも見えた。彼らのソーシャルメディアの投稿へのコメントから判断すると、この作戦はなかなかうまくいっていた。スタインバートの動画は数万回も視聴され、彼がQだと確信するQアノン信者からの反応で溢れていた。彼のフォロワーたちはオンラインをうろつくインターネット軍団と化し、スタインバートがこのムーブメント自体を乗っ取ろうとしていることに異を唱えるQアノンの伝道師たちを攻撃しはじめた。

スタインバートの作戦は、数カ月間フォロワーたちの不信を棚上げしておくのに成功していた。側近たちには受け入れられないものなど何もないかに見えた。彼がＤＩＡの仕事をしていることにも、数十億ドルの金を持っていることにも何の証拠もないのだが、彼らはさほど気にしていないようだった。「ランチ」の外側に、スタインバートは現実世界のいかなる理屈も通さない透明バリア《フォースフィールド》を築いたかに思えることもあった。ところがスタインバートの組織は、彼が嘘をついて切り抜けることのできないものによって崩壊した。それは彼のごく個人的な事情だった。

「ランチ」での一見はしゃいだ生活には隠れた事実があった。スタインバートは何年も刑務所に送られかねない法的問題を山ほど抱えていた。スタインバートの保釈条件ではアルコールを飲むこともドラッグを使用することも禁じられていたが、この決まりを彼は信者たちと一緒にいるときに公然と無視していた。実は来訪者がサインを求められる秘密保持契約書は、「ランチ」で目にした飲酒やドラッグの「習慣」について口外することを禁じていた。ところが一部の信者が彼の話に疑いを抱くようになると、ドラッグやアルコールを常用していたことが彼に隙をつくることになった。

マイクという名の信者が、スタインバートや住人たちの動機を疑いはじめ、愛想をつかして立ち去った。「Qアノン作戦」を実行するかわりに「ランチ」の住人は一晩中酒を飲み、昼間はひたすら寝ているだけだと気がついたのだ。それまでマイクは自分の時間をすべて費やしてスタインバートを世間に知らしめようと努力していた。だが次第に自分は騙されていて、実はスタインバート自身のエゴのために無償のボランティアをしているのではないかと思いはじめた。

マイクはスタインバートの財産についても怪しく思った。スタインバートはタイムトラベラーである未来の自分から教えてもらったおかげで暗号通貨に投資し数十億ドルを貯めたと話していた。ところが宇宙軍の資金をそっくり賄うのに十分な金があると豪語していたわりに、スタインバートは缶ビール六本パックが欲しくなると、いつだって信者たちにその支払いを頼んでいた。

「あいつはあそこで何一つ金を払っていなかったよ」とマイクはオンラインに投稿した動画で語り、スタインバートの信者にリーダーのもとを去るよう強く勧めた。

マイクをはじめ組織に不満を抱いたメンバーたちは、もっと主流のQアノン界でメディアツアーを行ない自分たちの言い分を伝えてスタインバートを激怒させた。「ランチ」で粛清が始まった。スタインバートは元メンバー数人を破門にし、彼らは自分を罠にかけるためにFBIに協力し、「ランチ」の地下で密会を重ねていたのだと非難した。さらに、かつて自分に忠実だった側近が家の周囲に隠しカメラを設置し、自分が保釈条件を破ったところを捉えようとしているのではないかと疑いだした。

「連中は僕の家に隠しカメラを設置して、僕がビールを飲んでいるところを撮影したんだよ」とスタインバートは文句を言った。

コーリーの番組の司会者は二人に減ってしまった。自分はQのパリサイ人の涙を飲んでいるのだと伝えるロゴ入りのマグで何か飲みながら、コーリーは去ってしまった友人の一人は密かに闇の政府の潜入者の下で働いていたのだと嘆いた。

「連中はおそらく最初から潜入者だったのだ」コーリーは元メンバーについてそう語った。

いつまでたっても「ランチ」に引っ越してこなかったスタインバートの妻は、夫に離婚したいと告げた。スタインバートは動画で自分のファンにこの話を明かしていた。そして結婚生活が終わったのは、Qアノンの運動を自分が続ければ闇の政府が家族に何をするかわからないと妻が怖がったからだと言い訳した。

「僕がこの世界で全権力を握っていようが、彼女にはどうでもいいことなんだ」と言うスタインバートは、ときおりユーチューブの視聴者というより自分自身に語りかけているようにも見えた。

裁判所当局は、スタインバートから離反した者から、もしくは何らかの方法で、彼が保釈条件に違反したことを発見した。スタインバートは二〇二〇年九月一日に再び逮捕され、酒を飲んでマリファナを吸ったことを認めた。[5] 警察が家宅捜索すると、薬物検査をごまかすための人工ペニス「ウィジネーター」を発見した。スタインバートは公判前釈放中に規則を破ったことで捕まったため、判事は彼を裁判まで勾留することにした。

スタインバートの収監によりスタインバート・メディア・グループは崩壊した。彼らのムーブメントはそれまで明確な計画を拠り所にしていた。それはスタインバートがQであることを証明し、数十億ドルの暗号資産にアクセスし、宇宙軍を創設し、秘密結社を破壊すること。ところが彼は今や拘置所に無期限に収監されて、おそらく今後も数カ月ないし数年間、刑務所に入ることが予想された。自分たちのカリスマ的なリーダーと拘置所の電話で時折つながるだけになると、残っていたスタインバートの信者の中には、自分は一体何をしているのかと悩みはじめる者も出てきた。

「ランチ」に巣食う内輪揉めは、リーダーが収監されても止まらなかった。スタインバートはコーリーのフィアンセもFBIの仲間に違いないと考えていた。コーリーはスタインバートが拘置所からかけてきた電話の録音で自分が追放されたことを知る。

コーリーは愕然とした。すでに貯金の大半をスタインバート・メディア・グループに注ぎ込んでいたというのに、自分のヒーローと直接話すことすら叶わずに追放されるのだから。Qアノンのレターヘッドのついた公開書簡で、コーリーは、スタインバートに金を費やしたために自分は「経済的に困っています」と語った。「私は自分が提供したすべての資金が返済されるとの約束のもと、フィアンセも家族も残してきました」とコーリーは書いた。「それは私の財政状況が怪しくなってきたときに、私と私のフィアンセに対して何度も繰り返し約束してもらったことです」

スタインバートはコーリーをペテンにかけ、彼とフィアンセの関係を危うく壊しかけた。かつてどん底の状態にいたコーリーに、Qアノンはあらゆるものを約束してくれた――宇宙軍での高い地位、目的意識、そしてコミュニティを。ところがここにきてスタインバートはコーリーを追放し、かつての自分の熱心な信者を少なくとも四万ドルは貧しくしていた。だが手紙の中でコーリーが望んだのは、たった一つのことだけだ。収監中のこのリーダーに一度でいいから電話をかけて、自分の忠誠心を証明させてほしいのだ。

二〇二一年の四月に恐喝罪の罪を認め、未決勾留期間を含め八カ月の禁固刑を言い渡された後、その年の夏にスタインバートはようやく拘置所を出た。だがQアノンの大物に返り咲く道は閉ざされていた。彼の不在中に「ランチ」の共同体は崩壊していた。議事堂襲撃事件後にソーシャルメディアがQアノンのフォロワーを取り締まったため、彼のユーチューブとツイッターのアカウントも抹消された。スタインバートは拘置所で新たに支持者を獲得したと豪語していたが、彼を心から信じていた者の多くは、それぞれスタインバートに出会う前の生活に戻っていた。

スタインバートの囚人仲間は当初、彼が自分をQアノンの組織のリーダーだと話すのを聞いて面食らった。そんなもの聞いたこともなかったし、スタインバート本人にも彼の未来の分身にも興味は湧かなかった。ところが議事堂襲撃事件後にQシャーマンのチャンスリーが、ワシントンに移送される前の短期間、同じ拘置所に収監された。事件によってチャンスリーの悪名が轟いたのが功を奏した。突如、誰も彼もがQアノンとは何かを知ることになり、スタインバートは囚人仲間から本人いわく一目置かれるようになった。

「彼らは僕のことをQカルテルの首領《ヘフェ》と呼んでいましたよ」とスタインバートが私に語る。

釈放されたスタインバートは、コーリーのフィアンセはFBI捜査官でも何でもなかったとの判断を下した。ようやくコーリーは戻ってきて再びスタインバートの下で働くことができた。あるとき私はコーリーから、スタインバートが不正選挙のドキュメンタリー映画のプレミア試写会でスピーチするから見にこないかと誘われた。自分たちの一派を他のQアノン信者たちは「死病持ちの人間《レパーズ》」みたいに扱ったとコーリーは文句を言ったが、それでも彼らはスタインバートの釈放以来、どんなことになっているかを知らないのだ。あなたは自分の目でそれを見にくるべきだ、とコーリーが言う。

このチャンスを棒に振るわけにはいかない。スタインバートによるQアノンの実験は自滅したが、それでもこれが現実世界でQアノンが最大級に奇妙な形で現れたものには違いなかった。それにカイリー・メイヤーがその後どうなったかも知りたかった。

どういう経緯かはわからないが、スタインバートは『ザ・ディープ・リグ（闇の操作）』のプレミア試写会でスピーチする権利を手にしていた。これは二〇二〇年の大統領選挙での不正にまつわる陰謀論も甚だしい映画で、オーバーストック・ドット・コム（Overstock.com）の元CEO、パトリック・バーンが主演していた。このオンラインの家具小売業のかつての大物が初めて政治報道の世界に取り入ったのは二〇一九年のことで、このとき彼は、ロシアのスパイだと告発されたマリア・ブティナと性的関係を持ったと発言した。[6] トランプ政権末期にはホワイトハウスにまんまと潜り込み、軍に投票用紙を押収させるようトランプをけしかけた。[7]

バーンのプレミア試写会のために、スタインバートはフェニックス郊外の教会を確保するのを手伝い、まだ残っていた彼の信者が呼び込みのチラシを配った。この試写会は、アリゾナ州の共和党による物議を醸した数百万票の監査——同州でのバイデンの勝利に異を唱えるべくどんな証拠でもいいから見つけようとした試み——が終わったタイミングで開かれるもので、これは監査チームの打ち上げパーティも兼ねていた。このイベントは右派の名の知れた人間たちも引き寄せ、マイケル・フリンの弟や州議会議員数人も顔を出していた。

スタインバートは主流のQアノン信者たちの会合に招待されたくて仕方なかった。だがいまだに彼らはスタインバートを、せいぜい良くて「変わり者《クランク》」としか見ていなかった。ところがこのプレミア試写会で彼はわけなくブースを確保することができ、そこでまだ残っていた彼の支持者十数人が「Qの集まり《ミートアップ》」と称するクラブの活動を宣伝していた——スタインバートが自己流のQアノンを全米に広げる最新の企てだ。

私はスタインバートと教会のロビーで会ったのだが、目の前の彼は、後ろ前にかぶった野球帽とポロシャツのかわりに、共和党組織「ヤング・リパブリカンズ」公認の紺のブレザーとウィングチップの靴といった格好だった。カイリーも一緒にいた。これまで私は彼女と一度も話したことがなかったし、彼女の電話番号を教えてもらう前に彼女の妹は亡くなってしまった。試写会を控えてスタインバートの傍らにほぼつきっきりのカイリーは、まるで彼の副参謀か、ひょっとしたらもっと重要な何かのようだった。ケイシーは姉がスタインバートの影響下から抜け出してほしいと願っていたが、むしろ彼女はこの組織の中でさらに高みにのぼっていた。映画が始まる前にカイリーは、自分とスタインバートはカップルになったのだと教えてくれた。

ほんの数カ月前にはスタインバートは刑務所で食事をし、囚人仲間をレッドピリングするのに励んでいた。ところが今や試写会の舞台裏で共和党員たちと親しげに交流し、スピーチまでも披露していた。試写会での彼のスピーチがあまりぱっとしないものだったとわかっても――イベントの主催者からQアノンに触れないよう言われていたのだと後から彼が私に言った――そもそも彼が登壇できたという事実は信じがたいことだった。

スタインバートが築いたQアノンの城は失敗に終わったが、ある意味、彼はもっと良いものを見つけていた。共和党上層部がQアノンを進んで受け入れ、これを党のちゃんとした一派として扱ってくれたおかげで、スタインバートという、自分の妄想のために隙のある人間を骨の髄までしゃぶるのに長《た》けた、どう見たってホラ吹きの詐欺師が、信頼に足る政治家さながらの扱いを受けていたのだ。彼はアリゾナ州の票の再集計を行なうチームにもまんまと入り込み、刑務所から出ていくらも経たないうちに監査団の一員になっていた。

映画の上映が終わると、スタインバートとカイリーはインタビューに応じるため私を楽屋に案内してくれた。彼らと三人だけになった私は、今自分がどこにいるか他に誰も知らないのだと一瞬思った。私が手中に飛び込んだ相手は、有罪判決を受けていくらも経たない重罪犯で、自分は人を殺したと自慢し、自分の目撃した、あるいは実際に手を染めた暴力のことをしょっちゅう話題にする男なのだ。ところが今回、彼はすこぶる愛想が良かった。

スタインバートは出世を狙う保守派の参謀みたいに見えた。二〇二二年の選挙でアリゾナ州選出の連邦上院議員の一人に立候補する人間を探しているが今のところ見つかっていないこと、そしてQアノンをリブランドする必要があることを口にした——そのイメージがあまりに保守主義と結びついてしまったからだ。彼が思うにQアノンは万人のためのものであるべきだ。そして振り返ってみれば、Qアノンの城をつくろうとしたのは結局のところ正しい判断ではなかったのだ。

「『ランチ』の件で自分のためにしたことなんて何もありませんよ」と彼は言う。

カイリーはQアノンに相変わらず腰を落ち着けているが、それは彼女がスタインバートのガールフレンドになったという理由だけではなかった。彼女は「標的にされた個人」として自分も闇の政府から怖い目に遭った話を長々と語った。スタインバートは、自分のQアノンの冒険談をテーマに彼女がつくってくれた過去のユーチューブの番組を今も見ているのだという。

「綺麗な女の子二人が僕のことを話してるんですよ」と彼は言った。「そりゃ見たくなるに決まってるでしょ」

私はスタインバートに、自分がカルトのリーダーだと言われていることをどう思うかと訊いてみた。コーリーが追放されて四万ドルを失っても、いまだに彼から離れられないのはその証拠ではないのかと。するとスタインバートは、自分がコーリーを追放したのは、彼に自分の生活を立て直してほしかったからだと説明した。コーリーのフィアンセが今にも彼と別れようとしていたのが気になっていたのだと。それにもちろん当時はまだ、彼女をFBIのスパイだと思ってもいたから。

「カルトのリーダーって呼ばれるのは——つまりこういうこと?　「自分のごく身近な人や奥さんがちょっと困ったことになっていて、けどそれは大事なことだし、それを一番に考えなくちゃならなくて、それを放ってはおけない」ってこと?」とスタインバートは言った。「それがカルトのリーダーのやることかな?」

このフェニックスのイベントは、共和党という主流のブランドに仲間入りするスタインバートのいわばカミングアウトパーティだった。ところがインタビューを終えてスタインバートとカイリーと私がロビーで彼の支持者に再び合流すると、さっきまでのお祭りムードは明らかに変化していた。

眉をひそめたコーリーがスタインバートのそばに来ると、自分の携帯電話をこのリーダーが読めるよう差しだした。

スタインバートに批判的なQアノン支持者たちが、一人四五ドルのライブ配信でこのイベントを見ていて、彼がスピーチするのを許されたことに烈火のごとく怒っていた。彼らはバーンをこき下ろし、自分をQとかFBIから送り込まれたスパイだなどと語るスタインバートの話を真に受けてこれを宣伝していることを非難していた。これに怯んだバーンの組織はテレグラム――主流のアプリから締め出されたQアノン支持者に人気の暗号化されたソーシャルメディアのアプリ――でスタインバートを声高に罵っていた。

「誰だかわからない者が、どういうわけかオースティン・スタインバートを土壇場で登壇者に加えたんだ」とバーンの投稿に書いてあった。「彼は『ザ・ディープ・リグ』の映画には間違いなく何の関係もない」

スタインバートの勝利の瞬間に潮目がいきなり変わった。信者たちはそわそわしはじめ、いつセキュリティに追い出されるかと不安げにロビーを見回した。

「ここにきてパトリック・バーンの関係者が神経質になってるんだ」スタインバートはコーリーの携帯の文面を読みながらそう言った。「連中は怖がってるのさ、そうだろ？　Qとかかわりを持ちたくないんだ。けどこのオースティン・スタインバートこそが、連中をこの場に立たせてやったんだ」

「そこが笑っちゃうとこだよね」とカイリーが言った。「みんなわかってないんだから。何を言われたってあたしたちがなんとも思わないってこと」

「僕としては紳士らしく行儀よくしてたつもりだけど」とスタインバートが言った。

その場を去る前に、私はカイリーに妹のことを尋ねてみた。それから彼女がカイリーにQアノンから抜けてほしいと願っていたことも。するとカイリーは、自分の父親もスタインバートのもとに来ていて、この試写会にも参加していたと話した——ただし選挙が盗まれたという話に仰天して先に帰ってしまったけれど。

「あの人たちは全面的に応援してくれてるの」両親について彼女はそう語る。「それに妹も生きていたら仲間に入ってほしかったんだけどな」

第13章 Qは国境を越える

二〇一八年一〇月にオーストラリアの首相スコット・モリソンが連邦議会に登壇したのは、国家の癒しの瞬間となるべきもののためだった。性的虐待の隠蔽についての調査が何年も続いたのち、ようやくモリソンはオーストラリア政府の問題の核心に入り、被害者に謝罪の言葉を述べた。モリソンのスピーチの最も厳かな瞬間、すなわち子どもたちを虐待の餌食にしていたのはどんな組織か伝えるときに、彼はうっかりQアノンへの挨拶《シャウトアウト》の言葉を口にした。スカウト団から教会に至るまで、オーストラリアの子どもたちは「儀式的な性的虐待」の被害に遭っていたとモリソンは言ったのだ。

この言葉はまずかった。このときまでこの国の性的虐待事件の捜査で「儀式的な性的虐待」という言葉が使われたことは一度もなかった。とはいえ子どもたちが儀式の最中に性的に虐待されるという発想、ときにフードつきの黒いローブや短剣や星形五角形《ペンタグラム》にまつわるそれは、Qアノンで重要な役割を果たしている。ダークな性的儀式についてのこうした話がモリソンのスピーチで出てきたのは、Qが内部に誰かを送っているからだ。[1] モリソンにはティム・スチュアートという三〇年来の友人がいた。ところが首相と一緒にいないとき、スチュアートにはこの国のとりわけ熱心なQアノン支持者としての裏の顔があった。

USAネットワークの安っぽいスパイアクションドラマ『バーン・ノーティス』にちなんだツイッターのハンドル名「Burned Spy」を使って、スチュアートはオーストラリアの人々にQの仲間に入るようにと勧めていた。スチュアートはQアノンの有名人たちとも親しく付き合い、親Qアノンの俳優アイザック・カッピーがオーストラリアに来たときは、一緒の写真に収まった。だが身内の中にはスチュアートがQに関心を持つことを懸念する者もいて、国家安全保障上の脅威にかかわるホットラインに彼のことを通報していた。

スチュアートにはツイッターで二万人を超えるフォロワーがいたが、首相と友人関係にあるおかげでQアノンにとってはるかに大きなプラットフォームになるのは間違いなかった。ある信者仲間へのメッセージで、スチュアートはモリソンが「覚醒」の途中にいて、彼自らがQアノン信者になる日も近いと書いていた。性的虐待に関するスピーチに先立ち、スチュアートは友人があの言葉を挨拶に入れるよう説得を試みた。スピーチのほんの数時間前に、スチュアートはあるQアノンの盟友に、首相が「ついにやるぞ！」とメッセージを送っている。

モリソンがこの言葉を使ったことに、オーストラリアとアメリカ両国のQアノン信者は胸躍らせ、首相のこの合図から自分たちの信じることが正しいとのお墨付きをもらったと考えた。あるQアノンの有名なアカウントは、モリソンが「儀式的な性的虐待」と言ったことは、彼が「『嵐』の同乗者」だということだと断言した。

とはいえモリソンのスピーチが起こした唯一の嵐とは、ただ自らの悪評がまた一つ増えたことだけだ。記者たちはモリソンがQのツイッターのパワーユーザーと友人関係である事実に飛びつき、スチュアートの姉妹は彼がQアノンに洗脳されていることをテレビのインタビューで激しく非難した。モリソンはスチュアートとの友情を否定しようとはせず、自分はQアノンを信じていないと言い張るだけだった。自分がしていることをモリソンが理解していようがいまいが、「儀式的な性的虐待」に触れたことは、芽生えたばかりのQアノンのムーブメントにとっての勝利だった。世界で最も力を持つ人間の一人が、その政権にとって最も注目された瞬間の一つに、Qアノンを公然と承認していたのだ。

「大いなる覚醒」は世界に広がっていた。

Qアノンは合衆国の外では売りにくい商品《ハードセル》のように見られていたかもしれない。その最も人気のスローガン「我々は一致団結して進んでゆく」は、三〇年前の古い航海映画に由来するが、この映画は米国内でほぼ忘れられていたし、まして海外ではなおさらだ。Qアノンのフォロワーたちは、リアリティ番組の司会者ドナルド・トランプにすっかり入れ込んでいたが、この男は最初にマンハッタンの不動産やニューヨーク市のタブロイド紙といった、いかにもアメリカらしいど派手な世界で名を売っていた。アメリカ人の大半がQの登場人物に追いつけないというのに、ジョン・ポデスタがどこでピザを食べようがドイツ人がどうして気にかけようか。

Qアノンの細かな点は信じがたいほど合衆国だけに限定されるものだが、それでもその魅力は万人向けだ。アメリカ国外ですら、Qアノンは新たな信者の心の中に入り込む道をいくらでも見つけている。現代社会で居場所をなくした隙だらけの人間に近づき、彼らの人生にはもっと大きな意味があり、彼らの嫌う人間たちは根っから悪い奴なのだと教えて安心させるのだ。またQアノンは世界中で根を張る反ユダヤのお決まりの話につけ込んでいる。それに、この世で最も自然な感情とは子どもたちを守りたいと願うことだ。さらにアメリカのソーシャルメディア企業があまねく存在することは、こうしたプラットフォームでのQアノンの成功が世界規模で再現されるおそれがあるということだ。そしてどこの国でもQアノンを利用して他者につけ込もうとする破廉恥な輩がいる。それで金が儲かったり、自分たちの影響力が増したりするならなおのことだ。Qアノンは合衆国に拡散するときに使った同じ手口で海外に拡散することができた。それはソーシャルメディア、新型コロナウイルスのパンデミック、そして新人候補にとっていくらでも魅力的な形に変えられる生来の曖昧さだ。

世界各地で地元の分派がQアノンを取り込み、自らの環境に適応させている。トランプはいまだ海外版のQアノンで崇められているが、そうした海外版ではトランプがその国の右派政治家と一致協力していることも多い。一方、その国の左派の指導者たちは、打倒すべき小児性愛者の秘密結社リストにその名が加えられている。

様々な国のQアノン信者は言語やQアノンの解釈の違いで分かれているが、それでも彼らは皆、トランプが秘密結社を倒すのを手助けするQの世界規模の戦いにおいてそれぞれ一翼を担っていると考える。Qアノンのこのグローバルなミッションは異なる国々の右派ムーブメントをつなげることで、パラノイアと暴力的ファンタジーのいわば混成共通語《リンガフランカ》となっている。

日本では、Qアノンは規模が大きくなったために二派に分かれた。[2]「Jアノン」、そして「QArmyJapanFlynn」という、トランプ大統領の国家安全保障担当補佐官だったマイケル・フリンにとくに傾注する集団だ。またトランプが二〇一八年にフィンランドを訪問すると、地元のQアノン信者が彼の訪問を祝してQの文字の描かれたプラカードを掲げた。ソーシャルメディア分析企業のグラフィカは、五大陸にQアノンのフェイスブックのグループがあることを発見した。[3]トランピアンのポピュリスト大統領ジャイル・ボルソナーロが率いるブラジルでは、オンラインでQアノンのコミュニティが急成長している。[4]

Qアノンは誕生してまもなく合衆国の外に飛び出し、同国でユーザー間に瞬時にこれを広める役目を果たした同じ一連のソーシャルメディアを介して拡散していった。最初に国外で現れた場所はカナダだったようだ。Qアノンの創成期にQは「ウラニウム・ワン疑惑」についてよく投稿していたが、これはアメリカの偽のスキャンダルで、ロシア企業が合衆国のウラン採掘権を購入しようと考え、ヒラリー・クリントンがこの取引で国を裏切る役割を果たしたとされるものだ。ウラニウム・ワン疑惑はカナダのリベラルな首相ジャスティン・トルドーの関与もほのめかし、自身の敵をリサーチしていた反トルドー派のカナダ人をQアノンのソーシャルメディアネットワークに引き入れた。まもなくフェイスブックのカナダの保守派グループに、Qへのメンションが溢れることになる。

世界におけるQアノンの成長を分析するカナダのQアノン研究者、マーク＝アンドレ・アルジェンティーノが言うには、Qアノンがカナダに輸入されたことは両国の右派政治家のオンラインでの交流が盛んになっていることを示している。カナダのメディアパーソナリティのギャヴィン・マキニスは、「プラウドボーイズ」という男性限定の極右集団を結成し、その幹部数人が議事堂襲撃事件で告発されることになるのだが、合衆国がカナダに蒔いた種は成長し、Qアノンの新たな分家になっていた。「誰が一番損するのかはわかりませんが、どちらにとっても得なことはありません」とアルジェンティーノが私に語る。

Qアノンのベーキングの多くはもともと英語で書かれているので、その材料をイギリスやオーストラリアなどの英語圏の国に持ってきて別の目的で活用することも容易にできた。Qアノンがカナダに根をおろすと、ケベック州のフランス語話者のカナダ人がQの投稿と解説をフランス語に翻訳し、この陰謀論がフランスやベルギーに拡散する火をつけた。

パンデミックの渦中にQアノンが合衆国でピークを迎えると、新型コロナウイルス感染症は海外でのQアノンの拡散をも勢いづけた。イギリスにおけるQへの関心は、このムーブメントがアメリカで始まったほぼ同時期から芽生え、ある金持ちの信者は自分の城にQの旗を掲げたほどだ[5]。だがイギリスでのこのムーブメントは、パンデミック前まではもっぱら幕間の余興にすぎなかった。ところがロックダウンによる諸々の規制に腹を立て、また拡大する「セーブザチルドレン」ムーブメントのもとに団結した数百人ものQ信者が、二〇二〇年にバッキンガム宮殿前で抗議の行進をした。[6] 途中で抗議者たちは宮殿に向かって声を揃えて「小児性愛者《ペドファイル》！」と叫んでいた。

新型コロナはドイツでもQアノンの拡大を後押しした。イギリスと同様、パンデミックが始まる以前から、ドイツの周縁《フリンジ》の活動家でQアノンに目をつける者が出はじめていた。そしてドイツでロックダウンが始まったとたん、Qアノンは揺らぐ世界で説明を求める人々とのつながりを新たに確保した。Qアノンを追跡するアナリストによれば、ドイツではおよそ二〇万人のQアノン信奉者がオンラインのグループで活動しており、非英語圏で最大のQアノンのコミュニティになっている。[7]

ドイツでQアノンが急増していることは、この陰謀論があたかも精神《マインド》への外来侵入植物のごとく、地域の条件に適応できる並外れた能力を持つことを教えている。Qアノンのヒントはひどく曖昧で、どんな意味にもとれることから、Qアノンはどこかの国の活動家が求めるどんなものとも関連づけることができる。自国の極右を追跡するドイツの研究者ミロ・ディットリッヒが、パンデミックが始まって数週間にわたり観察したところ、Qアノンの底辺のアカウントでフォロワー数が急増した。テレグラムのあるアカウントはわずかひと月でフォロワー数が四倍に増え、二万人から八万人になったが、これはアメリカのQアノンの伝道師が同じく経験したロックダウンによるブームとよく似ていた。ドイツのユーザーの多くはQアノンの反ユダヤ主義のテーマに飛びつき、新たに人気を得たグループにはユダヤ人を攻撃する投稿やミームが溢れていた。

「地域特有の文脈に容易に適応できる特別な力がQアノンにあるのは、これが大テント方式〔政党が多様な政治的見解を許容する〕を採用しているからです」とディットリッヒが教えてくれる。

ドイツでＱアノンを取り込んだのは「帝国市民《ライヒスビュルガー》」の信奉者[8]で、これはアメリカの反政府主義のソヴリン市民に似たムーブメントだ。ソヴリン市民と同様に、ライヒスビュルガーのメンバーは自分たちが賛同しない法律を認めようとせず、税金を払うのを拒否し、武器を大量に備蓄し、ときおり警察と暴力沙汰の衝突を起こす。そしてアメリカのソヴリン市民と同様に、彼らの多くがＱアノンにどっぷりはまっている。

ライヒスビュルガーのメンバーは、第二次世界大戦後に設立されたドイツ政府は虚構であり、ドイツは現在も連合軍の占領下にあると主張する。真のドイツ政府とは一九四五年まで存在していたドイツ帝国だと彼らは信じている。そして自分たちは「帝国《ライヒ》の市民」だと説明し、帝国の「追放された政府」とされるものを率いる種々雑多な変人たちに忠誠を誓う。

Ｑアノンはライヒスビュルガーの信奉者に、連合軍による占領をついに終わらせるユートピア的瞬間を夢見させてくれる。合衆国では「嵐」とは悪魔崇拝の秘密結社から人間を解放してくれるものだ。一方ドイツでの「嵐」は、他国による何十年もの不当な要求からドイツ人を解放し、「真の」ドイツ帝国政府を樹立するものになった。

どこのＱアノン支持者とも同じく、ドイツの信者もパンデミック下の出来事を自分たちのナラティブに沿って解釈しはじめた。ＮＡＴＯがこのウイルスのせいで一連の大規模軍事演習を中止すると、Ｑアノンに夢中のライヒスビュルガーの支持者たちは、もともとドイツを占領政府から解放する軍事侵攻を行なうための隠れ蓑としてトランプがこの演習を計画したのだとうそぶいた。彼らいわく、ドイツを密かに支配する連合国占領軍が、このウイルスをつくってトランプによる救出計画を阻止したのだ。

あるドイツの一派は自分たちのＱまでこしらえた。「イェンゼン司令官」という、Ｑに似た暗号のような投稿をするテレグラムの謎めいたユーザーだ。ドイツのＱアノンの分派を率いる他の者たちも独自に死刑執行命令を出しはじめ、著名なリベラル派のドイツ人たちを殺害するよう呼びかけた。だがディットリッヒが言うに、ドイツやその他のヨーロッパ地域にQアノンが及ぼした最大の影響とは、それがQアノン以外のアメリカの陰謀論や文化戦争の論点《イシュー》にとって漏斗の役目を果たし、大西洋を跨いで極右のムーブメントを一つにまとめたことだ。

　アメリカにおけるそれまでの右派ムーブメントは海外で追随者を獲得するのに苦戦していた。国内の内輪の問題にばかり目を向けていて、もっと広いムーブメントに火をつけるには至らなかった。白人至上主義のオルトライトは二〇一六年の選挙中にアメリカでトップ記事を飾り、翌年の二〇一七年にシャーロッツヴィルで開かれた白人至上主義者の集会で内部崩壊を招くことになるが、彼らもQアノンほど世界的な影響力を持つことはなかった。その後数日ないし数週間、アメリカの白人至上主義者が喧伝する話がドイツのオンラインの極右グループにぱらぱらと流れてきたが、おおむね勢いを得ることはなかった。

　だがQアノンは合衆国に限ったものではない。それは世界的なストーリーだ。Qのヒントはすこぶる曖昧で解釈の余地が十分にあるため、自分たちが贔屓にする政治ムーブメントはQ軍団に属すると誰でも感じることができる。二〇二〇年のアメリカ大統領選挙に不正があったと主張する投稿は、数時間のうちにドイツのQアノン組織内でドイツ語に翻訳された。そこからドイツでこのストーリーがQアノンを超えたもっと広い右派のインターネット界に反響を与えた。Qアノン信者が築いたネットワークのおかげで、突如としてドイツの右派活動家は、アメリカの激戦州で票が盗まれたとか、自動投票機が不正操作されたといった二転三転する話を熱心に見守るようになった。アメリカと他国におけるQアノンのコミュニティどうしのつながりは、合衆国の二極化した政治を世界の国々に売り込む経路《パイプライン》になっている。「Qアノンはこうした話題のいわば中軸《ハブ》になっているのです」とディットリッヒは言う。Qアノンは海外への拡散に見事に成功し、なかにはQに似た自分たちのヒーローまで擁する国もある。

二〇二一年の夏、フィリピンからカナダに移住した五〇代半ばのロマーナ・ディドゥロが驚くことを宣言した[9]。ドナルド・トランプとQのチームが自分を新たにカナダの女王に任命したというのだ。トルドーは追放され、すでにカナダは君主国家になっている。Qアノンはディドゥロのはまった最初の過激思想ではなかった。何年もの間、彼女は「カナダ・ファースト」と自ら称する泡沫政党に世間の関心を集めようとして失敗していた。ところがQアノンを抱き込むことで、ついにディドゥロは自分に都合のいい風向きをつくる術を見出した。二〇二一年五月、ディドゥロはQアノンにまつわる動画をつくりはじめた。

彼女は、「ホワイトハットと米軍」が自分をカナダにおけるQアノンの代表に任命したのだと宣言した。彼女の住む街ブリティッシュコロンビア州のヴィクトリアが、今やカナダの首都になった。アメリカの名の知れたQアノン伝道師らが、ディドゥロの称する女王の立場を支持し、テレグラムで彼女が七万人のフォロワーを集めるのを手伝った。「Q」と「WWG1WGA」のサインを添えた公式声明で、ディドゥロはカナダのフォロワーたちを新たに洗脳し、従来のQアノンを超えた自らのファンタジーの世界へと引き入れ、なんと英国女王エリザベス二世が人道に対する罪で処刑されたとまで言いだした。誰も聞いたことのない得体の知れぬ女性がカナダの国家元首になるというのはそれこそ荒唐無稽な話だが、新たに集まった支持者たちは、ディドゥロ（Didulo）の名前が「私は我らのドナルドである（I Am Our Donald）」のアナグラムだという目出度い事実を指摘した。ディドゥロの信者は彼女の王国を象徴する紫の旗を家の外に掲げ、旗には剣で真っ二つに切られた金のカエデの葉が描かれていた。だがディドゥロの関心はルネサンスフェア〔中世ヨーロッパがテーマのコスプレ祭〕のロールプレイだけにとどまらなかった。パンデミックが長引くと、ディドゥロはマスクの装着義務やワクチン接種の必要条件といったコロナ対策に抵抗するようフォロワーたちを焚きつけた。

とうとうディドゥロによる信徒へのメッセージはいっそう闇深いものになった。[10] 自分の命令でコロナ対策の支持者に暴力を振るうべく、「カモ狩り《ダックハンター》」と彼女の呼ぶ元米軍特殊部隊の兵士たちを招集するといった話まではじめたのだ。「ダックハント」に参加を希望するカナダ人たちは自分が集めたライフルの写真をテレグラムに投稿した。

二〇二一年一一月、ディドゥロはこれまでで最も危険な宣言を行なった。新型コロナのワクチンを未成年に接種させる者は誰であろうと「ダックハント」するときがきたと宣言したのだ。

「一九歳未満の子どもに新型コロナウイルスのワクチン／生物兵器もしくは他のどんなワクチンでも接種しようとする者は誰でも射殺すべし」とディドゥロは書き込んだ。「この命令は即時発効となる」

ディドゥロが数万人の支持者をダックハントに向かわせると脅したことで、二〇二一年一二月についにカナダの法執行機関が動いた。ワクチン接種キャンペーンに抵抗すべく、子どもの学校で「ダックハント」する計画を立てているとディドゥロのチャットルームに投稿した支持者の一人が逮捕された。ディドゥロ自身も同月に勾留され、メンタルヘルスのチェックを受けた。[11] 釈放されると、ディドゥロはワクチン反対運動を推進すべく信者たちとカナダ各地を回りだした。

ディドゥロの新興王国が法に触れても生き延びるかどうかはわからない。だがカナダでディドゥロが突如奇妙にも台頭したことは、合衆国でのその起源や本来のQの人物像とは袂《たもと》を分かつとしても、Qアノンの力がいまだ消えてはいないことを教えている。Qのメッセージは、思い違いをした、あるいは権力に飢えたどんな陰謀論者のリーダーにも、その要求を満たしてくれる聴衆を生みだした。Qアノンの冷徹な王国や血なまぐさい特殊部隊によるダックハントといった夢を抱いたディドゥロは、もともとのQアノンの文言からはるかに逸脱していた。

とはいえディドゥロは、本人がとくに意識していたかは別として、Qアノンが、たとえそれが自称女王からのものであろうと、何らかの命令に従いたくて仕方ない人たちのコミュニティを生みだすことに気づいていた。Qが沈黙すると、Qアノン信者はリーダーの役を引き受けるほど野心に溢れた、もしくは頭のいかれた人間を誰でもいいから待ち望んでおり、ディドゥロがこの先どうなろうと、この泥沼は続くだろう。

Qアノンは合衆国と同様にヨーロッパでも児童の誘拐まで引き起こした。二〇二一年四月、フランスのQアノン信者の集団が、祖母が親権を持つ五歳の少女を誘拐した。(12) 娘の親権を取り戻したいと願った少女の母親は、合衆国のQアノンの母親たちと同じくQアノンの手に落ちていた。母親はフェイスブックで新型コロナの陰謀論を投稿するようになり、自分は「覚醒」している最中なのだと言い切った。ある日、二人のQアノン信者がソーシャルワーカーのふりをして祖母の家に現れた。児童を虐待する秘密結社の餌食になると思った少女を救おうと、男たちは少女を誘拐した。数週間にわたる捜索の末、警察はこの少女と母親がスイスの寂れた工場内にいるのを発見した。

ところがこの誘拐事件の捜査からわかったのは、フランスには合衆国で見られるものよりはるかに組織化されたQアノンの武闘派ネットワークがあることだった。フランスのQアノンの野望は家庭裁判所での係争をはるかに超えるものだということも、まもなく明らかになった。誘拐犯の家の一軒を家宅捜査した結果、爆弾を製造するのに使える化学物質が発見されたのだ。

誘拐にかかわった二人の男を追ったフランス版FBI捜査官によれば、この誘拐計画はおそらくレミー・ダイエ＝ヴァイデマンという男が企てたものだとわかった。この政治家崩れの男は三〇〇〇ユーロの資金をこの計画に提供したという。ダイエはQアノンを推進してオンラインで支持者を集め、「転覆」と称する高度に組織化された影のQアノン部隊をつくったとされる。ダイエの組織はフランス政府を転覆させる意図があった――あるいはメンバーがQアノンの用語で言うには、それは「悪魔崇拝の小児性愛者のエリートたち」を阻止するためだった。本書の執筆時点で、ダイエは誘拐計画とワクチン接種会場を襲撃するテロ行為を企てた容疑で刑事告訴されている。

カナダやフランスでのQアノン犯罪組織の台頭からわかるのは、人々を違法行為に駆り立てるQアノンの力は、陰謀論には珍しく合衆国に限らないことだ。その曖昧さとパンデミック下で発揮された魅力ゆえ、Qアノンはアメリカでのその本来の文脈からすぐさま外に出て、陰謀論の新たな分家を生んでいる。それは自国でめいめい活動する極右活動家の用いるスローガンになり、海外の同胞と団結する手段になっている。合衆国で政治勢力が変化し、Qアノンの本家で力が衰えても、このムーブメントはこの先何年も世界において不穏な勢力でありつづけるだろう。

Qアノンはアメリカの最も有害な要素を世界に輸出するのに手を貸すとともに、国外の出来事の意味を歪めることで自国内の政治を捻じ曲げてもいる。たとえば二〇二一年二月に起きたミャンマーの軍事クーデターは、この国に芽生えたばかりの民主主義を終わらせるものだと世界であまねく非難された。ところが多くのQアノン信者は、それと似たことが合衆国でも起きるよう望んでいた。

ミャンマーの軍隊は、民主的に選ばれた国家最高顧問アウン・サン・スー・チーが選挙を盗んだと主張したが、これはQアノン信者にしてみれば説得力のある言い分だ。そのわずか三カ月前に、彼らもまた、彼らいわくアメリカの盗まれた大統領選挙に憤慨していたからだ。ミャンマーのクーデターの真の姿を理解するかわりに、彼らはそれを「嵐」に先立ち最初に倒れたドミノ牌であり、選挙で不正を働く連中から正義の軍隊が自国を奪還するもう一つの瞬間に違いないと思うようになった。

Qにすれば軍事クーデターの成功は羨むべきものだった。二〇二一年五月にダラスで開かれたQアノンの大会で、ある参加者がマイケル・フリンに尋ねた。

「ミャンマーで起きたことがここでは起こせない理由は何ですか？」

中将まで出世した元軍人のフリンは合衆国憲法を守る誓いを立てていた。ところがQアノンの群衆が喝采を送るなか、フリンはミャンマーのクーデターを合衆国で再現する話をあたかも承認しているかのようだった。[13]

「理由なんてありませんよ」フリンは言った。「つまり、ここでも起きるはずです。起きて当然ですよ」

おわりに／愛国者が支配する

二〇二一年五月、数百人のQアノン信者がこのムーブメントが生き延びたことを祝うべくダラスに向かった。トランプは大統領職を退き、Qは沈黙を続けたままだが、Qアノンはまだここにいる。それどころか、かつてないほどうまくやっているかに見えた。Qアノンがあまりにうまくやっているからこそ、メンバーは豪奢なホテルの大宴会場で、マイケル・フリンがオークションで売る安価なQグッズに数千ドルも払うことができた。

巨大なトランプのバルーンが浮かぶ前で、フリンはQアノンのキルトを掲げて売っていた。それから自分の名前入りのTシャツを五七五ドルでオークションにかけていた。フリンのサイン入り野球バットは七〇〇〇ドルで売れた。フリン、そしてトランプを支持する弁護士シドニー・パウエルのホログラフィー像にQアノンのスローガンが描かれたものは三五〇〇ドルで売れた。だが最大の呼び物は、フリン、パウエルほかQアノンの有名どころを三角帽子をかぶった独立戦争の英雄として描いたデジタル加工のポスターだ。火打式のマスケット銃を手にするフリンのポスターは七〇〇〇ドルで売れた。

宴会場の隅から眺めていた私は、こうした土産物がそんなに高く売れているのが信じられないでいた。

マイケル・フリンを映画『パトリオット』のエキストラとして画像加工した写真に数千ドルも払うなんて正気とは思えない。とはいえ、もっとはるかにクレイジーなことをQアノン信者はやっているのだ。このオークションは「愛国者の集会《パトリオット・ラウンドアップ》」の一環で、陰謀論の指導者たちやトランプ界のC級セレブ、さらには連邦議員一名までが出席していた、戦没者追悼記念日《メモリアル・デイ》の週末に開かれた何から何までQアノンのお祭りだ。この大会は、秘密結社や盗まれた選挙について、さらにQアノン信者がQに頼るのをやめて自ら政府の舵を取る方法について、三日にわたり話し合うものだった。

私はダラスまで行き、一般入場チケットに五〇〇ドル払ったが、それはトランプなき後、そしてQなき時代のQアノンの様子をこの目で見たかったからだ。ジョー・バイデンが大統領に就任したことでQアノンはトドメを刺されるかと思われた。バイデンが聖書に手を置いて宣誓し、軍が飛び込んで彼を逮捕し裁判にかけることなどなかったとき、Qアノン信者は散々話に出てきたQの計画が実現しなかったことを悟ったはずだった。彼らの敵をグアンタナモ収容所に送るための一〇万件の機密の起訴状など存在しなかった。トランプはもはや次なる神皇帝《ゴッドエンペラー》などではなくなった。就任式が大量処刑もなしに終了すると、オンラインのQアノンのコミュニティは深い悲しみと裏切られた思いに満ち、また人によっては強烈な吐き気を訴えた。テレグラムのQアノンのチャットルームでこの反応を観察していると、就任式で起きるはずの逮捕を期待する信者の高揚が失望と本物の吐き気に変わっていった。

「吐いちゃいそうだ」あるQアノン信者が言った。

「胃がムカムカするよ」別の一人が言った。

とはいえQアノンは止まらなかった。バイデンが就任すると、筋金入りのメンバーたちはこのムーブメントに余計にのめり込み、組織の基盤も成長している。彼らに言わせれば、バイデンの勝利はQが自分たちに嘘をついた証拠ではなかった――Qが理解していたより闇の政府の力が強かっただけのことだ。

「嵐」は中止になどなっていない。ただ延期されただけなのだ。Qの投稿はこの世界について彼らが知っておくべきすべてのことを教えてくれた。今こそ彼らが自分たちの信じることをオフラインで実行しなければならない。二〇一八年と翌一九年に私が出かけていった過去のQアノンのイベントは、ワシントンの街で漫然と計画された行進や集会だった。だが二〇二一年になるとQアノンは本腰を入れて自ら満席のイベントを主催し、一人数百ドルやときに数千ドルといった値段でチケットを売りはじめた。

「愛国者の集会」の主催者はダラスにある西部開拓時代がテーマの結婚式場を予約したが、そこは映画『スクービー・ドゥー』に出てくるゴーストタウンのようで、作り物の店先や大広間を備えていた。この会場が暗に意味するものには嫌でも気づかずにおれない。年配の白人の共和党員たちが週末に集まっては、カートゥーンに出てくるようなこの国の古き良き理想のアメリカが死んでしまったことを嘆いていたのだ。このイベントがQアノンとどう見ても関係しているからといって、名の知れた共和党幹部が出席を思いとどまることはなかった。テキサス州選出の共和党下院議員ルイ・ゴーマートがスピーチし、共和党テキサス支部委員長で、この州の知事になると見込まれるアレン・ウェストもしかりだった。ウェストは最近になってこの州の党のスローガンを「我々は嵐である」に変えたが、この文句にはQのイメージがつきまとうものの、彼はQとは関係がないと言い切った。

入場を許可されない可能性も多分にあるとわかっていたが、それでも私は自分の名前で大会のチケットを購入した。大会の主催者で「Qアノン・ジョン」の名で通っている男が、チケットを買った記者たちに義務として払い戻しをしている。だが私がドアのところで自分の名前を告げると、皆がもらっていた入場許可証をボランティアが渡してくれた。それはお馴染みの言葉「我々は一致団結して進んでゆく」と書かれたプラカードだ。

バイデンの勝利が確定すると、Qアノン信者は輪をかけて激怒した。以前は右派の集会や抗議の場に出かけるリスクを甘く見ていたが、一月六日に議事堂の外で記者が襲われたところを見て以来、私は自分の身の安全をもっと気にかけるようになっていた。そこでダラスの集会に出るために、髭を伸ばしメガネをかけて野球帽をかぶった。もし正体がばれたら、これまでQアノンについて書いてきたことで自分に食ってかかる者もいるかと思ったからだ。

　私のような人間を締め出す仕事は、「憲法修正第一条近衛団」と称する、Qアノンの意欲溢れる警備集団に任されていた。これはクーデターを実行し、自分たちが守るべき皇帝たちを殺害したことで有名なローマの兵士にちなんだ名称だ。こうした現代の近衛団の創立者で元米陸軍特殊部隊《グリーンベレー》の隊員は、Qアノンのリーダーたちのボディガードを務めながらも、仕事の合間に、リベラル派が中国政府と協力してアメリカを倒そうと企む計画について熱の入った機密情報メモを書いていた。この組織は一月六日の暴動の前日に開かれたトランプの支持集会でVIPたちの警備を担当し、のちに一月六日の襲撃事件を調査する下院の特別委員会に召喚された[1]。とはいえダラスの「近衛団」は、彼らの憧れる抜け目ないやり手の組織には程遠かった。入り口で名前を言ったら、私はわけなくQアノンの民兵組織の前を通って陰謀論の中枢に入っていけた。

　大会の講演者が扱うテーマは、ワクチンの害悪から邪悪な「ルシフェリアン」と日々戦うことの重要性といったものまで幅広かった。前面に「子どもたちを救え（Save the Kids）」、背中に「トンネルとは何か（What are the Tunnels）?」と書かれたTシャツがとりわけ参加者に人気のようだ。だがそこには背伸びしすぎたメッセージが一つあった。すなわちQアノンの信者たちはQをフォローするだけでは飽き足らなくなっていた。Qが沈黙を続ける今、彼らはQのメッセージを自らの手で現実世界に届けるべく一歩前に進んでいた。

　Qアノンは革命について語るわりに、それまで信者には現状に満足することを強《し》いてきた。政治にとくにかかわる必要がなかったのは、トランプとQのチームが舞台裏で何もかも引き受けてくれていたからだ。Qアノンのスローガンは、支持者たちに「映画を観て」それから「ポップコーンを買う」ことを促していた。彼らは「計画を信じる」べきで、「愛国者たちが（この国を）支配している」のだと納得していればそれでよかった。ところが新種のQアノンのリーダーたちは、この大会の場で自分たちはもっと行動を起こしたいと思っていることをはっきりと知らしめた。

「我々が「嵐」なのです」とジェイソン・フランクは言った。彼はトランプの集会で前にケイリー・マケナニーがインタビューした信者だったが、今やこのムーブメントの思想的指導者階級に出世していた。ジェイソン・サリヴァンという、かつてトランプの政治顧問ロジャー・ストーンのもとで働いていた右派のソーシャルメディアの専門家もまた、Qアノン信者がもっと積極的な役割を果たすべきだといった似たような物言いをした。

「皆さんにちょっとした秘密をお教えしましょう。皆さんが「計画」なのです！」とサリヴァンは言い、聴衆の一人ひとりを指差した。「あなた、そしてあなたも！」

「計画」に深くかかわる最善の方法は、彼らが言うに地元の議員に立候補することだ。フリンは聴衆に「地元で起こした行動が国全体に影響を与えるのです」と語ったが、このスローガンを彼はあらゆる機会に繰り返すようになり、さらに多くのQアノン信者に自ら政治の世界に入っていけと背中を押した。

トランプが敗北すると、Qは音沙汰がなくなった。かわりにQアノン信者はQの代用品に飛びついた――かつてのQと同様に秘密の情報を握っていると彼らの信じる右派の著名人だ。彼らはフリン、リン・ウッド、それから自ら集めたQアノン信者の部族《トライブ》を抱える無数のエセ専門家からどれでも好きなものを選べた。Qの代役がまさに稼働するさまを私が目にしたのは、いっときトランプ陣営の弁護士を務めたシドニー・パウエルが壇上にあがったときだ。バイデンの不正選挙がいつ暴露されるか教えてほしいと聴衆から頼まれると、パウエルはにっこりと微笑んだ。

Qが消えたことで、何もかもがうまくいくという信者との約束が立ち消えになった。だからこそ彼らにはパウエルに訊きたいことがあったのだ。トランプが案の定、今年のうちにホワイトハウスを奪還したら、バイデンに奪われた一年分、その任期を延長してもらえるのか？　復権したトランプから最高裁判所の首席判事に任命されたら、パウエルはそれを受け入れるのか？　パウエルは信者たちを虜にしておく術を心得ていた。何か大きな、でもはっきりとはわからないことが起きるでしょうと彼女は言った。そしてそれは「聖書級」のものになるでしょう。聴衆は息を呑んだ。

「彼女は我々の知らないことを知っている！」パウエルにインタビューしたラジオのトーク番組の司会者が声を弾ませた。

それはまるでQのパンくずが息を吹き返したかのようだった。パウエルはQの役割を引き継ぎ、実際、背中に巨大なQの文字を入れた革のバイカーベストまで着ていた（Qは今もってその後継者たちと比べて一つ利点があった。匿名であることで、訴えられて服役せずにすむことだ。パウエルがダラスでQアノン信者に語りかけている間、選挙を盗んだと彼女が主張する投票機の会社が彼女に一〇億ドルの損害賠償を求めて訴訟を起こしていた[2]）。

この大会で最も奇妙な瞬間が訪れたのは、講演の合間の休憩時間に主催者が、匿名のクリエーターが制作したQを支持する動画を続けて流したときだった。「都市国家企業」「海事法」「悪魔崇拝の闇の秘密結社」、それからグアンタナモ収容所に向かうジョー・バイデンの映像。

「唯一の手段は武力によるものだ」と切り出して、特殊作戦部隊の兵士がライフルを手に現場に展開していく動画が会場に流れた。数百人の群衆が立ち上がって喝采を送る。彼らはこの動画のメッセージを大いに気に入っていた。ファシストによる政府の奪還だけがアメリカを救えるのだ。

ところが大会の二日目、いささか妙な事態になってきた。「憲法修正第一条近衛団」の黒いTシャツを着た中年男性が私の前に座っていたのだが、彼は自分の携帯で誰かのツイッターアカウントを開くと、そのアカウントのプロフィール写真と私の顔とを比べるようにたびたび振り返って私を見た。「憲法修正第一条近衛団」の別の男が二人、私の後ろにも座っている。私は席を立ち、その場を歩いて去ろうとした。ところが大広間風の場所を過ぎると、リードをつけた堂々たる犬を連れた別の「近衛兵」がこっちに近づいてきた。私に訊きたいことがあるという。なぜ登壇者にそれほど関心を払っていなかったのか？　なぜ拍手をしなかったのか？　彼は私を解放してくれたが、会場を歩いていると、どうも誰かに跡をつけられているような気がした。

　何が起きていたのか後になってようやくわかった。地元の記者が偽名を使って会場に潜り込み、自分が偽装して入れたことを揶揄するメッセージをツイッターに投稿していた。そのため「近衛団」がQアノンの講演二日目に、あまり面白くなさそうに座っている人間がいないかどうか目を凝らしていたのだ。私はそのプロフィールに完璧に一致していた。

　再び聴衆に混じって腰を下ろすと、今度は大勢の人間が自分を見ているような居心地の悪さを感じた。私はフリンの出席するパネル討論に気持ちを集中しようとした。この元将軍は記者たちがこのイベントに来ることにいかに腹を立てているか話していた。なんだか自分のことを言われている気がして、この変装にあまり効果がなかったのかと思いはじめた。

　そのとき突然、ダラスの警官が私の肩をポンと叩いた。ちょっと一緒に来てもらえませんか？　Qアノン・ジョンに私は見つかっていたのだ。私にチケットを売ったにもかかわらず、Qアノン・ジョンは、「近衛団」が私を見つけると、私が不法侵入したと警察に通報した。合衆国憲法修正第一条〔議会が宗教・言論・集会などの自由に干渉することを禁じた、いわゆる「言論の自由」条項〕に対する彼らの名ばかりの傾倒は、報道機関にまでは及ばなかったようだ。自分たちのイベントから記者が警察に追い出されるのは、Qのソーシャルメディアで格好のコンテンツになる。[3] 私はざっと一ダースのQアノンの有名人たちに追いかけられ、誰もがこの場面を撮影しようとスマートフォンを取り出した。数百人もの人間が私にブーイングを浴びせてきたので、私は彼らに向かってさようならと手を振った。

「あんた恥を知りなさいよ！」旧西部の街を退場するとき、年配の女性が私にそう叫んだ。

私の「恥の道」は、個人的な不満を私に抱くQアノン信者たちに、ひと言物申す機会を与えた。陰謀論者のジョーダン・サザーは、以前、彼が自分のファンに二酸化塩素を摂取するよう勧めたこと[4]を非難したら、私を訴えると脅してきた。とはいえこの物質は漂白剤を飲むのと同じような作用を人体に及ぼすと米国食品医薬品局（FDA）が警告しているものだ。[5] ここには合法的に入ったのだと私が説明すると、サザーが口を挟んできた。

「あんたの報道のどこが合法的なのさ」警官の背後から彼が文句を言う。「ひどい中傷じゃないか」

「あなたにここにいてほしくない理由があるんですよ」とQアノン・ジョンが言った。「あなたは正確な報道の仕方ってものをわかっていませんからね」

「デイリー・大ばか野郎《ドゥーシュ》！」とサザーが叫んだ。

私のありがたくない取り巻き連中は、私のレンタカーまで追いかけてきた。その一人、日焼けした上半身裸の中年男性は、マイクを持って私の真正面に立ちはだかった。

「潜り込もうとしたってか？」と彼が言った。「そりゃいけないぜ、ウィル！」

車で走り去りながら、私は上半身裸のこの男をはじめ、Qアノンの種々雑多な変人集団に邪険に追い払われることになった我が人生の道のりを振り返った。私は記者をきどった見世物小屋の客引きみたいなものだったのか？　世にも奇妙な連中の政治的な影響力を大げさに取り上げることで、彼らを記事にする言い訳にしていたのか？　あの興奮してまくしたてる上半身裸の男一人が何らかの政治的な力を行使することなど、まずありえそうになかった。それでもこれまでの数年間で私が身をもって知ったのは、彼のような人間が驚くほどたくさんいるということだ。そして図らずも彼らは確実に影響力を増しているかに見えた。

私が会場を後にしてまもなく、聴衆の一人の男性が、合衆国でいつ「ミニマー」——と彼は発音した——で起きたようなクーデターを起こせるのかと質問した。それがきっかけでフリンは、合衆国でミャンマー式クーデターを起こすよう明らかに呼びかける言葉を口にしたのだ。群衆は彼に喝采を送った（あとになってフリンは、自分はアメリカでクーデターを起こすことに反対していたと主張し、自分の言葉を曲解したとメディアを非難した）。

フリンの発言はQアノンにはよくあるものだった。滑稽だが、同時に恐ろしく真面目なものだ。そして私が大会から追い出されたことからわかるように、Qアノン信者は自分たちが何を計画しているのか外部の誰にも知られたくなかった。

Qの最後の投稿は二〇二〇年一二月八日に現れたが、それはたった一行のものだった。ヘア・メタル・バンド「トゥイステッド・シスター」の曲「ウィア・ノット・ゴナ・テイク・イット（俺たちは我慢できない）」へのリンクである。それによってこの曲はQアノンのイベントに欠かせないものになったが、この最後の投稿はある問いを促してもいた。Qのいない Qアノンはこれからどうなるのか？

そしてわかったのは、Qが姿を消しても、彼がつくったムーブメントにさほど支障はなかったことだ。Qが投稿をやめる前から、Qアノン信者は彼が姿を消すための事前工作にかかっていた。リーダーが一人しかいないと問題が多すぎる。Qがどこかの地下室に引きこもった変人だったとわかれば、信者たちはバツの悪い思いをするだろう。もっと厄介なのは、Qが表に出てきて、自分がこのムーブメントを立ち上げたのは、ただ騙されやすいトランプ支持者を釣るためだったと明かしたら、Qアノンはそれこそ面目丸つぶれになる。

そこで年月が過ぎても「嵐」が出てこないなか、Qアノンのリーダーやフォロワーたちは、Qの正体に関する当初の説明と距離を置きはじめた。ひょっとしたらQは高位の情報部員などではなかったのかもしれない。おそらく彼の予言は当たらなかったのだ。でも大事なのは、彼がこの世界の仕組みを教えてくれたこと。信者たちはいつまでたっても実現しない「嵐」や数々の予言などQアノンの具合の悪い筋書きを捨てたが、秘密結社や闇の政府の腐敗、誘拐された子どもたちにまつわる話はそのままにとっておいた。彼らはQ抜きでQアノンをこしらえたのだ。

それでもQの不在はリーダーシップの空白を招いた。もはやQの教会をまとめるべく聖座宣言《エクス・カテドラ》を発する教皇は存在しない。Qがいたときはアレックス・ジョーンズやJFKジュニアを信奉する者たちをこのムーブメントから追い出そうとしたものだが、今では誰もがQからの勘当を恐れずに言いたいことが言えるようになった。

Qアノンは常に様々な、ときにライバル関係にある派閥から成り立っていた。ところがQが存在しないとなると、こうした分家はさらに多岐にわたるものになり、このムーブメントはばらばらに分裂した。Qの予言が外れたことで失望し、組織を見限った信者もいたが、より深くヘイトにのめり込む者もいた。Qアノンのこうした新たな変種は、以前よりもいっそう醜悪なものになった。「ゴーストエズラ（GhostEzra）」という名のテレグラムのアカウントは、トランプ政権の元高官のふりをして、Q信者に憎悪に満ちた反ユダヤのミームを売り込んだ。ゴーストエズラはテレグラムで最大級の影響力を持つQアノンのアカウントになり、Qアノン信者を、さらにタチの悪い反ユダヤを中心とする陰謀論に引き入れた。

ダラスでQアノン大会が開かれて半年後、この街とQアノンは再びニュースになった。ケネディ一族に執着するQアノンから分かれた一派のメンバー数百人が、ケネディの暗殺現場ディーリー・プラザに集まった。彼らを率いるオレゴン州の男性マイケル・ブライアン・プロッツマンはメンバーたちに約束した。ジョン・F・ケネディ・サーとジュニア、さらには秘密結社から逃れるべく死を偽装した大勢の「故人の」著名人が戻ってきて、パレードに参加するだろう。プロッツマンを信奉する者たちが暴風雨の中、ディーリー・プラザに並ぶうちに、ロビン・ウィリアムズもコービー・ブライアントも、ともかくその日は戻ってこないことが次第に明らかになってきた。だがプロッツマンの信者たちは数カ月もダラスに残り、カルトメンバーの家族は家の銀行口座が空《から》になってしまうとはらはらした。

Qが消えたことは、Qの後釜を狙う者の間に反目を生む隙をつくった。二〇二一年一一月、今やフリンと反目するウッドは、この元将軍との電話の会話をこっそり録音して公開した。[6] この録音でフリンはQアノンを、CIAによる「偽情報キャンペーン」だと非難し、保守派を狙った「荒唐無稽」な心理作戦と呼んでいた。蜂蜜に群がるハエのごとく詐欺師を引き寄せるムーブメントといえど、フリンのこの皮肉には驚かされた。Qアノンのこの最大のヒーローは、信者から金を儲け、彼らにTシャツを売りつけ、自分がサインしたQのガラクタを競売にかけることに微塵もやましさを感じていなかった。ところが本心ではすべて嘘っぱちだと思っていたのだ。

Qアノンの分家が続々と現れても、この陰謀論の信者の多くはQの命令で諜報活動に従事していた。二〇二〇年九月、Qは支持者に対し、ソーシャルメディアから締め出されるのを避けるため、このムーブメントへの支持を隠すよう命じ、彼らに「偽装《カモフラージュ》」して、QやQアノンについて「一切言及しない」よう勧告した。[7] 選挙の直前になると、Qはさらに一歩進んで「Qアノンは存在しない」とまで言いだした。かわりにQアノン信者のために新たな秘策を持ちだし、「Qは存在する。アノンたちも存在する。だがQアノンは存在しない」と投稿した。

明らかに「Qアノン」というブランドは傷がつきすぎた。この説を推進するのにアノンたちはアルファベットの一七番目の文字を使わないほうが賢明だとQは判断した。地下に潜れとのQの呼びかけに応じて、信者たちはQアノンのムーブメントなどなかったのだと主張した。ここにいるのは言うまでもなく愛国者だし、そしてもちろん彼らはアドレノクロムを飲み漁る秘密結社の存在を信じていた——でもQアノンって何のこと？　Qを支持するかと記者に訊かれたフリンは無知を装い、自分はQアノンが何かも知らないと答えた。Qアノン・ジョンですら自分の偽名を変更した。

Qアノンとの関係を控えめに見せるべく努力がなされ、さらにこの集団がソーシャルメディアから追放されたことで、この陰謀論がQなしでいまだどれほどの力を持つかを推測するのは難しくなりかねない。だが支持者たちは自らオンラインの道具をこしらえ、保守派向けのユーチューブやツイッターの模造品はもとよりテレグラムのような規制の緩いソーシャルメディアのネットワークを使って、主流プラットフォームから締め出されたことで失ったものを再建しようとしている。

Qアノンという、ドナルド・トランプを中心に据えた個人崇拝が、トランプの大統領への再挑戦にどう反応するか判断するのは難しい。トランプが常に表に出ている公職の立場から退き、ソーシャルメディアから締め出され、以前はただツイートすればよかった嘲笑や自慢を口にするにも報道発表《プレスリリース》するほかなくなると、当然ながらQアノン信者が胸躍らせるものも減ってきた。だが二〇二四年の大統領選挙にトランプが再び立候補すれば、Qアノンの情熱にわけなく火をつけて、自分たちのリーダーを大統領の座に戻すとともに、報復主義のトランピズムにまつわるQの予言は結局はずれてなどいなかったと証明する機会を彼らに与えかねない。二〇二〇年にQアノンを非難できなかったトランプが、この陰謀論の信者にほんのちょっと褒め言葉をかけて、このムーブメントを再び活気づかせることも容易に想像できる。

一方Qアノン信者は、地方レベルの公職の獲得に熱を入れている。ダラスのQアノンの大会で語られたこの選挙区戦略は信者やその他の極右活動家に大いに気に入られたが、トランプの元顧問スティーヴン・バノンが共和党員もこれに倣うよう発破をかけた後はなおさらだった[8]。それまでほとんど知られていなかった地方の公職に就くことで、Qアノン支持者やその同調者は、選挙の実施方法にまた一段と影響を与えることだろう。アリゾナ州のある郡レベルの共和党幹部は、選挙区委員会の職にQアノン信者の立候補が殺到しているとプロパブリカ〔米国の非営利報道機関〕に語っている。

Qアノンはまた地元の政治にも参入している。フリンのアドバイスに倣ってアノンたちは教育委員会の委員に立候補しており、この立場に就けば新型コロナに対する方針や授業計画に影響力を発揮できる。ラスベガスではQを支持する候補者が教育委員に選出されると、人身売買を行なう者たちがマスク義務の法律を利用し、子どもたちを密かに連れ出していると言いだした[9]。また民主党員が子どもたちの略奪と人身売買を企んでいるといった、Qアノンの喧伝するさらに壮大な筋書きは、右派、さらには自分が信者だとは思っていない人々の間にも浸透している。学校の図書室に所蔵される書籍の性的な文章に憤慨する親たちは、それに苦情を言うだけではすまなくなった――警察に通報し、児童ポルノ法違反だとして刑事告発までしようとする。

何より始末が悪いのは、闇の政府の秘密結社が何の咎めもなく活動しているとの考えが、共和党の思考回路に根をおろしはじめていることだ。バイデンが最高裁判所の判事にケタンジ・ブラウン・ジャクソンを指名すると、共和党の上院議員たちは彼女を小児性愛の支持者だと非難し、この指名に反対した[10]――Qアノン以前には想像もつかないばかげた嫌疑だ。信者たちの度を越えた行為を笑い飛ばしていた保守派の有権者でさえ、二〇二〇年の大統領選挙は秘密結社に盗まれていて、この組織の犯罪はあと少しで暴かれるはずだといった話を真に受けている。議事堂襲撃事件から一年後、NPR〔非営利の公共ラジオ放送制作会社〕の世論調査によれば、共和党員の三分の二がいまだにバイデンがトランプから選挙を盗んだと信じていた。[11] 選挙が合法的なものではないと共和党員が考えるなら、なおさら権力を握るためにどんな手段も支持する可能性が高い。そうなるとアメリカの民主主義は死のスパイラルに陥ることになる。

二〇二二年一月、テキサス州のメキシコとの国境近くでQアノンの講演者を呼んで開かれた集会に参加した右派の活動家たちは、ある蝶の保護区を標的にした。[12] この保護区の職員たちは、その土地を突っ切ることになる、政府ならびに民間による国境の壁の建設に反対していた。その数日前、この街の元共和党役員が保護区域の所長に対し、街を離れるか、あるいは銃を携帯するよう警告した。Qアノン信者がこの保護区に腹を立て、ここは児童の性的人身売買の隠れ蓑に使われているのだと言いふらしていたからだ。

集会の数日前、二人の極右活動家がこの保護区に姿を見せた。ここの職員たちがなぜ児童の人身売買に手を貸しているのか知りたかったのだ。このQアノン信者たちが何をするかわからないと恐れて保護区は数日間閉鎖された。この保護区の苦境に私はふと思わずにおれなかった。蝶を保護する施設のようなどう見ても無害なものまでQアノンの標的にされるのなら、一体我々にどんなチャンスがあるというのか。

陰謀論は常に私たちにつきまとう。だがアメリカの二極化した政治とソーシャルメディアが組み合わさったことで、Qアノンはそれ以前の陰謀論を超えたスーパーバイラルな陰謀論を生みだすことができ、アメリカの民主主義の脅威にすらなっている。

Qアノンが成長したのは、要はトランプと共和党がQアノンの成長を自分たちのために利用しようと決めたからだ。大統領と共和党幹部はこの陰謀論が現れて一年か二年のうちにこれを否定することが容易にできたはずだった。ところが彼らはそうせずに、この陰謀論が党内で成長するのを黙認することにした。その間、共和党の投票者は自党に肩入れしすぎるあまり、ローレン・ボーバートやマージョリー・テイラー・グリーンといったQアノン支持者を連邦議会に近寄らせずにおくことができなかった。ソーシャルメディア企業もまたQアノンの拡散に手を貸した。彼らがQアノンに厳しい措置を取るのはあまりに遅かったし、ようやく動いたのは同胞のテック企業レディットがそれと真逆の立場をとってから数年後のことだ。Qアノンはエンゲージメントを促すことから自社のビジネスに都合がいいので、フェイスブックのようにQアノンに新人を送り込む漏斗の役目を果たしたものすらある。今のところQアノンはこうしたプラットフォームから締め出されているが、別の名をかたる新たな陰謀論に対してソーシャルメディア企業が相変わらず遅い反応を見せないとも限らない。

まさにこの点にこそ、Qアノンに対する解決策があると期待したい。とはいえQアノンのような陰謀論と対峙することは、この国の政治制度ではほぼ不可能だろう。共和党が偽情報に対する政府による超党派の解決策に――たとえそれがどんなものでも――賛同するとは想像しがたい。共和党の政治家たちは、Qアノン支持者を遠ざけて彼らの票を失うリスクを負うことに、これまでのところどんな興味も示していない。さらに始末の悪いことに、グリーンやボーバートに倣ってQ支持者がこうした政治家たちの座を奪うこともありうるだろう。さしあたって憲法修正第一条により、当然ながらQアノンを推進する人々を、他の法を破っていないかぎり罰することは不可能だ。

だがもっと型破りな発想もある。8ちゃんの創設者フレドリック・ブレンナンは、Qの黒幕が誰であろうと、連邦政府は政府の高官のふりをしたかどで起訴すべきだと考える[13]。だがFBIがQのアカウントの背後に誰がいるかを立証できたとしても、Qアノン信者が、彼らの嫌悪する闇の政府による起訴に納得することはまずなさそうだ。性的人身売買の問題に真摯に取り組むある組織は、移民制度を改革し、家出した若者へのサービスを増やすことでQと戦うよう呼びかけている[14]。こうした政策を実行すれば、Qアノンの熱心な後援者たちは実際の性的人身売買の被害者を自らの物語に利用しづらくなるだろうと彼らは言う。だがQ信者は政策白書によって考えを変えることはない――そもそも彼らは子どもたちがウェイフェアの棚に入って運ばれ、ピザ店の地下牢で食べられているといったファンタジーの世界に住んでいるのだから。

結局のところ、私が考える陰謀論に対する最善の解決策とは、市民の基本的ニーズを満たす政府を築くことだ。そうすれば人々はそもそも陰謀論に慰めを見いだそうとせずに済む。この問題を報じてきてわかったのは、自分の居場所がないと感じたためにQアノンに出会った人間がいかに多いかということだ。Qアノンは保守派のムーブメントではあるものの、それが約束する「嵐」の後の世界とは、バーニー・サンダースが思い描くどんなものよりはるかに左寄りだ。大手製薬会社は壊滅し、個人の負債はすべて相殺され、借家人は今住んでいる家を自分で所有できる、などなど。Qアノン信者はこの世界の営みについてときにまっとうな批評をするが、ただし自分たちの問題を経済のシステムそのものではなく秘密結社の個々人のせいにする。たとえばオースティン・スタインバートを信奉するマイケル・コーリーがQアノンに走ったのは、社会保障制度による障害者給付金の申請が却下されたからだ。彼は自分が生きようが死のうが政府はまったく頓着しないのだと感じるようになった。そんな彼にQアノンは失望を糧に行動を起こす道を示したのだ。

陰謀論にはまる理由が、これまでの人生で自分が見下されていると感じたことにあるならば、その解決策は、すべての人をもっと尊厳を持って扱うことだ。誰もが受けられるデイケア・プログラムから最低賃金の引き上げまで、この国の人々の状況を広く改善するどんなことも、Qアノンのようなムーブメントから彼らを遠ざけるのに役立つに違いない。それは偽情報対策に集中して取り組むどんな試みよりも効果があるだろう。

当然ながら、合衆国で単一支払者健康保険制度〔医療費を病院などの施設が単一の機関に請求し、その機関が支払う国民皆保険的な医療保険制度〕を採用することは、「嵐」が来るのを待つのと同じくらい現実離れした話だ。かわりにＱアノンに対抗するには、もっと小さなものから始めることだと私は思う。本書を執筆していて驚いたのは、法執行機関から精神保健体制まで、この国の公共機関がＱアノンの被害者の助けになっていない場合があまりにも多いことだ。今こそ、こうした機関がもっと前に出ていくときだ。

Ｑアノンによる急進化で人生を台無しにされた人たちにすべきことはもっとある。愛する人をＱアノンに奪われ救いを求める家族がグーグル検索をしまくったり、私のような記者にメールを送ったりしなくてはならない状況など本来あるべきではない。ケイシー・メイヤーが姉を説得してスタインバートがつくったＱアノンの「ランチ」から脱出させたいと思ったとき、私は彼女にとって一番の頼みの綱になるべきではなかった。精神科医やセラピストはＱアノンやその他の陰謀論について知るためにもっと役に立てるだろうし、政府は陰謀論から人々を抜け出させるプログラムを提供すべきだ。

だがおそらく誰よりも守られていないのは、Ｑアノンの標的に選ばれた人たちだ。無辜の人間が人生をひっくり返されてしまうのは、ソーシャルメディアに彼らが投稿したものにＱが目をつけるから。今こそＦＢＩを含めた法執行機関が、陰謀論によるオンライン上のハラスメントにもっと真剣に取り組むべきだ。キム・ピカツィオはＱアノンから攻撃を受けたとき、調査員の小部隊を自分で集めなければならなかったが、それはすでに獲得していた裁判所による保護命令を行使するよう警察を説得するだけのためだった。ピカツィオほどの資源ないし粘り強さを持たない被害者は、自分のわずかな力を頼りにするほかない。

そして何より私が権力を持つ人々に望むのは、新たな陰謀論がもたらす脅威に対し、ここまでになる前に真剣に検討してほしいということだ。Qアノンはあまりにも長いこと、政治家や多くのメディアの人間から、所詮深刻な脅威にはならないインターネットの珍品だと軽く見られていた――二〇二一年一月六日に信者たちが政府を転覆させようとしたまさにそのときまで。

アメリカの二極化した環境により、とりわけ二〇二四年の大統領選挙が近づくにつれて、この国の政治において陰謀論が一勢力であり続けるのは間違いない。それがQアノンではなくとも、この全体主義的で暴力的な陰謀論的思考傾向は変わらず私たちにつきまとうことだろう。

そのムーブメントはQアノンの復活と言われるものかもしれないし、あるいは別の名前で呼ばれるものかもしれない。Qアノン自体は、ネサラやピザゲート、ユダヤの「血の中傷」といった過去の陰謀論を、トランプをテーマに寄せ集めたものにすぎなかった。Qの後に続くものはたった今、形を成しつつある最中で、引き金となる絶好のタイミングを待っている――それは物議をかもす政治や選挙運動かもしれないし、あるいはテロ攻撃、あるいは経済不況かもしれない。

次こそ、我々がもっと周到に備えていることを願うばかりだ。

謝辞

この本は、私の妻、ジュリアナのサポートがなければ生まれなかった。アメリカの保守派に強い関心を持つならば、それを記事にしてみたらどうかと彼女が最初に私の背中を押してくれた。本書を執筆している間、彼女は私たちの日々が回るよう相応分をはるかに超える仕事を引き受け、私の知るかぎり最高の編集者でいてくれた。ジュリアナ、君を心から愛しています。

私の両親、ペギーとビルは、どんな息子も望めないほどの支援と励ましを与えてくれた。妻の両親のミシェルとスティーヴ、そして妻の兄弟のベンは、インスピレーションの源となり、執筆過程を通して私を助けてくれた。

右派を取材するのはときに孤独な作業だ。Qアノンが生まれた当初はなおさらで、当時これがオンラインのわずかな変わり種よりも大きなものになっていくと気づいた人はごくわずかしかいなかった。私の報道は、当初からこのスクープを報じていた人たちの仕事に恩がある。なかでもマイク・ロスチャイルド、ジャレッド・ホルト、ブランディ・ザドロズニー、ベン・コリンズ、そしてパリス・マーティノーに感謝する。ポッドキャストの番組『Qアノン・アノニマス』の司会者——トラヴィス・ヴュー、ジュリアン・フィールド、ジェイク・ロカタンスキー——もまたQの世界で優れた仕事をしている。

カレン・ホーバックによるHBOのドキュメンタリー『Qアノンの正体／Q: Into the Storm』〔二〇二一年三～四月放送〕は、Qの正体について突破口を開いてくれた。Qアノンを追跡する匿名の幾つかのツイッターアカウントの運営者も、その影響について世間の理解を広げるうえで欠かせない役目を果たし、動画をまとめ、訴訟を追跡する重要な仕事を担っている。

私のエージェントであるジャヴェリン社のマット・ラティマーとキース・アーバンは、Qアノンをテーマにした本の可能性を最初に認めてくれた。ハーパーコリンズの私の編集者、サラ・ハウゲンは、この本をより良いものにするために何回にもわたる編集作業をやり抜いてくれた。ハーパーコリンズのレベッカ・ラスキンとハーパーコリンズUKのジョーダン・マリガンは、この本が採用される手助けをしてくれた。

デイリー・ビーストでは優れた編集者にも恵まれた。なかでもトレイシー・コナー、ジャッキー・クシニッチ、マット・フラー、ノア・シャクトマン、サム・スタインに感謝する。このスクープについては多くの偉大な記者とともに署名入りの記事も書いた。アサウィン・スブセイン、ザッカリー・ペトリッツォ、ケリー・ワイルに感謝する。また本書はデイリー・ビーストのポッドキャスト番組『フィーバー・ドリームズ』の私のパートナーたち――アサウィン、ケリー、そしてジェシー・キャノン――がいなければ誕生しなかっただろう。彼らが活を入れてくれたおかげで、私はこの本を書き続けることができた。

そしてこの本を世に出せたのは、私の記事を応援してくれる読者やリスナーからの励ましのおかげである。最初は私のニュースレター『ライトリクター』を、次に『フィーバー・ドリームズ』を購読してくれた人たちだ。たくさんの方から反応を聞くことができるのは嬉しいことであり、長年にわたる皆さんのご支援に感謝したい。

ジョージタウン大学の学生新聞『ジョージタウン・ヴォイス』の活動をしていたときに、私はジャーナリズムの虜になった。そこで出会った多くの人たちと今日まで友人でいられることを幸運に思う。クリス、モリー、ダニエル、ケイト、ブレンダン、ティム、ジェフ、ジョー、そしてヘンリー。全員が皆、Qアノンの話を、分別のある人間ならおよそ縁のないほどたっぷりと聞かされた。

最後に本書の取材と執筆は、Qアノンによってその人生が、どんな形にしろ引き裂かれてしまった人々がいなければ不可能だった。皆さんが私を信頼し、話を聞かせてくれたことに心から感謝します。

解説

秦 正樹

特に二〇一〇年代中盤以降、世界中で「陰謀論」が席巻し、政治・社会に大きな混乱を生む状況が生まれてしまった。とりわけ、全米中に瞬く間に広まったQアノン陰謀論は、本書でも描かれるように、多くの米国人を虜にし、ついには米国連邦議会議事堂の襲撃という大事件にまで発展させる原動力の一つにまでなった。傍から見れば、単なる荒唐無稽でバカバカしい都市伝説にしか映らないようにも思われるが、そう簡単に切り捨てられるものではないことを強く感じさせられる。

陰謀論が政治や社会を混乱に陥れるほど影響力を持つようになった背景には、いくつかの要因がある。その大きな要因の一つは、やはりインターネットを通じた情報流通が非常に盛んになった点にあるだろう。実際に、Qアノン陰謀論も、インターネット上の匿名掲示板に突如として現れた「Q」と名乗る人物から始まった言説である。とはいえ、「Q」の書き込みも、当初は、匿名掲示板内のごく少数の人々の中だけで消費される言説に過ぎなかった。もし、この世界にインターネットが存在しなければ、Qアノン陰謀論も、ごく少数の「もの好きな人々」の間だけで完結していたであろう。しかし、ごく少数の人々であっても、彼/彼女らの「アメリカの〝真実〟を明らかにするQの言説は、もっと多くの人に知られなければならない」という熱量は、我々の想像を遥かに超えるものであった。Qの書き込みを熱心に解釈し、一般人にもわかるようにユーチューブやメタ（旧フェイスブック）などのソーシャルメディアを通じて拡散することで、その信奉者を爆発的に増やすことに成功したのである。人々が自由に意見を交わすことができるメタ（旧フェイスブック）、ユーチューブ、X（旧ツイッター）といったソーシャルメディアが、それまで「檻の中で飼われていた危険なライオン」を世に放つ「悪い道具」ともなりうることを強く感じさせる出来事であった。

陰謀論が社会を蝕むまでに大きな力を持つようになった重要な要因のもう一つは、政治家の積極的な加担にもあろう。古今東西、どの国でも、政治家は、自らの影響力を保持し、選挙で当選するためになりふり構わないという現実は、隠しようのない事実である。だからこそ、「政治家は、選挙のときだけ八方美人になるが、その実は狡猾で、汚職にまみれ、国民の利益を貪る存在だ」といった悪いイメージを持つ市民も少なくない。こうした背景から生じてきた、いわゆる「政治不信」の蔓延は、投票率の低下や、円滑な政策実施を阻害する要因として、広く民主主義にとって望ましくない傾向だとみなされてきた。ただし他方で、政治不信は、「私たち（有権者）は政治家を監視すべき存在だ」と認識させ、両者の間に一定の緊張関係を保つ役割も担っていた。政治家を信用しない市民は、どれだけ政治家が雄弁に語ろうとも、その言葉を真に受けることなく、批判的な目で捉えようとしてきたのである。

ところが、こうした政治の現状を利用しようとする一部の「利口な」政治家は、「既存の政治家と違って、私は人々の傍にいる」と訴え始めた。いわゆる、ポピュリスト政治家の誕生である。ポピュリスト政治家たちは、「鼻持ちならない既存の政治家」を攻撃するために、様々な「独自の論理」を生み出してきた。しばしば、攻撃的で、しかし多くの市民にわかりやすく、新鮮であっと驚くような言説を主張するのである。政治や政策に関わる小難しい話ではなく、私たちに寄り添ってくれるかどうかを重視する一部の市民にとって、その言説が事実かどうかは大して重要なことではないと考えるのだろう。陰謀論とポピュリズムがしばしばセットで議論されるのは、こうした「共犯関係」にもとづいている。

陰謀論を主張する政治家や政党は、我々が知る伝統的な政治的対立軸——右派vs.左派とか保守vs.リベラル——の中では十分に捉えきれない場合が非常に多い。この点は、政治学や社会心理学などで進められている陰謀論に関する多くの実証研究でも明らかになっている。本書でも指摘されているように、Q

アノン陰謀論は、確かに米国共和党＝右派陣営と高い親和性を有するものの、一方の米国民主党＝リベラル系もまた、「スティール文書」に代表される陰謀論を持ち出すのである。

かつての時代、政治的デマとか陰謀論とかに騙されるのは、よほど政治のことに無知で無頓着な人だと思われてきた。しかし、陰謀論の時代は、右派も左派も、共和党支持者も民主党支持者も、あるいは「私は政治のことをよく知っている」と自負する人であっても、誰しもが陰謀論の餌食となりうる。いやむしろ、自分自身の政治的ポジションを明確に理解し、特定の党派性を持ち、積極的に政治に参加するような「模範的な市民」こそが、政治家や政党に都合のいい陰謀論に自ら吸い寄せられやすいと言えるかもしれない。こうした時代だからこそ、党派性やイデオロギーに熱を上げすぎず、「ほどほど」にしておくという姿勢が求められているように思われてならない。

＊

二〇一六年大統領選においてドナルド・トランプ氏が勝利したという一報は、米国だけでなく、世界中に大きな衝撃を与えた。大統領選の期間中から、トランプ氏の差別的な発言や奔放な物言い、あるいは堂々と虚偽の情報を訴える姿勢などが問題視されてきたからである。「フェイクニュース」や「Qアノン」という単語が市民権を得るに至る上で、それに最も貢献した一人がトランプ氏であることに疑いの余地はないだろう。

日本でも、トランプ氏の大統領就任は、大きな驚きを持って報じられた。日本国内でもトランプ氏の危うさは大統領選中から広く報じられており、多くの日本人にも、トランプ氏の放言癖は知られていたであろう。とはいえ、この当時はまだ、「日本（人）は、米国（人）のように、怪しい情報に惑わされて政治や社会が混乱する事態なんて起きないだろう」とみなされていたようにも思われる。日本は、米国社会においてフェイクニュースや陰謀論が蔓延しているという状況を「対岸の火事」と見ていたのである。

ところが、二〇二〇年初頭から世界中で大流行したCOVID‐19パンデミックによって、ついに日本も陰謀論と無関係ではいられなくなった。新型コロナ禍の当初から、日本のソーシャルメディア上でも様々な陰謀論が拡散されるようになった。「コロナワクチンにはマイクロチップが埋め込まれており、人々の行動を監視するために開発された」とか、「世界的に有名な人（あるいは一部の巨大組織）が人口削減を目的に作ったものだ」といった陰謀論は、その代表例である。地上波の報道番組でも「陰謀論とどう向き合うか」といった特集が組まれるほど、日本国内でも陰謀論の存在が一般的になったのである。

もちろん、こうした陰謀論がオンライン上で拡散していたとしても、そうした見方が、必ずしも支配的になったわけではない。しかしながら、その毒牙は徐々に社会に蔓延している可能性がある。たとえば、筆者が二〇二一年八月に行った全国世論調査において、「ある種の病原体や病気の感染拡大は、ある組織による慎重かつ秘匿された活動の結果である」という陰謀論がどの程度正しいと信じるかを尋ねたところ、「そう思う」が五・四パーセント、「ややそう思う」が二二・九パーセントと、およそ二八パーセント程度の人が信じていたのである。調査方法や調査時期によって多少変動するとは思われるが、それでも、決して少なくない日本人が陰謀論を信じている状況は憂慮するべきであろう。

＊

日本で広まる陰謀論は非常に散発的であり、米国におけるQアノン陰謀論のように明確に体系化されているわけではない。しかしながら、日本でも、ある陰謀論を好む人は、別の陰謀論も信じるという傾向が明らかになっている。たとえば、東京大学の鳥海不二夫教授の調査では、二〇二二年三月五日までに「ウクライナ政府はネオナチだ」とする投稿を拡散したアカウントのうち、約八八パーセントがワクチンに否定的な内容を、約四七パーセントがQアノン関連の陰謀論を過去に拡散していたことが明らかになっている（読売新聞、二〇二二年四月一四日）。

また、最近の実証研究では、特定の政治的主張や党派性を持つことが、陰謀論やデマを信じるリスクを高めることも複数指摘されている。拙著『陰謀論――民主主義を揺るがすメカニズム』（中公新書）では、日本人でも、保守的な人はリベラル系を腐す陰謀論を、逆に、リベラル層は保守系を批判する陰謀論を強く信じやすい傾向にあると指摘している。同様に、国際大GLOCOMの研究チームの調査でも、政治的主張が強いほど、異なる政治的意見の側を批判するデマを信じやすい傾向が示されている（読売新聞、二〇二三年五月三〇日）。こうした傾向は、結局のところ、自分自身にとって耳心地のいい話であれば、誰もが飛びついてしまう可能性があることを意味している。

以上の議論を見ると、政治的な主張を持たない、たとえば無党派のような人には関係がないと思われるかもしれない。しかしながら、陰謀論は、私たちが本来的に持つ「ヒトとしての性質」に非常に親和的であることも考える必要がある。言い換えれば、義務教育を受けて日常生活を送っている「普通の人」は、こんな荒唐無稽な陰謀論になど引っかかるわけがないと考え、だから自分は大丈夫だと安心することこそ危険なのである。ごく「普通の人」こそ、たとえば新型コロナ禍のような社会的に大きなインパクトのある変化を経験したり、安倍元首相銃撃事件のような衝撃的な事件の情報に触れたりすることで、自分にとって都合のいい情報だけを求め、陰謀論に嵌《はま》ってしまうリスクを常に抱えている。大手新聞や報道番組の情報は（もちろん常に誤報の可能性はあるものの）幾重にもわたる事前のチェックや裏取りが行われているが、たとえばソーシャルメディア上での情報の多くは、ただ私見が垂れ流されている状態である。ネット社会に生きる現代人にとって、自らが目にする情報は、客観的に精査されたものではなく、単に自分に都合がいいから見えているだけかもしれないという自省的な姿勢を常に持ち続けておくべきである。

＊

実は、筆者は大学生時代、いわゆる「ネット右翼」であった。自らを振り返ってみると、当時の筆者は、「日本の政治的・社会的エリートは、実質的に韓国や中国に支配されている」という陰謀論を心から信じていた。こうした陰謀論は、当時から、主にネット上にごまんと溢れており、筆者も例に漏れず、こうした「ネットで真実」を鵜呑みにしたのである。筆者が大学生の時分、テレビや新聞では、連日のように麻生太郎首相（当時）が過剰なまでにバッシングされていた。漢字の読み間違いやバー通い批判などに始まり、政策とは全く無関係な、麻生氏個人の不祥事で連日持ちきりだった。「なぜ、テレビや新聞はここまで麻生首相を目の敵にするのだろう」――当時の筆者は、そうした素朴な疑問を抱きつつ、しかし疑問を疑問のまま放置することは非常に気持ちが悪かった。そこで、ネットで調べてみると、「麻生氏は愛国者であり、日本を敵対視する韓国や中国に毅然とした対応をしている。それに対し、（当時、政権交代に向けて勢いを増していた）民主党や既存メディアは、韓国や中国系の勢力あるいは在日朝鮮人が牛耳っている反日組織なので、愛国者である麻生を全力で叩き潰し、日本を実質的に支配しようとしている」といった情報が目に飛び込んできた。その証拠として特に挙げられていたのが、鳩山由紀夫氏のネット番組での発言（「日本列島は日本人だけのものじゃない」）や、民主党が永住外国人の地方参政権付与に賛成であること、あるいは、既存メディアが韓流番組を「ゴリ推し」しているといった「事実」であった。このような情報を目にした筆者は、まるで「点と点が線で繋がった」とでも言うべきか、多くの人が気付いていない「真実」を知ったという優越感とともに、まもなく日本が日本でなくなるという強い焦燥感に駆られた。そうなると、いても立ってもいられず、オンライン上で活動していた「行動する保守」系の政治団体に自ら直接コンタクトし、当該団体の活動に積極的に参加するようになった。周知の通り、民主党への政権交代は現実のものとなり、いよいよ、それまで何も知らずにのんべんだらりと日常を過ごしていたことを強く後悔し、「政治」をもっと勉強しなければいけないと考え、大学院に進学する決心を固めた。それまで政治とは無縁で、アルバイトとバンド活動にばかり明け暮れていた「普通の大学生」が、ほんの小さなきっかけで陰謀論を信じるのだということを、身をもって経験したのである（だからこそ、現在、「陰謀論」の研究をしている）。

幸い、筆者は大学院に進学したことで、自分の信念が陰謀論に支えられていることに気付いた（しかし、気付くまでには三年もの月日がかかったわけであるが……）。しかし、もし民間企業に就職していたら、今でも、現役の「ネット右翼」であったかもしれない。極めて個人的な感想であるが、もし当時の筆者が本書を読んでいれば、もしかしたら、自分を見つめ直す機会が得られたかもしれない、あるいは、筆者が「ネット右翼」をしていたことで疎遠になってしまった多くの友人たちとも関係を維持していたかもしれないと感じざるを得なかった。本書は、多くの人にとって「エンターテインメント」的に消費できてしまう内容も多く含まれているように思われるが、一方で、身近な人が陰謀論信奉者になったときに、自分に何ができるかを考えるための一つの処方箋でもある。人それぞれの「正しさ」が多様化する時代だからこそ、本書が、自分自身の「正しさ」を見直すきっかけとなることを望むばかりである。

Workers," *Global News,* Dec. 1, 2021, https://globalnews.ca/news/8417379/queen-of-canada-covid-online-threats/.

12 Lori Hinnant, "French Child Kidnap Plot Shows Global Sway of QAnon Style," Associated Press, Oct. 5, 2021, https://apnews.com/article/coronavirus-pandemic-europe-kidnapping-health-79761187c5d2767a8a27072a0e2d81ef.

13 Maggie Astor, "Michael Flynn Suggested at a QAnon-Affiliated Event That a Coup Should Happen in the U.S.," *New York Times,* June 1, 2021, https://www.nytimes.com/2021/06/01/us/politics/flynn-coup-gohmert-qanon.html.

おわりに　愛国者が支配する

1 Alan Feuer, "Another Far-Right Group Is Scrutinized about Its Efforts to Aid Trump," *New York Times,* Jan. 3, 2022, https://www.nytimes.com/2022/01/03/us/politics/first-amendment-praetorian-trump-jan-6.html.

2 Tucker Huggins and Dan Mangan, "Dominion Voting Systems Brings $1.3 Billion Defamation Suit Against Ex-Trump Lawyer Sidney Powell," CNBC, Jan. 8, 2021, https://www.cnbc.com/2021/01/08/dominion-brings-defamation-suit-against-sidney-powell.html.

3 Jim Hoft, "BOOTED! Police Escort Leftist Troll Will Sommer from Dallas Pro-Trump Conference — Crowd Cheers the News... Update: Response from Will Sommer," Gateway Pundit, May 30, 2021, https://www.thegatewaypundit.com/2021/05/booted-police-escort-leftist-troll-will-sommer-dallas-pro-trump-conference-crowd-cheers-news/.

4 Andrew Jacobs, "Trump Disinfectant Remarks Echo Claims by Miracle-Cure Quacks," *New York Times,* April 27, 2020, https://www.nytimes.com/2020/04/27/health/coronavirus-disinfectant-bleach-trump.html.

5 "Danger: Don't Drink Miracle Mineral Solution or Similar Products," U.S. Food and Drug Administration, https://www.fda.gov/consumers/consumer-updates/danger-dont-drink-miracle-mineral-solution-or-similar-products.

6 Will Sommer, "QAnon Hero Michael Flynn Secretly Said QAnon Is 'Total Nonsense,' " Daily Beast, Nov. 28, 2021, https://www.thedailybeast.com/qanon-hero-michael-flynn-secretly-said-qanon-is-total-nonsense.

7 David Gilbert, "QAnon Is Going into Stealth Mode Ahead of the Election," Vice News, Sept. 30, 2020, https://www.vice.com/en/article/935pgp/qanon-is-going-into-stealth-mode-ahead-of-the-election.

8 Isaac Arnsdorf, Doug Bock Clark, Alexandra Berzon, and Anjeanette Damon, "Heeding Steve Bannon's Call, Election Deniers Organize to Seize Control of the GOP—and Reshape America's Elections," ProPublica, Sept. 2, 2021, https://www.propublica.org/article/heeding-steve-bannons-call-election-deniers-organize-to-seize-control-of-the-gop-and-reshape-americas-elections.

9 Vera Bergengruen, "QAnon Candidates Are Winning Local Elections. Can They Be Stopped?" *Time,* April 16, 2021, https://time.com/5955248/qanon-local-elections/.

10 David D. Kirkpatrick and Stuart A. Thompson, "QAnon Cheers Republican Attacks on Jackson. Democrats See a Signal," *New York Times,* March 24, 2022, https://www.nytimes.com/2022/03/24/us/qanon-supreme-court-ketanji-brown-jackson.html.

11 Tovia Smith, "They Believe in Trump's 'Big Lie.' Here's Why It's Been So Hard to Dispel," NPR, Jan. 5, 2022, https://www.npr.org/2022/01/05/1070362852/trump-big-lie-election-jan-6-families.

12 Meagan Flynn, "The National Butterfly Center Closed Indefinitely. A Fringe Va. Candidate Is Partly to Blame," *Washington Post,* Feb. 3, 2022, https://www.washingtonpost.com/dc-md-va/2022/02/03/kimberly-lowe-national-butterfly-center/.

13 Will Sommer, "He Was Partners with QAnon. Now He Wants Them Arrested," Daily Beast, April 9, 2021, https://www.thedailybeast.com/he-was-partners-with-qanon-now-he-wants-them-arrested.

14 "Countering QAnon," Polaris Project, https://polarisproject.org/wp-content/uploads/2021/02/Polaris-Report-Countering-QAnon.pdf.

Vox, Feb. 4, 2021, https://www.vox.com/2021/2/4/22266193/kevin-mccarthy-qanon-marjorie-taylor-greene.
16 Cheryl Teh, "The Trump Team's 22-Page Communications Playbook to Overturn the Election Had QAnon Influencer Ron Watkins Playing a Key Role," Insider, Jan. 5, 2022, https://www.businessinsider.com/trumps-team-enlist-qanon-influencer-ron-watkins-overturn-the-election-2022-1.
17 David Gilbert, "One of QAnon's Earliest Influencers Just Got Elected to South Carolina GOP," Vice News, April 26, 2021, https://www.vice.com/en/article/93ywwv/one-of-qanons-earliest-influencers-just-got-elected-to-south-carolina-gop.
18 Will Sommer, "Jim Caviezel's QAnon Guru Wants to Control Elections," Daily Beast, Oct. 27, 2021, https://www.thedailybeast.com/jim-caviezels-qanon-guru-juan-savin-wants-to-control-elections.
19 Bob Woodward and Robert Costa, "Virginia Thomas Urged White House Chief to Pursue Unrelenting Efforts to Overturn the 2020 Election, Texts Show," *Washington Post,* March 24, 2022, https://www.washingtonpost.com/politics/2022/03/24/virginia-thomas-mark-meadows-texts/.

第12章　ベビーQ

1 Robert Jay Lifton, *Thought Reform and the Psychology of Totalism: A Study of "Brainwashing" in China* (Chapel Hill: University of North Carolina Press, 2016), vii.〔ロバート・J・リフトン『思想改造の心理——中国における洗脳の研究』小野泰博訳、誠信書房、1979年〕
2 Lifton, 429.〔リフトン『思想改造の心理』、本文での引用は訳文を一部修正して使用〕
3 Tay Wiles, "Conspiracy Theories Inspire Vigilante Justice in Tucson," *High Country News,* Sept. 12, 2018, https://www.hcn.org/issues/50.17/politics-conspiracy-theories-inspire-vigilante-justice-in-tucson.
4 Amen Clinic letter to Steinbart family, March 17, 2020.
5 "Petition for Action on Conditions of Pretrial Release," *USA v. Steinbart,* Sept. 1, 2020.
6 Michael Corkery, "Overstock C.E.O. Takes Aim at 'Deep State' after Romance with Russian Agent," *New York Times,* Aug. 15, 2019, https://www.nytimes.com/2019/08/15/business/overstock-paul-byrne-maria-butina-affair.html.
7 Alan Feuer, Maggie Haberman, Michael S. Schmidt, and Luke Broadwater, "Trump Had Role in Weighing Proposals to Seize Voting Machines," *New York Times,* Jan. 31, 2022, https://www.nytimes.com/2022/01/31/us/politics/donald-trump-election-results-fraud-voting-machines.html.

第13章　Qは国境を越える

1 Louise Milligan, Jeanavive McGregor, and Lauren Day, "QAnon Follower Tim Stewart's an Old Friend of Scott Morrison. His Family Reported Him to the National Security Hotline," Four Corners, June 13, 2021, https://www.abc.net.au/news/2021-06-14/qanon-follower-old-friend-scott-morrison-stewart-family-speaks/100125156.
2 Emiko Jozuka, Selina Wang, and Junko Ogura, "Japan's QAnon Disciples Aren't Letting Trump's Loss Quash Their Mission," CNN, April 23, 2021, https://www.cnn.com/2021/04/23/tech/qanon-consipiracy-theory-japan-trump-hnk-intl-dst/index.html.
3 "Interpreting Social Qs: Implications of the Evolution of QAnon," Graphika, https://public-assets.graphika.com/reports/graphika_report_interpreting_social_qs.pdf.
4 Robert Muggah, "In Brazil, QAnon Has a Distinctly Bolsonaro Flavor," *Foreign Policy,* Feb. 10, 2021, https://foreignpolicy.com/2021/02/10/brazil-qanon-bolsonaro-online-internet-conspiracy-theories-anti-vaccination/.
5 Mark Townsend, "Fan of Trump and Farage Raises Far-Right 'Q' Flag at His Cornish Castle," *Guardian,* Jan. 11, 2020, https://www.theguardian.com/politics/2020/jan/11/trum-and-farage-supporter-flies-flag-for-qanon-rar-right-conspiracy.
6 Ruchira Sharma, "How a Desire to 'Save Our Children' Took People Down the Rabbit Hole into the QAnon Delusion," iNews, Sept. 11, 2020, https://inews.co.uk/news/long-reads/qanon-uk-conspiracy-theory-save-our-children-march-explained-642000.
7 Katrin Bennhold, "QAnon Is Thriving in Germany. The Extreme Right Is Delighted," *New York Times,* Oct. 11, 2020, https://www.nytimes.com/2020/10/11/world/europe/qanon-is-thriving-in-germany-the-extreme-right-is-delighted.html.
8 Bennhold.
9 Mack Lamoureux, "QAnons Are Harassing People at the Whim of a Woman They Say Is Canada's Queen," Vice News, June 17, 2021, https://www.vice.com/en/article/3aqvkw/qanons-are-harassing-people-at-the-whim-of-a-woman-they-say-is-canadas-queen-romana-didulo.
10 Daphne Bramham, "The Absurd and Disturbing Tragedy of Romana Didulo," *Vancouver Sun,* Dec. 9, 2021, https://vancouversun.com/news/daphne-bramham-the-absurd-and-disturbing-tragedy-of-romana-didulo.
11 Andrew Russell and Stewart Bell, "Self-Declared 'Queen of Canada' Detained by RCMP after Alleged Threats to Health-Care

2019, https://www.yahoo.com/video/fbi-documents-conspiracy-theories-terrorism-160000507.html.
18 Osceola Police Dept., "Incident Report #20-010128."
19 NorthWest Liberty News.
20 "Complaint," *State of Wisconsin v. Field McConnell,* Nov. 5, 2019.
21 Robert Garrison, "Parker Woman Arrested in Montana for Conspiracy to Commit Kidnapping," Denver7, Jan. 4, 2020, https://www.thedenverchannel.com/news/local-news/parker-woman-arrested-in-montana-for-kidnapping.
22 Hopkins County Jail medical report, March 30, 2020.
23 Georgia Wells and Justin Scheck, "How a Custody Fight Plus QAnon Turned Deadly," *Wall Street Journal,* Aug. 2, 2021, https://www.wsj.com/articles/when-online-conspiracies-turn-deadly-a-custody-battle-and-a-killing-11617376764.
24 Zachary Cohen, "FBI Director Says Bureau Is Not Investigating QAnon Conspiracy 'In Its Own Right,' " CNN, April 15, 2021, https://www.cnn.com/2021/04/15/politics/fbi-director-wray-qanon-threat/index.html.

第10章　パパがレッドピルを飲んだなら

1 "QAnon Casualties," https://www.reddit.com/r/QAnonCasualties/.
2 Ronald W. Pies and Joseph M. Pierre, "Believing in Conspiracy Theories Is Not Delusional," Medscape, Feb. 7, 2021, https://www.medscape.com/viewarticle/945290.

第11章　Qの議員連盟《コーカス》

1 Dan Lamothe, "Remember Jade Helm 15, the Controversial Military Exercise? It's Over," *Washington Post,* Sept. 14, 2015, https://www.washingtonpost.com/news/checkpoint/wp/2015/09/14/remember-jade-helm-15-the-controversial-military-exercise-its-over/.
2 Susan Davis, "House Votes to Condemn QAnon Conspiracy Theory: 'It's a Sick Cult,' " NPR, Oct. 2, 2020, https://www.npr.org/2020/10/02/919123199/house-votes-to-condemn-qanon-conspiracy-movement.
3 Allie Bice, "Rep. Kinzinger: 'It's Time' for Leaders to Disavow QAnon," *Politico,* Aug. 16, 2020, https://www.politico.com/news/2020/08/16/adam-kinzinger-trump-qanon-396414.
4 Jonathan Martin and Amie Parnes, "McCain: Obama Not an Arab, Crowd Boos," *Politico,* Oct. 10, 2008, https://www.politico.com/story/2008/10/mccain-obama-not-an-arab-crowd-boos-014479.
5 Will Sommer, "In a First, Lawmaker Cites QAnon Conspiracy from City Council Floor," Daily Beast, Dec. 13, 2018, https://www.thedailybeast.com/in-a-first-lawmaker-cites-qanon-conspiracy-from-city-council-floor.
6 Will Sommer, "A QAnon Believer Is Running for Congress and Is Currently Unopposed in His Republican Primary," Daily Beast, April 10, 2019, https://www.thedailybeast.com/matthew-lusk-meet-the-first-qanon-believer-running-for-congress.
7 Will Sommer, "Ilhan Omar's Challenger Is Literally on the Run from the Law," Daily Beast, Feb. 21, 2020, https://www.thedailybeast.com/ilhan-omars-challenger-danielle-stella-is-literally-on-the-run-from-the-law.
8 Will Steakin and Meg Cunningham. "Republicans Wrestle with Conspiracy-Theory Advocate Winning Senate Primary," ABC News, May 22, 2020, https://abcnews.go.com/Politics/republicans-wrestle-conspiracy-theory-advocate-winning-senate-primary/story?id=70829450.
9 Alex Kaplan, "Here Are the QAnon Supporters Running for Congress in 2020," Media Matters for America, Jan. 7, 2020, https://www.mediamatters.org/qanon-conspiracy-theory/here-are-qanon-supporters-running-congress-2020.
10 Chaney Skilling, "Armed and Ready to Feed You: Shooters Grill in Rifle Serves Up Barbecue with a Gun on the Side," *Denver Post,* June 22, 2018, https://www.denverpost.com/2018/06/22/shooters-grill-rifle-waitresses-guns/.
11 Jim Anderson, Nicholas Riccardi, and Alan Fram, "GOP Candidate Is Latest Linked to QAnon Conspiracy Theory," Associated Press, July 2, 2020, https://apnews.com/article/e21311e35e7063834222942a1702211b.
12 Eric Hananoki, "A Guide to Likely Member of Congress Marjorie Taylor Greene's Conspiracy Theories and Toxic Rhetoric," Media Matters for America, Oct. 15, 2020, https://www.mediamatters.org/congress/guide-likely-member-congress-marjorie-taylor-greenes-conspiracy-theories-and-toxic.
13 Catie Edmondson, "Marjorie Taylor Greene's Controversies Are Piling Up. Republicans Are Quiet." *New York Times,* Jan. 29, 2021.
14 Ally Mutnick and Melanie Zanona, "House Republican Leaders Condemn GOP Candidate Who Made Racist Videos," *Politico,* June 17, 2020, https://www.politico.com/news/2020/06/17/house-republicans-condemn-gop-candidate-racist-videos-325579.
15 Aaron Rupar, "Kevin McCarthy's Remarkable Flip-flop from 'There's No Place for QAnon' to 'I Don't Even Know What It Is,' "

21 "Report and Recommendation," *Timothy Charles Holmseth v. City of East Grand Forks,* U.S. District Court, District of Montana.

22 Mack Lamoureux, "Arrest of 'Agent Margaritaville' Hitting Conspiracy Movement Hard," Vice News, Feb. 8, 2021, https://www.vice.com/en/article/v7mj8b/arrest-of-agent-margaritaville-hitting-conspiracy-movement-hard.

23 Tarpley Hitt, "How QAnon Became Obsessed with Adrenochrome, an Imaginary Drug Hollywood Is Harvesting from Kids," Daily Beast, Aug. 14, 2020, https://www.thedailybeast.com/how-qanon-became-obsessed-with-adrenochrome-an-imaginary-drug-hollywood-is-harvesting-from-kids.

24 Hitt.

25 Blake Montgomery, " 'Passion of the Christ' Star Hawks Unhinged QAnon Adrenochrome Conspiracy Theory," Daily Beast, April 17, 2021, https://www.thedailybeast.com/passion-of-the-christ-star-jim-caviezel-hawks-qanon-adrenochrome-conspiracy-theory.

26 Kjetil Braut Simonsen, "Antisemitism and Conspiracism," in Butter and Knight, eds., *Routledge Handbook of Conspiracy Theories,* 358.

27 Simonsen.

28 "Kielce Pogrom," United States Holocaust Memorial Museum, https://www.ushmm.org/learn/timeline-of-events/after-1945/kielce-pogrom.

29 Brian Friedberg, "The Dark Virality of a Hollywood Blood Harvesting Conspiracy," *Wired,* July 31, 2020, https://www.wired.com/story/opinion-the-dark-virality-of-a-hollywood-blood-harvesting-conspiracy/.

30 "Protesters Gather at Polk County Justice Center Monday Morning," KROX-AM, Aug. 26, 2019, https://kroxam.com/protesters-gather-at-polk-county-justice-center-monday-morning/.

第９章　Qアノンの誘拐犯

1 "Affidavit for Arrest Warrant," Parker Police Department, Parker, CO, Oct. 3, 2019.

2 Douglas County Department of Human Services report, Jan. 2019.

3 "Affidavit for Arrest Warrant."

4 "Affidavit for Arrest Warrant."

5 "Affidavit for Arrest Warrant."

6 "Affidavit for Arrest Warrant."

7 William Mansell, "Man Pleads Guilty to Terrorism Charge after Blocking Hoover Dam Bridge with Armored Truck," ABC News, Feb. 13, 2020, https://abcnews.go.com/US/man-pleads-guilty-terrorism-charge-blocking-bridge-armored/story?id=68955385.

8 Will Sommer, "QAnon Disciple Allegedly Vandalized Catholic Church with Crowbar While Ranting about Human Trafficking," Daily Beast, Sept. 30, 2019, https://www.thedailybeast.com/qanon-disciple-allegedly-vandalized-catholic-church-with-crowbar.

9 Will Sommer, "Qanon-Believing Proud Boy Accused of Murdering 'Lizard' Brother with Sword," Daily Beast, Jan. 9, 2019, https://www.thedailybeast.com/proud-boy-member-accused-of-murdering-his-brother-with-a-sword-4.

10 Peter Hermann, "Man Who Set Fire at Comet Ping Pong Sentenced to Four Years in Prison," *Washington Post,* April 23, 2020, https://www.washingtonpost.com/local/public-safety/man-who-set-fire-at-comet-ping-pong-pizza-shop-sentenced-to-four-years-in-prison/2020/04/23/2e107676-8496-11ea-a3eb-e9fc93160703_story.html.

11 Ali Watkins, "A Conspiracy Theorist, Anthony Comello, and a Mystery Motive in Gambino Murder," *New York Times,* March 22, 2019, https://www.nytimes.com/2019/03/22/nyregion/gambino-comello-mob-boss.html.

12 "Murder of Gambino Boss Triggered Flawed Theories," National Museum of Organized Crime and Law Enforcement, https://themobmuseum.org/blog/murder-of-gambino-boss-triggered-flawed-theories/.

13 Ali Watkins, "Accused of Killing a Gambino Mob Boss, He's Presenting a Novel Defense," *New York Times,* Dec. 6, 2019, https://www.nytimes.com/2019/12/06/nyregion/gambino-shooting-anthony-comello-qanon.html.

14 Michael Jensen and Sheehan Kane, "QAnon Offenders in the United States," National Consortium for the Study of Terrorism and Responses to Terrorism, 2021, https://www.start.umd.edu/publication/qanon-offenders-united-states.

15 アブツァグが逃亡していた数カ月間の説明は、法廷および警察の記録、ならびに2020年にラモスがオンラインの番組ノースウエスト・リバティ・ニュース（NorthWest Liberty News）で受けた3時間のインタビューに由来する。ラモスとアブツァグの両者にコメントを求めたが、返事はなかった。

16 "Field McConnell Was Surprised That We Were There," NorthWest Liberty News, https://rumble.com/vcaal7-field-mcconnell-was-surprised-that-we-were-there-joseph-ramos-part-1.html.

17 Jana Winter, "Exclusive: FBI Document Warns Conspiracy Theories Are a New Domestic Terrorism Threat," Yahoo News, Aug. 1,

16 Jeffrey A. Hall, "Aligning Darkness with Conspiracy Theory: The Discursive Effects of African American Interest in Gary Webb's 'Dark Alliance,' " *Howard Journal of Communications,* Nov. 2006, quoted in Julien Giry and Pranvera Tika, "Conspiracy Theories in Political Science and Political Theory," in Butter and Knight, eds., *Routledge Handbook of Conspiracy Theories,* 152.
17 Michael Barkun, *A Culture of Conspiracy: Apocalyptic Visions in Contemporary America* (Berkeley: University of California Press, 2014), 3.〔マイケル・バーカン『現代アメリカの陰謀論——黙示録・秘密結社・ユダヤ人・異星人』林和彦訳、三交社、2004年〕
18 Sean Robinson, "Snared by a Cybercult Queen," *News Tribune,* July 18, 2004.
19 Tritsch, "False Profit."
20 Robinson, "Snared by a Cybercult Queen."
21 Robinson.
22 Anthony Lantian, Mike Wood, and Biljana Gjoneska, "Personality Traits, Cognitive Styles, and Worldviews Associated with Beliefs in Conspiracy Theories," in Butter and Knight, eds., *Routledge Handbook of Conspiracy Theories,* 162.
23 Daniel Jolley, Silvia Mari, and Karen M. Douglas, "Consequences of Conspiracy Theories," in Butter and Knight, eds., *Routledge Handbook of Conspiracy Theories,* 236.
24 Uscinski and Parent.
25 "Conspiracy Theories Prosper: 25% of Americans Are Truthers," Jan. 17, 2013, Fairleigh Dickinson University, http://publicmind.fdu.edu/2013/outthere/final.pdf, quoted in Steven M. Smallpage, Hugo Drochon, Joseph E. Uscinski, and Casey Klofstad, "Who Are the Conspiracy Theorists?" in Butter and Knight, eds., *Routledge Handbook of Conspiracy Theories.*
26 J. Eric Oliver and Thomas J. Wood, "Conspiracy Theories and the Paranoid Style(s) of Mass Opinion," *American Journal of Political Science* (October 2014).
27 Nick Backovic and Joe Ondrak, "All Hail the King? How QAnon Is Backing a Conspiracy Theorist's Bizarre Claim to the Throne of England," Logically, July 22, 2020, https://www.logically.ai/articles/all-hail-the-king-how-qanon-is-backing-a-conspiracy-theorists-bizarre-claim-to-the-throne-of-england.
28 Barkun, *A Culture of Conspiracy,* 9.〔バーカン『現代アメリカの陰謀論』〕
29 Jason Strait, "Few Stake Claim to Millions in Omega Case," Associated Press, Jan. 24, 2002.

第８章　知った者は眠れない

1 WCT Newsroom, "Northwest Pilot from Rural Glyndon Alleges 9/11 Cover-up," *West Central Tribune,* March 9, 2007, https://www.wctrib.com/news/northwest-pilot-from-rural-glyndon-alleges-9-11-cover-up.
2 Mark Sauer, "Decade of Accusations: The McMartin Preschool Child Abuse Case Launched 100 Others — and a Vigorous Debate on How to Question Youngsters," *San Diego Union-Tribune,* Aug. 29, 1993.
3 Richard Beck, *We Believe the Children: A Moral Panic in the 1980s* (New York: PublicAffairs, 2015), 53.
4 Beck, 9.
5 Sauer, "Decade of Accusations."
6 Beck, 79.
7 Beck, 181.
8 Beck, 122.
9 Beck, 272.
10 Sauer, "Decade of Accusations."
11 Gordon Dillow and Marilyn Kalfus, "McMartin: The Pain Lingers," *Orange County Register,* May 20, 1995.
12 Rael Jean Isaac, "The Last Victim," *National Review,* Sept. 10, 2018, https://www.nationalreview.com/magazine/2018/09/10/the-last-victim/.
13 Beck, 160.
14 Eileen Kelly, "10 Years Later: Haleigh Cummings Disappearance Still a Mystery," *Gainesville Sun,* Feb. 9, 2019.
15 Kelly.
16 Eileen Kelly, "Still a Mystery," *Florida Times-Union.* Feb. 10, 2019.
17 "Petition for Injunction for Protection against Repeat Violence," *Kim Lowry Picazio v. Timothy Charles Holmseth.*
18 "Petition for Injunction for Protection against Repeat Violence."
19 "Petition for Injunction for Protection against Repeat Violence."
20 "Petition for Injunction for Protection against Repeat Violence."

12/18136132/google-youtube-congress-conspiracy-theories.
4 "Q Is Always Wrong About Everything," Twitter user @PokerPolitics, June 4, 2019, https://twitter.com/PokerPolitics/status/1135811817073270785.
5 Samuel K. Cohn, "Pandemics: Waves of Disease, Waves of Hate from the Plague of Athens to A.I.D.S.," *Historical Journal,* 2012, https://www.ncbi.nlm.nih.gov/pmc/articles/PMC4422154/.
6 "The Genesis of a Conspiracy Theory," Institute for Strategic Dialogue, https://www.isdglobal.org/wp-content/uploads/2020/07/The-Genesis-of-a-Conspiracy-Theory.pdf.
7 David Gilbert, "Man Inspired by QAnon and Hopped Up on Caffeine Purposefully Derailed Train," Vice News, April 15, 2022, https://www.vice.com/en/article/7kb38q/man-inspired-by-qanon-and-hopped-up-on-caffeine-purposefully-derailed-train.
8 Martin Enserink and Jon Cohen, "Fact-checking Judy Mikovits, the Controversial Virologist Attacking Anthony Fauci in a Viral Conspiracy Video," *Science,* May 8, 2020, https://www.science.org/content/article/fact-checking-judy-mikovits-controversial-virologist-attacking-anthony-fauci-viral.
9 Josh Rottenberg and Stacy Perman, "Meet the Ojai Dad Who Made the Most Notorious Piece of Coronavirus Disinformation Yet," *Los Angeles Times,* May 13, 2020, https://www.latimes.com/entertainment-arts/movies/story/2020-05-13/plandemic-coronavirus-documentary-director-mikki-willis-mikovits.
10 Anna Merlan, "An Ex-Google Employee Turned 'Whistleblower' and QAnon Fan Made 'Plandemic' Go Viral," Vice News, May 14, 2020, https://www.vice.com/en/article/k7qqyn/an-ex-google-employee-turned-whistleblower-and-qanon-fan-made-plandemic-go-viral.
11 Sheera Frankel, Ben Decker, and Davey Alba, "How the 'Plandemic' Movie and Its Falsehoods Spread Widely Online," *New York Times,* May 21, 2020, https://www.nytimes.com/2020/05/20/technology/plandemic-movie-youtube-facebook-coronavirus.html.
12 Geoff Brumfield, "What a Bottle of Ivermectin Reveals about the Shadowy World of COVID Telemedicine," NPR, Feb. 9, 2022, https://www.npr.org/sections/health-shots/2022/02/09/1079183523/what-a-bottle-of-ivermectin-reveals-about-the-shadowy-world-of-covid-telemedicin.
13 Vera Bergenruen, "How 'America's Frontline Doctors' Sold Access to Bogus COVID-19 Treatments — and Left Patients in the Lurch," *Time,* Aug. 26, 2021, https://time.com/6092368/americas-frontline-doctors-covid-19-misinformation/.
14 Lindsey Ellefson, "Former CIA Officer Who Called COVID a 'Hoax' Dies from Virus," Wrap, Aug. 30, 2021, https://www.thewrap.com/robert-david-steele-covid/.
15 David Moye, "Pro-Trump Speaker Wants to Turn D.C. Rally into 'Mass-SpreaderEvent,' " HuffPost, Jan. 5, 2021, https://www.huffpost.com/entry/clay-clark-trump-dc-rally-mass-spreader-event_n_5ff4e12cc5b6ec8ae0b69f57.

第7章　マトゥーンの魔法使い

1 John Kelly, "Omega Victims Bought Hope in $100 Investments," Associated Press, Sept. 7, 2000.
2 Pam Belluck, "Wads of Cash, Gossip, then Fraud Charges," *New York Times,* Sept. 2, 2000, https://www.nytimes.com/2000/09/02/us/wads-of-cash-gossip-then-fraud-charges.html.
3 Shane Tritsch, "False Profit," *Chicago,* Sept. 2001, https://www.quatloos.com/FalseProfit.pdf.
4 "Vehicles Belonging to Clyde Hood Among Those to Be Auctioned," Copley News Service, May 2003.
5 Tritsch, "False Profit."
6 Belluck, "Wads of Cash."
7 David Marchant, "Funny Business," UPI, May 16, 2001.
8 Myron Levin, "Suspect's Arrest Lifts Veil on 'Financial Scam of '90's," *Los Angeles Times,* Sept. 3, 1994.
9 Flynn McRoberts, "Downstate Fraud Had Global Reach, U.S. Says," *Chicago Tribune,* Sept. 4, 2000.
10 Jesse Walker, *The United States of Paranoia: A Conspiracy Theory* (New York: HarperCollins, 2014), 8.〔ジェシー・ウォーカー『パラノイア合衆国――陰謀論で読み解く《アメリカ史》』鍛原多惠子訳、河出書房新社、2015年〕
11 Walker, 9.〔ウォーカー『パラノイア合衆国』〕
12 Claus Oberhauser, "Freemasons, Illuminati, and Jews: Conspiracy Theories and the French Revolution," in Michael Butter and Peter Knight, eds., *Routledge Handbook of Conspiracy Theories* (London and New York: Routledge, 2020), 562.
13 Annika Thiem, "Conspiracy Theories and Gender and Sexuality," in Butter and Knight, eds., *Routledge Handbook of Conspiracy Theories,* 297.
14 Walker, 7.〔ウォーカー『パラノイア合衆国』〕
15 Joseph E. Uscinski and Joseph M. Parent, *American Conspiracy Theories* (New York: Oxford University Press, 2014).

6 Don Caldwell, "Q&A with Fredrick Brennan of 8chan," Know Your Meme, 2014, https://knowyourmeme.com/editorials/interviews/qa-with-fredrick-brennan-of-8chan.
7 Adrian Chen, "Gamergate Supporters Partied at a Strip Club This Weekend," *New York,* Oct. 27, 2014, https://nymag.com/intelligencer/2014/10/gamergate-supporters-party-at-strip-club.html.
8 David K. Kirkpatrick, "Who Is Behind QAnon? Linguistic Detectives Find Fingerprints," *New York Times,* Feb. 24, 2022, https://www.nytimes.com/2022/02/19/technology/qanon-messages-authors.html.
9 Paul Furber, "Q: Inside the Greatest Intelligence Drop in History," https://paulfurber.net/qinside/.
10 Kevin Roose, " 'Shut the Site Down,' Says the Creator of 8chan, a Megaphone for Gunmen," *New York Times,* Aug. 4, 2019, https://www.nytimes.com/2019/08/04/technology/8chan-shooting-manifesto.html.
11 Cullen Hoback, *Q: Into the Storm,* HBO, 2021.
12 Hoback.
13 Kirkpatrick, "Who Is Behind QAnon?"

第5章　世界を救う計画

1 リークされたフェイスブックの内部文書「キャロルのQアノンへの旅（Carol's Journey to QAnon）」は、以下の文書をギズモード（Gizmodo）が発表したことで公になった。"Facebook Papers," "Read the Facebook Papers for Yourself," https://gizmodo.com/facebook-papers-how-to-read-1848702919.
2 Ben Collins and Brandy Zadrozny, "Facebook Bans QAnon Across Its Platforms," NBC News, Oct. 6, 2020, https://www.nbcnews.com/tech/tech-news/facebook-bans-qanon-across-its-platforms-n1242339.
3 Rachel Metz, "Likes, Anger Emojis and RSVPs: The Math Behind Facebook's News Feed—and How It Backfired," CNN, Oct. 27, 2021, https://www.cnn.com/2021/10/27/tech/facebook-papers-meaningful-social-interaction-news-feed-math/index.html.
4 Kaitlyn Tiffany, "Reddit Squashed QAnon by Accident," *Atlantic,* Sept. 23, 2020, https://www.theatlantic.com/technology/archive/2020/09/reddit-qanon-ban-evasion-policy-moderation-facebook/616442/.
5 Tiffany.
6 Sheera Frankel, "QAnon Is Still Spreading on Facebook, Despite a Ban," *New York Times,* Dec. 18, 2020, https://www.nytimes.com/2020/12/18/technology/qanon-is-still-spreading-on-facebook-despite-a-ban.html.
7 Will Sommer, "Fox News Promotes Pro-Trump QAnon Conspiracy Theorist," Daily Beast, March 22, 2019, https://www.thedailybeast.com/fox-and-friends-first-promotes-pro-trump-qanon-conspiracy-theorist.
8 Mike Rothschild, "The Inside Story of How QAnon Derailed a Charter School's Annual Fundraiser," Daily Dot, May 10, 2019, https://www.dailydot.com/debug/qanon-grass-valley-charter-school-foundation/.
9 Reuters Fact Check, "Fact Check-False QAnon Claims That Oprah Is Wearing an Ankle Monitor During Interview," Reuters, March 10, 2021, https://www.reuters.com/article/factcheck-oprah-ankle/fact-check-false-qanon-claims-that-oprah-is-wearing-an-ankle-monitor-during-interview-idUSL1N2L81CO.
10 Jessica Contrera, "A QAnon Con: How the Viral Wayfair Sex Trafficking Lie Hurt Real Kids," *Washington Post,* December 16, 2021, https://www.washingtonpost.com/dc-md-va/interactive/2021/wayfair-qanon-sex-trafficking-conspiracy/.
11 Contrera.
12 Eddie Kim, "How 'Save the Children' Became a Conspiracy Grift," *MEL Magazine,* https://melmagazine.com/en-us/story/save-the-children-qanon-child-trafficking.
13 Marc-André Argentino, "Pastel QAnon," Global Network on Extremism & Technology, March 17, 2021, https://gnet-research.org/2021/03/17/pastel-qanon/.
14 E. J. Dickson, "The Birth of QAmom," *Rolling Stone,* Sept. 2, 2020, https://www.rollingstone.com/culture/culture-features/qanon-mom-conspiracy-theory-parents-sex-trafficking-qamom-1048921/.

第6章　ウイルス負荷《ロード》

1 Will Sommer, "QAnon's Newest Hero Is D-list 'Vanderpump Rules' Star Isaac Kappy," Daily Beast, Aug. 7, 2018, https://www.thedailybeast.com/qanons-newest-hero-is-a-d-list-vanderpump-rules-star.
2 Kyle Mantyla, "Liz Crokin Claims Celebrities Are Getting Coronavirus from Tainted 'Adrenochrome Supply,' " Right Wing Watch, March 18, 2020, https://www.rightwingwatch.org/post/liz-crokin-claims-celebrities-are-getting-coronavirus-from-tainted-adrenochrome-supply/.
3 Jane Coaston, "YouTube Conspiracy Theory Crisis, Explained," Vox, Dec. 14, 2018, https://www.vox.com/technology/2018/12/

what-that-is/.
6 Tom Porter, "QAnon Conspiracy Theorists Turned Out in Force at Trump's Michigan Rally as He Hailed Victory over 'Deep State,' " Insider, March 29, 2019, https://www.businessinsider.com/qanon-conspiracy-theory-attend-trump-michigan-rally-deep-state-2019-3.
7 Emily Singer, "Campaign Official Promises to Share QAnon Supporter's Message with Trump," The American Independent, May 26, 2020, https://americanindependent.com/donald-trump-campaign-qanon-kayleigh-mcenany-rally-arizona-phoenix.
8 Jonathan Swan and Zachary Basu, "Episode 3: Descent into Madness," Axios, Jan. 17, 2021, https://www.axios.com/2021/01/17/trump-off-the-rails-descent-into-madness.
9 Jerry Dunleavy, "QAnon Slogan Spoken from Trump Rally Podium as FBI Warns about Conspiracy Theory-related Violence," *Washington Examiner,* Aug. 2, 2019.
10 David Gilbert, "The Jan. 6 Committee Wants to Speak to Trump's Social Media Guy about QAnon," Vice News, March 29, 2022, https://www.vice.com/en/article/dypjky/dan-scavino-qanon.
11 "Donald Trump NBC Town Hall Transcript October 15," Rev.com, https://www.rev.com/blog/transcripts/donald-trump-nbc-town-hall-transcript-october-15.

第3章　Qの神官たち

1 Kenny Malone, "Hollywood's Black List," NPR, July 10, 2020, https://www.npr.org/2020/07/10/889708583/hollywoods-black-list.
2 "Soros' Hollywood Rentboy Exposed," Neon Revolt, https://www.neonrevolt.com/2018/10/18/soros-hollywood-rentboy-exposed-by-blacklistanon-greatawakening-neonrevolt/.
3 Ben Collins, "On Amazon, a QAnon Conspiracy Book Climbs the Charts—with an Algorithmic Push," NBC News, March 4, 2019, https://www.nbcnews.com/tech/tech-news/amazon-qanon-conspiracy-book-climbs-charts-algorithmic-push-n979181.
4 Elizabeth Williamson, "Alex Jones and Donald Trump: A Fateful Alliance Draws Scrutiny," *New York Times,* March 7, 2022, https://www.nytimes.com/2022/03/07/us/politics/alex-jones-jan-6-trump.html.
5 Jeffrey Toobin, "Roger Stone's and Jerome Corsi's Time in the Barrel," *New Yorker,* Feb. 11, 2019, https://www.newyorker.com/magazine/2019/02/18/roger-stones-and-jerome-corsis-time-in-the-barrel.
6 Brandy Zadrozny and Ben Collins, "How Three Conspiracy Theorists Took 'Q' and Sparked QAnon," NBC News, Aug. 14, 2018, https://www.nbcnews.com/tech/tech-news/how-three-conspiracy-theorists-took-q-sparked-qanon-n900531.
7 "I'm sick of all these witches and warlocks": Rebecca Speare-Cole, "Alex Jones' QAnon Rant Watched Over 2 Million Times: 'I'm Sick of It!' " *Newsweek,* Jan. 11, 2021, https://www.newsweek.com/alex-jones-qanon-rant-viral-infowars-1560394.
8 コルネロの人生の詳細は、彼が「ネオン・リヴォルト」の名前で自費出版した回想録『レヴォルーションQ（*Revolution Q*）』に由来する。2021年にオープンソース情報収集分析会社ロジカリーはコルネロを「ネオン・リヴォルト」と称する人物と関連づけた。コルネロはこれまでのところ、この身元特定について肯定も否定もしていない。私はコルネロにメールや電話、さらに彼の実家宛に手紙を送ることで接触を試みたが、返事はなかった。
9 Neon Revolt, "Revolution Q: The Story of QAnon and the 2nd American Revolution," 2019.
10 Nick Backovic, "EXCLUSIVE: Failed Screenwriter from New Jersey Behind One of QAnon's Most Influential Personas," Logically, Jan. 11, 2021, https://www.logically.ai/articles/exclusive-failed-screenwriter-from-new-jersey-behind-one-of-qanons-most-influential-personas.

第4章　Qは誰か？

1 David Kushner, "Cicada: Solving the Web's Deepest Mystery," *Rolling Stone,* Jan. 15, 2015, https://www.rollingstone.com/culture/culture-news/cicada-solving-the-webs-deepest-mystery-84394/.
2 Michael Edison Hayden, "Jack Posobiec Interviewed a Pro-Hitler Disinformation Poster on One America News Network," Hatewatch, July 23, 2020, https://www.splcenter.org/hatewatch/2020/07/23/jack-posobiec-interviewed-pro-hitler-disinformation-poster-one-america-news-network.
3 Ryan Broderick, "People Think This Whole QAnon Conspiracy Theory Is a Prank on Trump Supporters," BuzzFeed News, Aug. 6, 2018, https://www.buzzfeednews.com/article/ryanhatesthis/its-looking-extremely-likely-that-qanon-is-probably-a.
4 "Prologue," Luther Blissett, http://www.lutherblissett.net/.
5 Michael Wilson, "City Newcomer Is Let Down by a Stranger, Then the Police," *New York Times,* Jan. 18, 2014, https://www.nytimes.com/2014/01/18/nyregion/city-newcomer-is-let-down-by-a-stranger-then-the-police.html.

原註

はじめに　嵐《ストーム》

1 Ryan Reilly, "Armed Jan. 6 Rioter Had Zip Ties during Capitol Attack, Friend Testifies at Trial," NBC News, March 4, 2022, https://www.nbcnews.com/politics/justice-department/armed-jan-6-rioter-zip-ties-capitol-attack-friend-testifies-trial-rcna18733.

2 Will Sommer, "Infamous 'Hoax' Artist Behind Trumpworld's New Voter Fraud Claim," Daily Beast, Nov. 9, 2020, https://www.thedailybeast.com/infamous-hoax-artist-behind-trumpworlds-new-voter-fraud-claim.

3 Sam Thielman, "How Do You Stop the Far-Right Using the Punisher Skull? Make It a Black Lives Matter Symbol," *Guardian,* June 11, 2020, https://www.theguardian.com/books/2020/jun/11/how-do-you-stop-the-far-right-using-the-punisher-skull-make-it-a-black-lives-matter-symbol.

4 Amanda Robb, "Pizzagate: Anatomy of a Fake News Scandal," *Rolling Stone,* Nov. 16, 2017, https://www.rollingstone.com/feature/anatomy-of-a-fake-news-scandal-125877.

5 Adam Goldman, "The Comet Ping Pong Gunman Answers Our Reporter's Questions," *New York Times,* Dec. 7, 2016, https://www.nytimes.com/2016/12/07/us/edgar-welch-comet-pizza-fake-news.html.

6 "QAnon FAA Employee from California Charged with Taking Part in U.S. Capitol Riot," Associated Press, Jan. 22, 2021, https://ktla.com/news/california/qanon-faa-employee-from-california-charged-with-taking-part-in-u-s-capitol-riot/.

7 Ayman M. Mohyeldin and Preeti Varathan, "Rosanne Boyland Was Outside the U.S. Capitol January 6. How—and Why—Did She Die?" *Vanity Fair,* Jan. 5, 2022, https://www.vanityfair.com/news/2022/01/capitol-insurrection-rosanne-boyland-how-and-why-did-she-die.

8 "Government's Brief in Support of Detention," *USA v. Jacob Chansley,* Jan. 14, 2021.

9 "Government's Brief in Support of Detention."

第1章　起源

1 Chuck Todd, Mark Murray, and Carrie Dann, "Study Finds Nearly One-in-Five Americans Believe QAnon Conspiracy Theories," NBC News, May 27, 2021, https://www.nbcnews.com/politics/meet-the-press/study-finds-nearly-one-five-americans-believe-qanon-conspiracy-theories-n1268722.

2 Daniel A. Cox, "After the Ballots Are Counted: Conspiracies, Political Violence, and American Exceptionalism," Survey Center on American Life, Feb. 11, 2021, https://www.americansurveycenter.org/research/after-the-ballots-are-counted-conspiracies-political-violence-and-american-exceptionalism/.

3 "Are You a Supporter of QAnon?" Civiqs, https://civiqs.com/results/qanon_support?uncertainty=true&annotations=true&zoomIn=true.

4 Dale Beran, *It Came from Something Awful: How a Toxic Troll Army Accidentally Memed Donald Trump into Office* (All Points Books, 2019), ix.

5 Beran, 37.

6 Beran, 123.

7 Beran, 124.

第2章　「Qのことを訊いて」

1 E. J. Dickson, "Meet the Parents of 'Qbaby,' Star of the Trump Rally and New QAnon Mascot," *Rolling Stone,* July 18, 2019, https://www.rollingstone.com/culture/culture-news/qbaby-qanon-conspiracy-theory-trump-rally-860526/.

2 Will Sommer and Asawin Suebsaeng, "Team Trump Wrestles with Its QAnon Problem," Daily Beast, Sept. 12, 2019, https://www.thedailybeast.com/team-trump-wrestles-with-its-2020-qanon-problem.

3 Elizabeth Nolan Brown, "At Trump Tampa Rally, QAnon Conspiracists Abound as President Claims You Need ID to Buy Groceries," *Reason,* Aug. 1, 2018, https://reason.com/2018/08/01/trump-tampa-rally-a-hotbed-of-qanon/.

4 Adam C. Smith, "Florida Insider Poll: 'We've Gone from Being the Party of Jeb, Winning Everywhere, to the Party of Cletus, the Slack-jawed Yokel,' " *Tampa Bay Times,* July 24, 2018, https://www.tampabay.com/florida-politics/buzz/2018/07/24/florida-insider-poll-weve-gone-from-being-the-party-of-jeb-winning-everywhere-to-the-party-of-cletus-the-slack-jawed-yokel/.

5 Steve Contorno, "Ron DeSantis on His QAnon Conspiracy Supporters: 'I'm Not Sure What That Is,' " *Tampa Bay Times,* Aug. 28, 2018, https://www.tampabay.com/florida-politics/buzz/2018/08/28/ron-desantis-on-his-qanon-conspiracy-supporters-im-not-sure-

ウィル・ソマー　Will Sommer

1988年生まれ。ジャーナリスト。アメリカの陰謀論や保守・右派系メディアを専門とし、Qアノン陣営からは「天敵」とされる。ジョージタウン大学で国際政治学を学び、在学中からジャーナリストとしての活動を開始。ニュースサイト〈デイリー・ビースト〉政治記者や同サイトのポッドキャスト番組『フィーバー・ドリームズ』司会者等を経て、現在〈ワシントン・ポスト〉紙メディア記者。

西川美樹　にしかわ・みき

翻訳家。東京女子大学文理学部英米文学科卒。訳書にE・ブラック『弱者に仕掛けた戦争』（人文書院、2022）、J・エブナー『ゴーイング・ダーク』（左右社、2021）、B・ミラノヴィッチ『資本主義だけ残った』（みすず書房、2021）、P・R・サカモト『黒い雨に撃たれて』（共訳、上下巻、慶應義塾大学出版会、2020）など。

秦 正樹　はた・まさき

1988年、広島県生まれ。京都府立大学公共政策学部准教授。2016年、神戸大学大学院法学研究科（政治学）博士課程後期課程修了。博士（政治学）。専門は政治心理学、政治行動論、実験政治学。著書に『陰謀論——民主主義を揺るがすメカニズム』（中公新書、2022）、『日本は「右傾化」したのか』（共著、慶應義塾大学出版会、2020）など。

Qアノンの正体《しょうたい》
陰謀論《いんぼうろん》が世界《せかい》を揺《ゆ》るがす

2023年11月20日　初版印刷
2023年11月30日　初版発行

著　者　　ウィル・ソマー
訳　者　　西川美樹
装　幀　　山田和寛（nipponia）
発行者　　小野寺優
発行所　　株式会社河出書房新社
〒151-0051
東京都渋谷区千駄ヶ谷2-32-2
電話　03-3404-1201（営業）
03-3404-8611（編集）
https://www.kawade.co.jp/
組　版　　KAWADE DTP WORKS
印　刷　　株式会社暁印刷
製　本　　株式会社暁印刷

Printed in Japan
ISBN978-4-309-23143-3